진도북

큐브
수학
개념

6·2

구성과 특징

무료
스마트
러닝

진도북

큐브수학 개념
이렇게 활용하세요.

추천1

개념 반복 학습과 수학 익힘 반복 학습
으로 기본을 다지는 방법

개념
반복
학습 → 진도북 STEP 1 → 매칭북 학습지 → 진도북 STEP 2

수학 익힘
반복
학습 → 진도북 STEP 3 → 매칭북 수학 익힘

추천2

예습과 복습으로 개념을 쉽고 빠르게
이해하는 방법

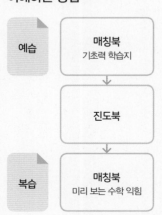

예습 → 매칭북 기초력 학습지

진도북

복습 → 매칭북 미리 보는 수학 익힘

STEP 1 교과서 개념 잡기

교과서 개념과 문제로 개념을 쉽게 이해할
수 있습니다.

한눈에 쏙 그림으로 공부할 개념에 대해
흥미를 가집니다.

교과서 공통 꼭 알아야 할 교과서 핵심 문
제입니다.

▶ 개념 강의 동영상 제공

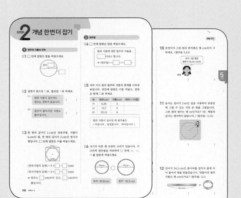

STEP 2 개념 한 번 더 잡기

〈교과서 개념 잡기〉의 유사 문제로 개념을 한
번 더 공부하여 완벽하게 다집니다.

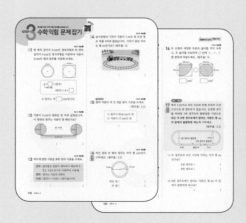

STEP 3 수학 익힘 문제 잡기

수학 익힘 문제 유형으로 실력을 다집니다.

익힘책 공통 꼭 알아야 할 익힘책의 중요
문제를 익힙니다.

생각+문제 문제 해결 능력과 교과 역량을
키우는 문제입니다.

▶ 문제 강의 동영상 제공

큐브수학 개념은 학교별 모든 교과서 개념과 수학 익힘 문제를
한 권에 담은 기본 개념서입니다. **무료 스마트러닝**과 함께
큐브수학 개념으로 수학의 자신감을 키우세요.

매칭북

서술형 잡기

풀이 과정을 따라 익히며 체계적으로 서술형
문제를 해결합니다.

▶ 서술형 강의 동영상 제공

기초력 학습지

개념별 기초 문제입니다.
진도북의 〈교과서 개념 잡기〉를
공부한 다음 학습지로 개념별
기초력을 완성합니다.

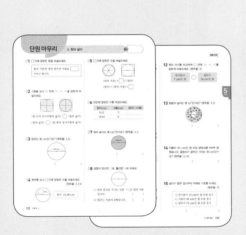

단원 마무리

해당 단원을 잘 공부했는지 확인하여 실력을
점검합니다.

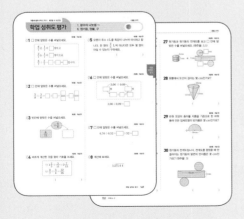

학업 성취도 평가

한 학기를 마무리 하며 나의 수준을 평가하
고, 다음 학기를 대비합니다.

미리 보는 수학 익힘

수학 익힘의 유사 문제입니다.
진도북의 〈수학 익힘 문제 잡기〉
를 공부한 다음 반복 학습하여
수학 실력을 완성합니다.

차례

1 분수의 나눗셈

오늘은 호떡을 만들기 위해 흑설탕 4컵을 준비했어!

호떡 한 개를 만드는 데 흑설탕 $\frac{2}{7}$컵이 필요하다면

만들 수 있는 호떡이 모두 몇 개지~?

무료
스마트
러닝

동영상 강의와 함께 계획을 세워 공부합니다.
동영상 강의를 시청했으면 ◯에 ∨표 하세요.

공부한 날	동영상 확인	쪽수	학습 내용
월 일	▶ ◯	008~013쪽	**교과서 개념 잡기** ❶ 분모가 같은 (분수)÷(분수) ⑴ ❷ 분모가 같은 (분수)÷(분수) ⑵ ❸ 분모가 다른 (분수)÷(분수)
월 일		014~015쪽	**개념 한 번 더 잡기**
월 일	▶ ◯	016~019쪽	**교과서 개념 잡기** ❹ (자연수)÷(분수) ❺ (분수)÷(분수)를 (분수)×(분수)로 나타내기 ❻ (분수)÷(분수)를 계산하기
월 일		020~021쪽	**개념 한 번 더 잡기**
월 일	▶ ◯	022~024쪽	**수학 익힘 문제 잡기**
월 일	▶ ◯	025쪽	**서술형 잡기**
월 일		026~028쪽	**단원 마무리**

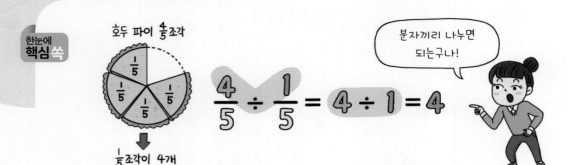

한눈에 **핵심 쏙**

분자끼리 나누면 되는구나!

1 분모가 같은 (분수)÷(분수) (1) → 분자끼리 나누어떨어지는 경우

개념 강의

(1) **분모가 같은 (분수)÷(단위분수)**

㉱ $\dfrac{3}{5} \div \dfrac{1}{5}$의 계산

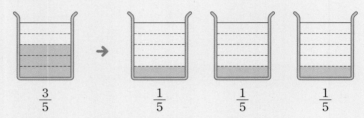

$\dfrac{3}{5}$ $\dfrac{1}{5}$ $\dfrac{1}{5}$ $\dfrac{1}{5}$

$\dfrac{3}{5}$에서 $\dfrac{1}{5}$을 3번 덜어 낼 수 있습니다. → $\dfrac{3}{5} \div \dfrac{1}{5} = 3$

(2) **분모가 같은 (분수)÷(분수)**

㉱ $\dfrac{6}{7} \div \dfrac{2}{7}$의 계산

방법 1 그림을 이용하여 계산하기

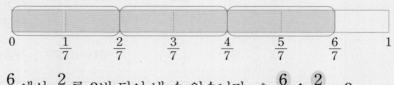

$0 \quad \dfrac{1}{7} \quad \dfrac{2}{7} \quad \dfrac{3}{7} \quad \dfrac{4}{7} \quad \dfrac{5}{7} \quad \dfrac{6}{7} \quad 1$

$\dfrac{6}{7}$에서 $\dfrac{2}{7}$를 3번 덜어 낼 수 있습니다. → $\dfrac{6}{7} \div \dfrac{2}{7} = 3$

방법 2 분자끼리 나눗셈으로 계산하기

분모가 같은 분수의 나눗셈에서 분자끼리 나누어떨어지면 몫은 자연수입니다.

$\dfrac{6}{7}$은 $\dfrac{1}{7}$이 6개이고, $\dfrac{2}{7}$는 $\dfrac{1}{7}$이 2개이므로 $\dfrac{6}{7} \div \dfrac{2}{7}$는 6개를 2개로 나누는 것과 같습니다. → $\dfrac{6}{7} \div \dfrac{2}{7} = 6 \div 2 = 3$

> 분모가 같은 (분수)÷(분수)는 분자끼리 나누어 계산합니다.

1 $\frac{7}{9} \div \frac{1}{9}$ 을 계산하는 방법을 알아보려고 합니다. 물음에 답하세요.

(1) $\frac{7}{9}$ 만큼 색칠해 보세요.

(2) $\frac{7}{9}$ 에서 $\frac{1}{9}$ 을 몇 번 덜어 낼 수 있나요?

(   )

(3) ☐ 안에 알맞은 수를 써넣으세요.

$$\frac{7}{9} \div \frac{1}{9} = 7 \div \boxed{} = \boxed{}$$

교과서 공통 2 $\frac{9}{10} \div \frac{3}{10}$ 을 계산하려고 합니다. ☐ 안에 알맞은 수를 써넣으세요.

$\frac{9}{10}$ 는 $\frac{1}{10}$ 이 $\boxed{}$ 개입니다.

$\frac{3}{10}$ 은 $\frac{1}{10}$ 이 $\boxed{}$ 개입니다.

$\rightarrow \frac{9}{10} \div \frac{3}{10} = 9 \div \boxed{} = \boxed{}$

3 ☐ 안에 알맞은 수를 써넣으세요.

(1) $\frac{3}{4} \div \frac{1}{4} = \boxed{} \div \boxed{} = \boxed{}$

(2) $\frac{4}{5} \div \frac{2}{5} = \boxed{} \div \boxed{} = \boxed{}$

(3) $\frac{8}{9} \div \frac{4}{9} = \boxed{} \div \boxed{} = \boxed{}$

(4) $\frac{10}{13} \div \frac{5}{13} = \boxed{} \div \boxed{} = \boxed{}$

4 계산해 보세요.

(1) $\frac{4}{7} \div \frac{1}{7}$

(2) $\frac{5}{8} \div \frac{1}{8}$

(3) $\frac{6}{11} \div \frac{3}{11}$

(4) $\frac{14}{15} \div \frac{7}{15}$

014쪽 에서 개념을 한 번 더 다집니다.

분자끼리 나누어떨어지지 않을 때 몫을 분수로 나타내~!

분모가 같은 (분수)÷(분수)	분자끼리 나누기	몫을 분수로 나타내기
$\dfrac{3}{8} \div \dfrac{5}{8}$	$3 \div 5$	$\dfrac{3}{5}$

개념 강의

2 분모가 같은 (분수)÷(분수) (2) → 분자끼리 나누어떨어지지 않는 경우

㉑ $\dfrac{3}{7} \div \dfrac{2}{7}$ 의 계산

(1) 3÷2 **알아보기**

원 3개를 2개씩 묶으면 2개씩 1묶음과 1묶음의 절반인 $\dfrac{1}{2}$묶음이 됩니다.

→ $3 \div 2 = 1\dfrac{1}{2}$

$\cdot \dfrac{1}{2}$묶음

(2) 3÷2를 이용하여 $\dfrac{3}{7} \div \dfrac{2}{7}$ **계산하기**

① $\dfrac{3}{7}$은 $\dfrac{1}{7}$이 3개이고, $\dfrac{2}{7}$는 $\dfrac{1}{7}$이 2개입니다.

② 3개를 2개씩 묶으면 2개씩 1묶음과 1묶음의 절반인 $\dfrac{1}{2}$묶음이 됩니다.

③ 따라서 $\dfrac{3}{7} \div \dfrac{2}{7}$는 3÷2를 계산한 결과와 같습니다.

$\dfrac{1}{7}$	$\dfrac{1}{7}$	$\dfrac{1}{7}$	$\dfrac{1}{7}$	$\dfrac{1}{7}$	$\dfrac{1}{7}$	$\dfrac{1}{7}$

0 ～ 1

→ $\dfrac{3}{7} \div \dfrac{2}{7} = 3 \div 2 = \dfrac{3}{2} = 1\dfrac{1}{2}$

분모가 같은 (분수)÷(분수)에서 분자끼리 나누어떨어지지 않을 때에는 몫을 분수로 나타냅니다.

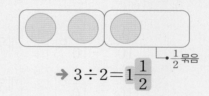

1 $7 \div 2$를 이용하여 $\dfrac{7}{11} \div \dfrac{2}{11}$를 계산하려고 합니다. □ 안에 알맞은 수를 써넣으세요.

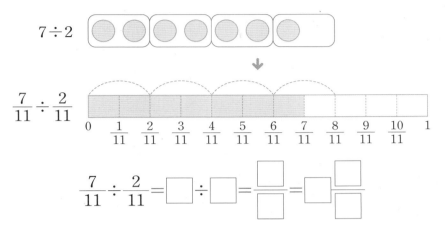

$$\dfrac{7}{11} \div \dfrac{2}{11} = \boxed{} \div \boxed{} = \dfrac{\boxed{}}{\boxed{}} = \boxed{}\dfrac{\boxed{}}{\boxed{}}$$

교과서 공통 **2** □ 안에 알맞은 수를 써넣으세요.

(1) $\dfrac{7}{10} \div \dfrac{9}{10} = 7 \div \boxed{} = \dfrac{\boxed{}}{\boxed{}}$

(2) $\dfrac{8}{13} \div \dfrac{5}{13} = \boxed{} \div 5 = \dfrac{\boxed{}}{\boxed{}} = \boxed{}\dfrac{\boxed{}}{\boxed{}}$

3 보기와 같은 방법으로 계산해 보세요.

보기
$$\dfrac{4}{5} \div \dfrac{3}{5} = 4 \div 3 = \dfrac{4}{3} = 1\dfrac{1}{3}$$

$\dfrac{7}{8} \div \dfrac{3}{8}$

4 계산해 보세요.

(1) $\dfrac{3}{5} \div \dfrac{2}{5}$

(2) $\dfrac{5}{7} \div \dfrac{3}{7}$

(3) $\dfrac{4}{9} \div \dfrac{7}{9}$

(4) $\dfrac{11}{12} \div \dfrac{7}{12}$

014쪽에서 개념을 한 번 더 다집니다.

STEP **1**

학교별 모든 개념을 담았습니다.

교과서 개념 잡기

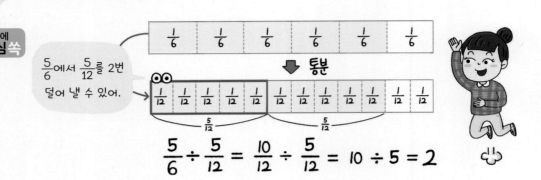

한눈에
핵심쏙

$\frac{5}{6}$에서 $\frac{5}{12}$를 2번 덜어 낼 수 있어.

통분

$$\frac{5}{6} \div \frac{5}{12} = \frac{10}{12} \div \frac{5}{12} = 10 \div 5 = 2$$

개념 강의

3 분모가 다른 (분수)÷(분수)

(1) 분자끼리 나누어떨어지는 (분수)÷(분수)

(예) $\frac{3}{4} \div \frac{3}{16}$의 계산

방법**1** 그림을 이용하여 계산하기

$$\frac{3}{4} = \frac{12}{16}$$이고 $\frac{12}{16}$는 $\frac{3}{16}$의 4배입니다. → $\frac{3}{4} \div \frac{3}{16} = 4$

두 분모의 곱 또는 두 분모의 최소공배수를 공통분모로 하여 통분합니다.

방법**2** 두 분수를 통분하여 계산하기

$$\frac{3}{4} \div \frac{3}{16} = \frac{12}{16} \div \frac{3}{16} = 12 \div 3 = 4$$

① 통분하기   ② 분자끼리 나누기

(2) 분자끼리 나누어떨어지지 않는 (분수)÷(분수)

(예) $\frac{2}{3} \div \frac{3}{5}$의 계산

$$\frac{2}{3} = \frac{2 \times 5}{3 \times 5} = \frac{10}{15}, \quad \frac{3}{5} = \frac{3 \times 3}{5 \times 3} = \frac{9}{15}$$ ← 15를 공통분모로 하여 통분합니다.

$$\rightarrow \frac{2}{3} \div \frac{3}{5} = \frac{10}{15} \div \frac{9}{15} = 10 \div 9 = \frac{10}{9} = 1\frac{1}{9}$$

① 통분하기   ② 분자끼리 나누기

> 분모가 다른 (분수)÷(분수)는 통분한 후 분자끼리 나누어 계산합니다.
>
> → 분자끼리 나누어떨어지지 않으면 몫을 분수로 나타냅니다.

1 그림을 보고 □ 안에 알맞은 수를 써넣으세요.

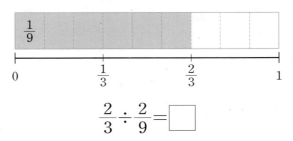

$$\frac{2}{3} \div \frac{2}{9} = \boxed{}$$

교과서 공통 2 두 분수를 통분하여 $\dfrac{1}{5} \div \dfrac{4}{9}$ 를 계산하려고 합니다. □ 안에 알맞은 수를 써넣으세요.

$$\frac{1}{5} = \frac{1 \times \boxed{}}{5 \times 9} = \frac{\boxed{}}{45} , \quad \frac{4}{9} = \frac{4 \times \boxed{}}{9 \times \boxed{}} = \frac{\boxed{}}{45}$$

$$\rightarrow \frac{1}{5} \div \frac{4}{9} = \frac{\boxed{}}{45} \div \frac{\boxed{}}{45} = \boxed{} \div \boxed{} = \frac{\boxed{}}{\boxed{}}$$

3 □ 안에 알맞은 수를 써넣으세요.

$$\frac{3}{10} \div \frac{1}{6} = \frac{\boxed{}}{30} \div \frac{\boxed{}}{30} = \boxed{} \div \boxed{} = \frac{\boxed{}}{\boxed{}} = \boxed{} \frac{\boxed{}}{\boxed{}}$$

4 계산해 보세요.

(1) $\dfrac{2}{3} \div \dfrac{5}{12}$

(2) $\dfrac{7}{8} \div \dfrac{3}{16}$

(3) $\dfrac{1}{7} \div \dfrac{3}{5}$

(4) $\dfrac{3}{7} \div \dfrac{3}{14}$

015쪽 에서 개념을 한 번 더 다집니다.

1 분모가 같은 (분수)÷(분수) ⑴

01 그림을 보고 □ 안에 알맞은 수를 써넣으세요.

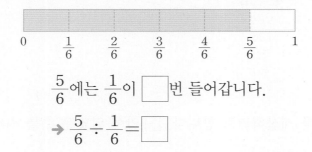

$\dfrac{5}{6}$에는 $\dfrac{1}{6}$이 □번 들어갑니다.

➜ $\dfrac{5}{6} \div \dfrac{1}{6} =$ □

02 □ 안에 알맞은 수를 써넣으세요.

$\dfrac{10}{11}$은 $\dfrac{1}{11}$이 □개이고,

$\dfrac{2}{11}$는 $\dfrac{1}{11}$이 □개이므로

$\dfrac{10}{11} \div \dfrac{2}{11} =$ □ $\div$ □ $=$ □입니다.

03 □ 안에 알맞은 수를 써넣으세요.

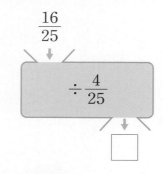

2 분모가 같은 (분수)÷(분수) ⑵

04 $\dfrac{5}{8}$에는 $\dfrac{2}{8}$가 몇 번 들어가는지 그림에 나타 내고, □ 안에 알맞은 수를 써넣으세요.

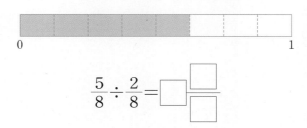

$\dfrac{5}{8} \div \dfrac{2}{8} =$ □ $\dfrac{□}{□}$

05 관계있는 것끼리 이어 보세요.

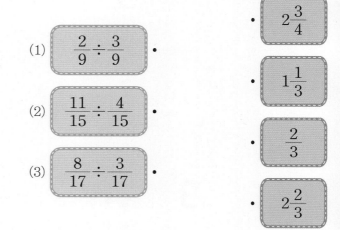

(1) $\dfrac{2}{9} \div \dfrac{3}{9}$ ·

(2) $\dfrac{11}{15} \div \dfrac{4}{15}$ ·

(3) $\dfrac{8}{17} \div \dfrac{3}{17}$ ·

· $2\dfrac{3}{4}$

· $1\dfrac{1}{3}$

· $\dfrac{2}{3}$

· $2\dfrac{2}{3}$

06 $\dfrac{12}{19} \div \dfrac{7}{19}$을 바르게 계산한 사람의 이름을 쓰세요.

$\dfrac{12}{19} \div \dfrac{7}{19} = 1\dfrac{5}{7}$ 윤우

$\dfrac{12}{19} \div \dfrac{7}{19} = \dfrac{7}{12}$ 시현

( )

③ 분모가 다른 (분수)÷(분수)

07 그림을 보고 □ 안에 알맞은 수를 써넣으세요.

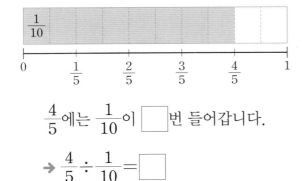

$\dfrac{4}{5}$에는 $\dfrac{1}{10}$이 □ 번 들어갑니다.

→ $\dfrac{4}{5} \div \dfrac{1}{10} = \boxed{}$

08 그림을 보고 □ 안에 알맞은 수를 써넣으세요.

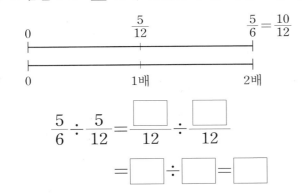

$\dfrac{5}{6} \div \dfrac{5}{12} = \dfrac{\boxed{}}{12} \div \dfrac{\boxed{}}{12}$

$= \boxed{} \div \boxed{} = \boxed{}$

09 두 분수를 통분하여 계산하는 과정입니다. □ 안에 알맞은 수를 써넣으세요.

$\dfrac{5}{7} \div \dfrac{3}{4} = \dfrac{5 \times 4}{7 \times 4} \div \dfrac{3 \times 7}{4 \times 7}$

$= \dfrac{\boxed{}}{28} \div \dfrac{\boxed{}}{28}$

$= \boxed{} \div \boxed{} = \dfrac{\boxed{}}{\boxed{}}$

10 계산해 보세요.

(1) $\dfrac{7}{8} \div \dfrac{5}{40}$

(2) $\dfrac{4}{9} \div \dfrac{4}{27}$

11 보기와 같은 방법으로 계산해 보세요.

> 보기
> $$\dfrac{5}{6} \div \dfrac{2}{5} = \dfrac{25}{30} \div \dfrac{12}{30} = 25 \div 12$$
> $$= \dfrac{25}{12} = 2\dfrac{1}{12}$$

(1) $\dfrac{4}{5} \div \dfrac{1}{3}$

(2) $\dfrac{5}{8} \div \dfrac{2}{9}$

12 빈칸에 알맞은 수를 써넣으세요.

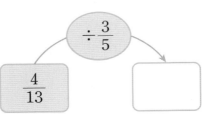

❹ (자연수)÷(분수)

(예)

민수네 가족이 사과 $4\,\text{kg}$을 따는 데 $\dfrac{2}{3}$ 시간이 걸렸습니다. 민수네 가족이 1시간 동안 딸 수 있는 사과의 무게를 알아보세요.

통분을 이용하여 계산하는 방법

$$4 \div \dfrac{2}{3} = \dfrac{12}{3} \div \dfrac{2}{3}$$
$$= 12 \div 2$$
$$= 6$$

①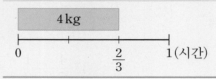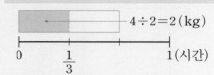

②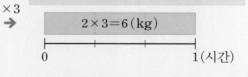

③ 따라서 민수네 가족이 1시간 동안 딸 수 있는 사과의 무게는

$$4 \div \dfrac{2}{3} = (4 \div 2) \times 3 = 6\,(\text{kg}) \text{입니다.}$$

(자연수)÷(분수)를 (자연수)×(분수)로 나타내기

$$9 \div \dfrac{2}{5} = (9 \div 2) \times 5$$
$$= 9 \times \dfrac{1}{2} \times 5$$
$$= 9 \times \dfrac{5}{2}$$

❺ (분수)÷(분수)를 (분수)×(분수)로 나타내기

(예) $\dfrac{2}{7} \div \dfrac{4}{5}$ 를 분수의 곱셈으로 나타내어 계산하기

$$\dfrac{2}{7} \div \dfrac{4}{5} = \left(\dfrac{2}{7} \div 4 \right) \times 5 = \dfrac{2}{7} \times \dfrac{1}{4} \times 5 = \dfrac{2}{7} \times \dfrac{\overset{1}{5}}{\underset{2}{4}} = \dfrac{5}{14}$$

교과서 공통 **1** 수박 $\frac{4}{5}$통의 무게가 8 kg일 때 수박 1통의 무게는 몇 kg인지 구하려고 합니다. 물음에 답하세요.

(1) 수박 $\frac{1}{5}$통의 무게는 몇 kg인지 구하세요.

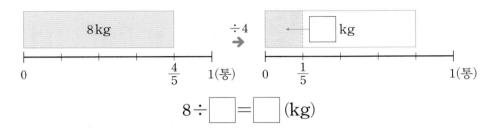

$$8 \div \boxed{} = \boxed{} \text{ (kg)}$$

(2) 수박 1통의 무게는 몇 kg인지 구하세요.

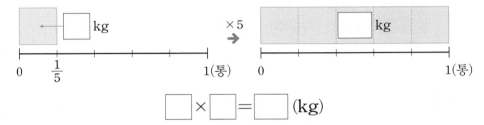

$$\boxed{} \times \boxed{} = \boxed{} \text{ (kg)}$$

(3) 위 (1)과 (2)에서 계산한 과정을 하나의 식으로 나타내어 보세요.

$$8 \div \frac{4}{5} = \left(8 \div \boxed{}\right) \times \boxed{} = \boxed{}$$

2 □ 안에 알맞은 수를 써넣으세요.

(1) $6 \div \frac{3}{7} = \left(6 \div \boxed{}\right) \times \boxed{} = \boxed{}$

(2) $10 \div \frac{2}{9} = \left(10 \div \boxed{}\right) \times \boxed{} = \boxed{}$

3 □ 안에 알맞은 수를 써넣으세요.

(1) $\dfrac{2}{7} \div \dfrac{3}{4} = \dfrac{2}{7} \times \dfrac{\boxed{}}{\boxed{}} = \dfrac{\boxed{}}{\boxed{}}$

(2) $\dfrac{3}{11} \div \dfrac{2}{5} = \dfrac{3}{11} \times \dfrac{\boxed{}}{\boxed{}} = \dfrac{\boxed{}}{\boxed{}}$

020쪽 에서 개념을 한 번 더 다집니다.

한눈에 **방법**쏙

$3\frac{1}{4} \times \frac{3}{2} = 3\frac{3}{8}$ 으로
계산하지 않도록 주의해!

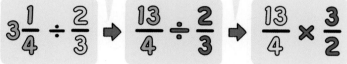

① 대분수를 가분수로 바꾸기

② 분수의 곱셈으로 나타내어 계산하기

$$3\frac{1}{4} \div \frac{2}{3} \implies \frac{13}{4} \div \frac{2}{3} \implies \frac{13}{4} \times \frac{3}{2}$$

6 (분수)÷(분수)를 계산하기

(1) (가분수)÷(분수)

예 $\frac{9}{4} \div \frac{5}{7}$의 계산

방법 1 두 분수를 통분하여 계산하기

① 통분하기 ② 분자끼리 나누기

$$\frac{9}{4} \div \frac{5}{7} = \frac{63}{28} \div \frac{20}{28} = 63 \div 20$$

$$= \frac{63}{20} = 3\frac{3}{20}$$

방법 2 분수의 곱셈으로 나타내어 계산하기

$$\frac{9}{4} \div \frac{5}{7} = \frac{9}{4} \times \frac{7}{5} = \frac{63}{20} = 3\frac{3}{20}$$

계산 결과와 나누는 수를 곱했을 때 나누어지는 수가 나오면 맞게 계산한 것입니다.

$$\frac{9}{4} \div \frac{5}{7} = \frac{63}{20}$$

$$\rightarrow \overset{9}{\underset{4}{\frac{63}{20}}} \times \overset{1}{\underset{1}{\frac{5}{7}}} = \frac{9}{4} \ (\bigcirc)$$

---

(2) (대분수)÷(분수)

예 $1\frac{1}{8} \div \frac{4}{5}$의 계산

방법 1 두 분수를 통분하여 계산하기

① 가분수로 바꾸기

$$1\frac{1}{8} \div \frac{4}{5} = \frac{9}{8} \div \frac{4}{5} = \frac{45}{40} \div \frac{32}{40} = 45 \div 32$$

② 통분하기 ③ 분자끼리 나누기

$$= \frac{45}{32} = 1\frac{13}{32}$$

방법 2 분수의 곱셈으로 나타내어 계산하기

$$1\frac{1}{8} \div \frac{4}{5} = \frac{9}{8} \div \frac{4}{5} = \frac{9}{8} \times \frac{5}{4} = \frac{45}{32} = 1\frac{13}{32}$$

분수의 곱셈으로 나타내어 계산하는 방법

대분수를 가분수로 바꾸기
↓
나눗셈을 곱셈으로 바꾸기
↓
분수의 분모와 분자를 바꾸어 계산하기

---

1 $\dfrac{5}{2} \div \dfrac{3}{8}$ 을 계산하려고 합니다. 물음에 답하세요.

(1) 두 분수를 통분하여 계산해 보세요.

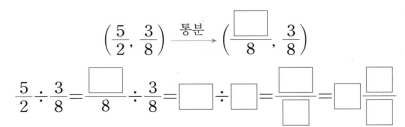

(2) 분수의 곱셈으로 나타내어 계산해 보세요.

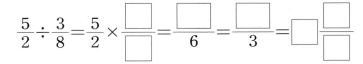

교과서 공통 2 $2\dfrac{1}{5} \div \dfrac{5}{6}$ 를 두 가지 방법으로 계산하려고 합니다. □ 안에 알맞은 수를 써넣으세요.

방법 1 두 분수를 통분하여 계산하기

$$2\dfrac{1}{5} \div \dfrac{5}{6} = \dfrac{\square}{5} \div \dfrac{5}{6} = \dfrac{\square}{30} \div \dfrac{\square}{30} = \dfrac{\square}{\square} = \square\dfrac{\square}{\square}$$

방법 2 분수의 곱셈으로 나타내어 계산하기

$$2\dfrac{1}{5} \div \dfrac{5}{6} = \dfrac{\square}{5} \div \dfrac{5}{6} = \dfrac{\square}{5} \times \dfrac{\square}{\square} = \dfrac{\square}{\square} = \square\dfrac{\square}{\square}$$

3 계산해 보세요.

(1) $\dfrac{13}{7} \div \dfrac{2}{3}$

(2) $\dfrac{8}{7} \div \dfrac{5}{11}$

(3) $2\dfrac{1}{4} \div \dfrac{2}{5}$

(4) $3\dfrac{2}{3} \div \dfrac{3}{4}$

021쪽 에서 개념을 **한 번** 더 다집니다.

4 (자연수)÷(분수)

[01~02] 빈 상자에 쌀 $3\,kg$을 담았더니 상자의 $\dfrac{3}{4}$이 채워졌습니다. 한 상자를 가득 채울 수 있는 쌀의 양을 구하려고 합니다. 물음에 답하세요.

01 □ 안에 알맞은 수를 써넣으세요.

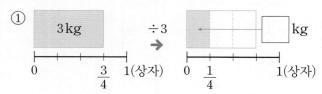

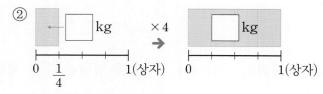

① (상자의 $\dfrac{1}{4}$을 채울 수 있는 쌀의 양)

$=3\div\boxed{}=\boxed{}$ (kg)

② (한 상자를 가득 채울 수 있는 쌀의 양)

$=\boxed{}\times\boxed{}=\boxed{}$ (kg)

02 한 상자를 가득 채울 수 있는 쌀의 양을 구하는 과정을 하나의 식으로 나타내어 보세요.

$3\div\dfrac{3}{4}=(3\div\boxed{})\times\boxed{}=\boxed{}$

03 계산해 보세요.

$$12\div\dfrac{6}{7}$$

5 (분수)÷(분수)를 (분수)×(분수)로 나타내기

04 빈 병에 식혜 $\dfrac{1}{3}$ L를 담았더니 병의 $\dfrac{2}{5}$가 채워졌습니다. 한 병을 가득 채우면 식혜는 몇 L인지 구하려고 합니다. □ 안에 알맞은 수를 써넣으세요.

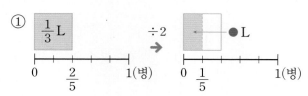

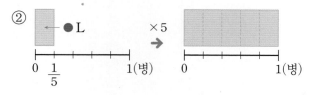

① $\bullet=\dfrac{1}{3}\div\boxed{}=\dfrac{1}{3}\times\dfrac{1}{\boxed{}}$

② (한 병을 가득 채운 식혜의 양)

$=\bullet\times\boxed{}=\dfrac{1}{3}\times\dfrac{1}{\boxed{}}\times\boxed{}$

$=\dfrac{\boxed{}}{\boxed{}}$ (L)

05 □ 안에 알맞은 수를 써넣으세요.

$$\dfrac{6}{11}\div\dfrac{5}{8}=\dfrac{6}{11}\times\dfrac{\boxed{}}{\boxed{}}=\dfrac{\boxed{}}{\boxed{}}$$

06 나눗셈식을 곱셈식으로 나타내어 계산해 보세요.

$\dfrac{4}{7}\div\dfrac{5}{9}$ _____

6 (분수)÷(분수)를 계산하기

07 $\frac{7}{4} \div \frac{2}{3}$ 를 두 가지 방법으로 계산하려고 합니다. □ 안에 알맞은 수를 써넣으세요.

방법 1 두 분수를 통분하여 계산하기

$$\frac{7}{4} \div \frac{2}{3} = \frac{\boxed{}}{12} \div \frac{\boxed{}}{12} = \frac{\boxed{}}{\boxed{}}$$

$$= \boxed{}\frac{\boxed{}}{\boxed{}}$$

방법 2 분수의 곱셈으로 나타내어 계산하기

$$\frac{7}{4} \div \frac{2}{3} = \frac{7}{4} \times \frac{\boxed{}}{\boxed{}} = \frac{\boxed{}}{\boxed{}}$$

$$= \boxed{}\frac{\boxed{}}{\boxed{}}$$

08 $2\frac{1}{6} \div \frac{4}{5}$ 를 두 가지 방법으로 계산해 보세요.

(1) 두 분수를 통분하여 계산해 보세요.

$2\frac{1}{6} \div \frac{4}{5}$ _____

(2) 분수의 곱셈으로 나타내어 계산해 보세요.

$2\frac{1}{6} \div \frac{4}{5}$ _____

09 진원이가 계산한 방법과 같은 방법으로 계산해 보세요.

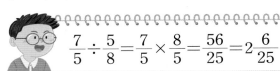

$$\frac{7}{5} \div \frac{5}{8} = \frac{7}{5} \times \frac{8}{5} = \frac{56}{25} = 2\frac{6}{25}$$

진원

$\frac{13}{4} \div \frac{3}{7}$ _____

10 계산해 보세요.

(1) $\frac{13}{3} \div \frac{2}{9}$

(2) $1\frac{5}{6} \div \frac{2}{3}$

11 □ 안에 알맞은 수를 써넣으세요.

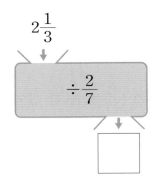

$2\frac{1}{3}$

$\div \frac{2}{7}$

12 주어진 나눗셈의 계산 결과를 찾아 ○표 하세요.

$$\frac{8}{7} \div \frac{3}{4}$$

| $\frac{2}{7}$ | $\frac{21}{32}$ | $\frac{6}{7}$ | $1\frac{11}{21}$ |

문제 강의

01 그림에 알맞은 진분수끼리의 나눗셈식을 만들고 계산해 보세요.
008쪽 개념 ❶

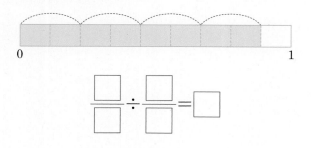

$$\dfrac{\square}{\square} \div \dfrac{\square}{\square} = \square$$

02 매실 주스 $\dfrac{9}{11}$ L를 한 컵에 $\dfrac{3}{11}$ L씩 똑같이 나누어 담으려고 합니다. 필요한 컵은 몇 개인지 구하세요.
008쪽 개념 ❶

식 _____

답 _____

익힘책 공통

03 큰 수를 작은 수로 나눈 몫을 구하세요.
010쪽 개념 ❷

 $\dfrac{4}{13}$ $\dfrac{9}{13}$

( )

04 계산 결과를 비교하여 ○ 안에 >, =, <를 알맞게 써넣으세요.
010쪽 개념 ❷

$$\dfrac{8}{9} \div \dfrac{5}{9} \qquad \bigcirc \qquad \dfrac{8}{17} \div \dfrac{5}{17}$$

05 조건 을 만족하는 분수의 나눗셈식을 **모두** 쓰세요.
010쪽 개념 ❷

문제 강의

조건
• 분모가 10보다 작은 진분수의 나눗셈입니다.
• 두 분수의 분모는 같습니다.
• 분자끼리 나누면 7÷3입니다.

$$\dfrac{\square}{\square} \div \dfrac{\square}{\square}, \quad \dfrac{\square}{\square} \div \dfrac{\square}{\square}$$

06 빈칸에 알맞은 수를 써넣으세요.
012쪽 개념 ❸

	÷	→
$\dfrac{3}{4}$	$\dfrac{7}{12}$	
$\dfrac{5}{7}$		

07 □ 안에 알맞은 수를 구하세요.
012쪽 개념 ❸

$$\square \times \frac{2}{3} = \frac{9}{14}$$

(   )

08 고구마 8 kg을 한 봉지에 $\frac{4}{5}$ kg씩 나누어
016쪽 개념 ❹
담으려고 합니다. 고구마를 **모두** 담으려면 봉지는 몇 개 필요한지 구하세요.

식 _____

답 _____

09 빈칸에 알맞은 수를 써넣으세요.
016쪽 개념 ❹

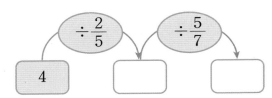

10 계산 결과가 자연수인 것을 모두 찾아 ○표 하세요.
016쪽 개념 ❹

| $10 \div \frac{5}{7}$ | $9 \div \frac{3}{5}$ | $2 \div \frac{3}{4}$ |

(   )   (   )   (   )

1단원

11 익힘책 공통   016쪽 개념 ❺
$\frac{5}{6}$ cm를 가는 데 $\frac{2}{15}$ 분이 걸리는 달팽이가 있습니다. 이 달팽이가 같은 빠르기로 간다면 1분 동안 갈 수 있는 거리는 몇 cm인지 구하세요.

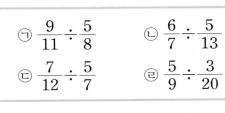

식 _____

답 _____

12 계산 결과가 작은 것부터 차례로 기호를 쓰세요.
문제 강의   016쪽 개념 ❺

| ㉠ $\frac{9}{11} \div \frac{5}{8}$ | ㉡ $\frac{6}{7} \div \frac{5}{13}$ |
| ㉢ $\frac{7}{12} \div \frac{5}{7}$ | ㉣ $\frac{5}{9} \div \frac{3}{20}$ |

[   ] - [   ] - [   ] - [   ]

13 ㉠은 ㉡의 몇 배인지 구하세요.

016쪽 개념 ❺

$$㉠\ \frac{5}{11} \div \frac{7}{11} \qquad ㉡\ \frac{1}{8} \div \frac{2}{3}$$

(   )

14 넓이가 $\frac{15}{16}$ cm²인 직사각형이 있습니다. 이 직사각형의 세로가 $\frac{7}{8}$ cm일 때 가로는 몇 cm 인지 구하세요.

016쪽 개념 ❺

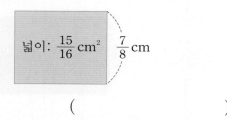

넓이: $\frac{15}{16}$ cm² $\frac{7}{8}$ cm

(   )

15 대화를 읽고 두 사람이 가지고 있는 밀가루로 만들 수 있는 도넛은 **모두** 몇 개인지 구하세요.

익힘책 공통

018쪽 개념 ❻

도넛 한 개를 만드는 데 밀가루 $\frac{5}{28}$ 컵이 필요해.

우리가 가지고 있는 밀가루는 모두 $1\frac{1}{4}$ 컵이야.

세훈   연서

(   )

16 □ 안에 들어갈 수 있는 자연수 중에서 가장 큰 수를 구하려고 합니다. 물음에 답하세요.

문제 강의

018쪽 개념 ❻

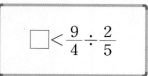

$$□ < \frac{9}{4} \div \frac{2}{5}$$

(1) $\frac{9}{4} \div \frac{2}{5}$ 를 계산한 값을 구하세요.

(   )

(2) □ 안에 들어갈 수 있는 자연수 중에서 가장 큰 수를 구하세요.

(   )

생각 ➕ 문제

17 수 카드 3장을 □ 안에 각각 한 번씩만 써넣어 **가장 큰 대분수를 만들었을 때 나눗셈의 몫**을 구하세요.

문제 강의

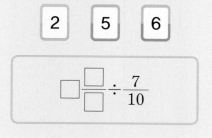

| 2 | 5 | 6 |

$$\square\frac{\square}{\square} \div \frac{7}{10}$$

(1) 만들 수 있는 가장 큰 대분수를 구하세요.

(   )

(2) 가장 큰 대분수를 만들었을 때 나눗셈의 몫을 구하세요.

(   )

서술형 잡기

서술형 강의

1 분수의 나눗셈에서 계산이 **잘못된 이유를 쓰고, 바르게 계산**해 보세요.

$$1\frac{3}{5} \div \frac{5}{9} = 1\frac{3}{5} \times \frac{9}{5} = 1\frac{27}{25} = 2\frac{2}{25}$$

이유 ❶ 대분수를 [   ]로 바꾸지 않고 계산하였습니다.

바른 계산

❷

2 분수의 나눗셈에서 계산이 **잘못된 이유를 쓰고, 바르게 계산**해 보세요.

$$2\frac{1}{4} \div \frac{3}{7} = 2\frac{1}{4} \times \frac{7}{3} = 2\frac{7}{12}$$

이유 _____

바른 계산

3 어떤 수를 $\frac{2}{5}$로 나누어야 할 것을 잘못하여 곱했더니 $\frac{11}{15}$이 되었습니다. **바르게 계산한 값은 얼마**인지 풀이 과정을 쓰고, 답을 구하세요.

해결 순서 ❶ 어떤 수 구하기
❷ 바르게 계산한 값 구하기

풀이 ❶ 어떤 수를 ■라 하면 ■ × $\frac{2}{5}$ = $\frac{11}{15}$,

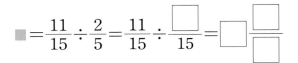

입니다.

❷ (바르게 계산한 값)

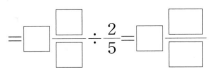

답

4 어떤 수를 $\frac{4}{7}$로 나누어야 할 것을 잘못하여 곱했더니 $\frac{3}{14}$이 되었습니다. **바르게 계산한 값은 얼마**인지 풀이 과정을 쓰고, 답을 구하세요.

해결 순서 ❶ 어떤 수 구하기
❷ 바르게 계산한 값 구하기

풀이 _____

답

01 그림을 보고 □ 안에 알맞은 수를 써넣으세요.

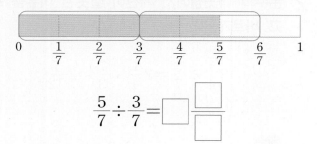

$$\frac{5}{7} \div \frac{3}{7} = \boxed{} \frac{\boxed{}}{\boxed{}}$$

02 □ 안에 알맞은 수를 써넣으세요.

$\dfrac{12}{13}$ 는 $\dfrac{1}{13}$ 이 □ 개이고

$\dfrac{6}{13}$ 은 $\dfrac{1}{13}$ 이 □ 개이므로

$\dfrac{12}{13} \div \dfrac{6}{13} = \boxed{} \div \boxed{} = \boxed{}$ 입니다.

03 □ 안에 알맞은 수를 써넣으세요.

$$\frac{4}{5} \div \frac{1}{10} = \frac{\boxed{}}{10} \div \frac{\boxed{}}{10}$$

$$= \boxed{} \div \boxed{} = \boxed{}$$

04 □ 안에 알맞은 수를 써넣으세요.

$$8 \div \frac{2}{9} = (8 \div \boxed{}) \times \boxed{} = \boxed{}$$

05 $\dfrac{5}{6} \div \dfrac{3}{4}$ 을 분수의 곱셈으로 나타내어 보세요.

$$\frac{5}{6} \div \frac{3}{4} = \left(\frac{5}{6} \div \boxed{} \right) \times \boxed{}$$

$$= \frac{5}{6} \times \frac{1}{\boxed{}} \times \boxed{} = \frac{5}{6} \times \frac{\boxed{}}{\boxed{}}$$

06 보기와 같은 방법으로 계산해 보세요.

보기

$$\frac{12}{17} \div \frac{2}{17} = 12 \div 2 = 6$$

$\dfrac{21}{23} \div \dfrac{3}{23}$ _____

07 다음 나눗셈식을 곱셈식으로 나타내어 계산해 보세요.

$\dfrac{9}{14} \div \dfrac{2}{3}$ _____

08 계산해 보세요.

$$\frac{11}{3} \div \frac{2}{5}$$

09 관계있는 것끼리 이어 보세요.

(1) $\dfrac{11}{12} \div \dfrac{7}{12}$ •   • $1\dfrac{2}{5}$

(2) $\dfrac{7}{11} \div \dfrac{5}{11}$ •   • $1\dfrac{4}{7}$

(3) $\dfrac{13}{20} \div \dfrac{9}{20}$ •   • $1\dfrac{4}{9}$

10 $\dfrac{14}{3} \div \dfrac{5}{7}$ 를 두 가지 방법으로 계산해 보세요.

방법 1

두 분수를 통분하여 계산하기

방법 2

분수의 곱셈으로 나타내어 계산하기

11 빈칸에 알맞은 수를 써넣으세요.

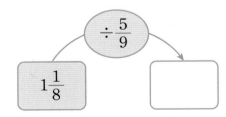

12 계산 결과를 비교하여 ○ 안에 >, =, <를 알맞게 써넣으세요.

$6 \div \dfrac{2}{11}$ ○ $12 \div \dfrac{4}{7}$

13 오렌지주스 $\dfrac{9}{10}$ L를 한 병에 $\dfrac{3}{10}$ L씩 똑같이 나누어 담으려고 합니다. 몇 병에 나누어 담을 수 있나요?

(   )

14 □ 안에 알맞은 수를 구하세요.

$\square \times \dfrac{4}{5} = 1\dfrac{3}{4}$

(   )

15 계산 결과가 큰 것부터 차례로 기호를 쓰세요.

㉠ $6 \div \dfrac{2}{7}$ ㉡ $15 \div \dfrac{3}{5}$ ㉢ $8 \div \dfrac{4}{13}$

(   )

16 ㉠은 ㉡의 몇 배인지 구하세요.

$$㉠ \ \frac{11}{15} \div \frac{2}{15} \qquad ㉡ \ \frac{3}{4} \div \frac{5}{6}$$

(   )

17 배 한 개의 무게는 $\frac{1}{3}$ kg이고, 파인애플 한 개의 무게는 $\frac{8}{9}$ kg입니다. 배의 무게는 파인애플의 무게의 몇 배인지 구하세요.

(   )

18 넓이가 $\frac{1}{4}$ m²인 평행사변형이 있습니다. 이 평행사변형의 밑변의 길이가 $\frac{6}{11}$ m일 때 높이는 몇 m인가요?

(   )

서술형

19 분수의 나눗셈에서 계산이 잘못된 이유를 쓰고, 바르게 계산해 보세요.

$$1\frac{1}{3} \div \frac{5}{8} = 1\frac{1}{3} \times \frac{8}{5} = 1\frac{8}{15}$$

이유

바른 계산

서술형

20 어떤 수를 $\frac{5}{9}$로 나누어야 할 것을 잘못하여 곱했더니 $\frac{2}{3}$가 되었습니다. 바르게 계산한 값은 얼마인지 풀이 과정을 쓰고, 답을 구하세요.

풀이

답

①~⑥까지 투명한 그림 퍼즐 조각이 있어요.

몇 개의 퍼즐 조각을 골라 포개어 놓으면 〈보기〉의 모양을 만들 수 있어요.

단, 퍼즐 조각을 뒤집거나 돌릴 수는 없고, 다른 조각과 겹치는 선은 없어야 해요.

〈보기〉의 그림을 완성하기 위해 필요한 조각을 모두 찾아보세요.

2 소수의 나눗셈

즐거운 과학 실험 시간! 용액 27.6 mL를
4.6 mL씩 똑같이 나누어 담으려고 해.
용액을 남김없이 나누어 담으려면 눈금실린더가 몇 개 필요할까?

무료
스마트
러닝

동영상 강의와 함께 계획을 세워 공부합니다.
동영상 강의를 시청했으면 ◯에 ∨표 하세요.

공부한 날	동영상 확인	쪽수	학습 내용
월 일	▶️ ◻️	032~037쪽	**교과서 개념 잡기** ❶ 자연수의 나눗셈을 이용한 (소수)÷(소수) ❷ 자릿수가 같은 (소수)÷(소수) ❸ 자릿수가 다른 (소수)÷(소수)
월 일		038~039쪽	**개념 한 번 더 잡기**
월 일	▶️ ◻️	040~043쪽	**교과서 개념 잡기** ❹ (자연수)÷(소수) ❺ 몫을 반올림하여 나타내기 ❻ 나누어 주고 남는 양 알아보기
월 일		044~045쪽	**개념 한 번 더 잡기**
월 일	▶️ ◻️	046~048쪽	**수학 익힘 문제 잡기**
월 일	▶️ ◻️	049쪽	**서술형 잡기**
월 일		050~052쪽	**단원 마무리**

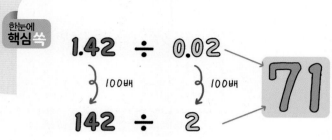

나누어지는 수와
나누는 수에 같은 수를
곱하면 몫은 변하지 않아.

1 자연수의 나눗셈을 이용한 (소수)÷(소수)

(1) 색 테이프 7.2 cm를 0.3 cm씩 자르기

① 7.2 cm와 0.3 cm를 mm 단위로 고쳐서 계산하면

7.2 cm＝72 mm, 0.3 cm＝3 mm입니다.

② 색 테이프 **7.2 cm**를 **0.3 cm**씩 자르는 것은

색 테이프 **72 mm**를 **3 mm**씩 자르는 것과 같습니다.

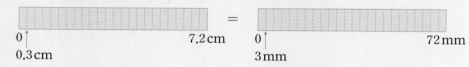

$$7.2 \div 0.3 = 72 \div 3 = 24$$

➔ 색 테이프 7.2 cm를 0.3 cm씩 자르면 24도막이 됩니다.

(2) 색 테이프 0.72 m를 0.03 m씩 자르기

① 0.72 m와 0.03 m를 cm 단위로 고쳐서 계산하면

0.72 m＝72 cm, 0.03 m＝3 cm입니다.

② 색 테이프 **0.72 m**를 **0.03 m**씩 자르는 것은

색 테이프 **72 cm**를 **3 cm**씩 자르는 것과 같습니다.

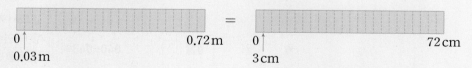

$$0.72 \div 0.03 = 72 \div 3 = 24$$

➔ 색 테이프 0.72 m를 0.03 m씩 자르면 24도막이 됩니다.

> (소수)÷(소수)에서 나누어지는 수와 나누는 수를 똑같이
> 10배 또는 100배 하여 (자연수)÷(자연수)로 계산합니다.

개념 강의

길이 단위 사이의 관계
· 1 cm＝10 mm
➔ 0.1 cm＝1 mm
· 1 m＝100 cm
➔ 0.01 m＝1 cm

1 그림에 0.5씩 선을 그어 나누어 보고, ☐ 안에 알맞은 수를 써넣으세요.

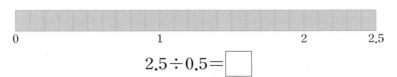

$$2.5 \div 0.5 = \boxed{}$$

교과서 공통 2 종이띠 48.6 cm를 0.9 cm씩 잘라 종이 꽃가루를 만들려고 합니다. 물음에 답하세요.

(1) cm를 mm 단위로 나타내어 보세요.

$$48.6 \, cm = \boxed{} \, mm, \quad 0.9 \, cm = \boxed{} \, mm$$

(2) ☐ 안에 알맞은 수를 써넣으세요.

종이띠 48.6 cm를 0.9 cm씩 자르는 것은
종이띠 ☐ mm를 ☐ mm씩 자르는 것과 같습니다.

➜ $48.6 \div 0.9 = \boxed{} \div \boxed{} = \boxed{}$

(3) 종이 꽃가루를 몇 개까지 만들 수 있나요?

(   )

3 ☐ 안에 알맞은 수를 써넣으세요.

(1)
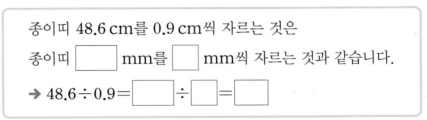

$$5.6 \div 0.8 = \boxed{}$$

(2)
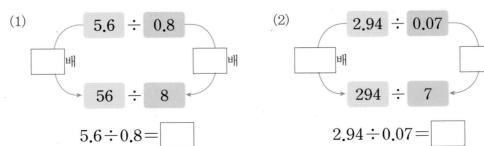

$$2.94 \div 0.07 = \boxed{}$$

038쪽 에서 개념을 **한 번** 더 다집니다.

한눈에
방법쏙

나누어지는 수와 나누는 수의
소수점을 똑같이 옮겨!

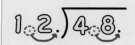

4.8과 1.2를 각각 10배   2.59와 0.37을 각각 100배

개념 강의

2 자릿수가 같은 (소수)÷(소수)

(1) (소수 한 자리 수)÷(소수 한 자리 수)

예 5.2÷0.4의 계산

소수 한 자리 수는 분모가 10인 분수로 바꿀 수 있습니다.

→ $0.\blacksquare = \dfrac{\blacksquare}{10}$

방법1 분수의 나눗셈으로 바꾸어 계산하기

$$5.2 \div 0.4 = \frac{52}{10} \div \frac{4}{10} = 52 \div 4 = 13$$

방법2 세로로 계산하기

소수점을 각각 오른쪽으로 한 자리씩 옮기기

$0.4\overline{)5.2}$ →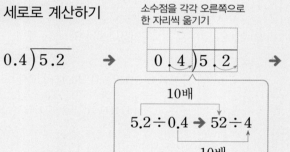

		1	3
4	)	5	2
		4	
		1	2
		1	2
			0

10배

5.2 ÷ 0.4 → 52 ÷ 4

10배

(2) (소수 두 자리 수)÷(소수 두 자리 수)

예 1.75÷0.25의 계산

소수 두 자리 수는 분모가 100인 분수로 바꿀 수 있습니다.

→ $0.0\blacksquare = \dfrac{\blacksquare}{100}$

방법1 분수의 나눗셈으로 바꾸어 계산하기

$$1.75 \div 0.25 = \frac{175}{100} \div \frac{25}{100} = 175 \div 25 = 7$$

방법2 세로로 계산하기

소수점을 각각 오른쪽으로 두 자리씩 옮기기

$0.25\overline{)1.75}$ →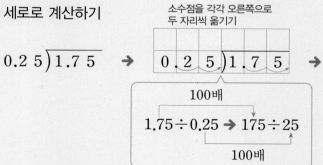

			7
2 5	)	1 7	5
		1 7	5
			0

100배

1.75 ÷ 0.25 → 175 ÷ 25

100배

1 7.2÷0.6을 두 가지 방법으로 계산하려고 합니다. □ 안에 알맞은 수를 써넣으세요.

방법**1** 분수의 나눗셈으로 바꾸어 계산하기

$$7.2÷0.6=\frac{□}{10}÷\frac{□}{10}=□÷□=□$$

방법**2** (자연수)÷(자연수)를 이용하여 계산하기

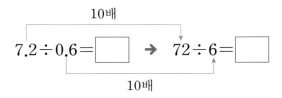

$$7.2÷0.6=□ \quad → \quad 72÷6=□$$

2 교과서 공통 2.52÷0.63을 세로로 계산하려고 합니다. □ 안에 알맞은 수를 써넣으세요.

$$0.6\,3\,)\overline{2.5\,2} \quad → \quad 0.6\,3\,)\overline{2.5\,2} \quad → \quad 6\,3\,)\overline{2\,5\,2}$$

3 □ 안에 알맞은 수를 써넣으세요.

(1) 15.4÷1.4=154÷□=□

(2) 8.52÷2.13=852÷□=□

4 계산해 보세요.

(1)
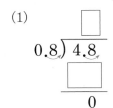

(2)
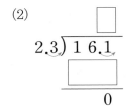

(3)
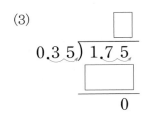

038쪽 에서 개념을 **한 번** 더 다집니다.

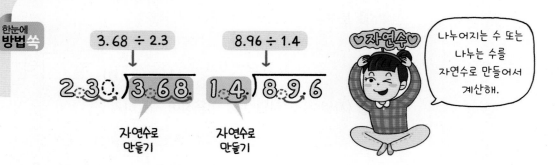

한눈에 **방법쏙**

나누어지는 수 또는 나누는 수를 자연수로 만들어서 계산해.

개념 강의

3 자릿수가 다른 (소수)÷(소수)

예 3.68÷2.3의 계산

방법 1 나누어지는 수를 자연수로 만들어 계산하기

3.68과 2.3을 각각 100배 하여 계산합니다.

몫의 소수점은 나누어지는 수의 옮긴 소수점의 위치에서 소수점 찍기

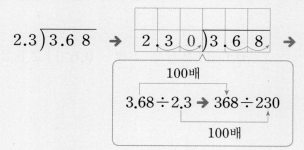

방법 1 과 방법 2 중 어느 방법으로 계산해도 몫은 같습니다.

방법 2 나누는 수를 자연수로 만들어 계산하기

3.68과 2.3을 각각 10배 하여 계산합니다.

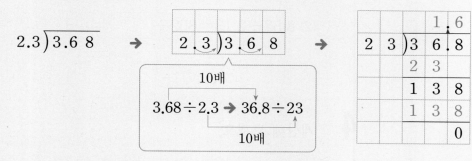

자릿수가 다른 (소수)÷(소수)는 나누어지는 수 또는 나누는 수가 자연수가 되도록 나누어지는 수와 나누는 수를 똑같이 10배 또는 100배 하여 계산합니다.

1 5.95÷1.7을 계산하는 방법을 알아보려고 합니다. 물음에 답하세요.

(1) 595÷170을 이용하여 5.95÷1.7을 계산해 보세요.

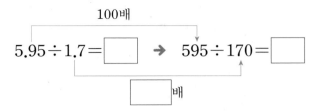

(2) 59.5÷17을 이용하여 5.95÷1.7을 계산해 보세요.

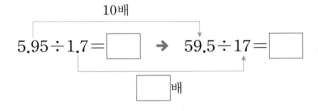

교과서 공통 **2** 3.24÷0.6을 세로로 계산하려고 합니다. □ 안에 알맞은 수를 써넣으세요.

$$
0.6\overline{)3.2\,4} \quad \rightarrow \quad 0.6\overline{)3.2\,4} \quad \rightarrow \quad 6\overline{)3\,2.4}
$$

$$
\begin{array}{r}
3\,0 \\ \hline
2\,4 \\
\boxed{} \\ \hline
0
\end{array}
$$

3 계산해 보세요.

(1)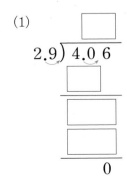

(2)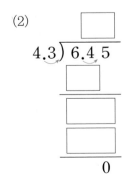

(3)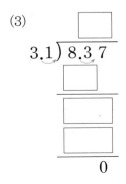

039쪽에서 개념을 **한 번** 더 다집니다.

STEP 2 개념 한번더 잡기

1 자연수의 나눗셈을 이용한 (소수)÷(소수)

01 리본 19.5 cm를 0.5 cm씩 자르려고 합니다. □ 안에 알맞은 수를 써넣으세요.

(1) 19.5 cm = □ mm,

0.5 cm = □ mm입니다.

(2) 리본 19.5 cm를 0.5 cm씩 자르는 것은 리본 □ mm를 5 mm씩 자르는 것과 같습니다.

(3) 19.5÷0.5 = □ ÷5

□ ÷5 = □

→ 19.5÷0.5 = □

02 자연수의 나눗셈을 이용하여 소수의 나눗셈을 계산해 보세요.

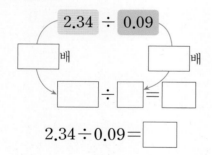

2.34÷0.09 = □

03 자연수의 나눗셈을 이용하여 □ 안에 알맞은 수를 써넣으세요.

(1) 6.3÷0.7 = 63÷7 = □

(2) 2.16÷0.08 = 216÷8 = □

2 자릿수가 같은 (소수)÷(소수)

04 5.6÷0.8을 분수의 나눗셈으로 바꾸어 계산해 보세요.

$5.6÷0.8 = \dfrac{□}{10} ÷ \dfrac{□}{10}$

$= □ ÷ □ = □$

05 7.14÷0.21을 자연수의 나눗셈을 이용하여 계산해 보세요.

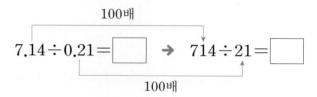

06 보기와 같은 방법으로 계산해 보세요.

보기
$1.44÷0.24 = \dfrac{144}{100} ÷ \dfrac{24}{100}$
$= 144÷24 = 6$

5.44÷1.36

07 빈칸에 알맞은 수를 써넣으세요.

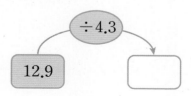

3 자릿수가 다른 (소수)÷(소수)

08 8.12÷1.4를 계산하려고 합니다. □ 안에 알맞은 수를 써넣으세요.

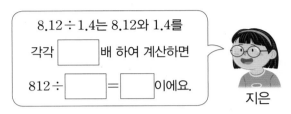

8.12÷1.4는 8.12와 1.4를
각각 □ 배 하여 계산하면
812÷□ = □ 이에요.

지은

09 2.21÷1.3을 분수의 나눗셈으로 바꾸어 계산해 보세요.

$$2.21÷1.3=\frac{\boxed{}}{100}÷\frac{\boxed{}}{100}$$
$$=\boxed{}÷\boxed{}=\boxed{}$$

10 4.77÷0.9를 세로로 계산하려고 합니다. 두 가지 방법으로 계산해 보세요.

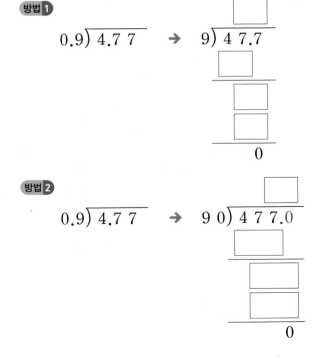

방법 1

$0.9\overline{)4.7\,7}$ → $9\overline{)4\,7.7}$

방법 2

$0.9\overline{)4.7\,7}$ → $9\,0\overline{)4\,7\,7.0}$

11 [보기]와 같은 방법으로 계산해 보세요.

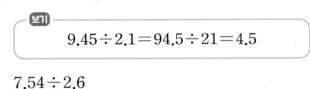

[보기]
$$9.45÷2.1=94.5÷21=4.5$$

7.54÷2.6

12 계산해 보세요.

(1) $1.2\overline{)6.1\,2}$

(2) $5.3\overline{)7.4\,2}$

13 □ 안에 알맞은 수를 써넣으세요.

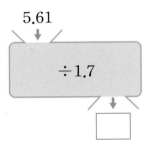

5.61
÷1.7

14 몫이 더 큰 나눗셈을 말한 사람의 이름을 쓰세요.

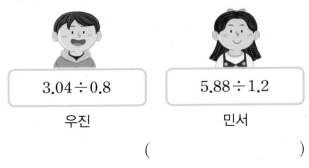

3.04÷0.8   5.88÷1.2
우진   민서

(   )

한눈에
핵심 쏙

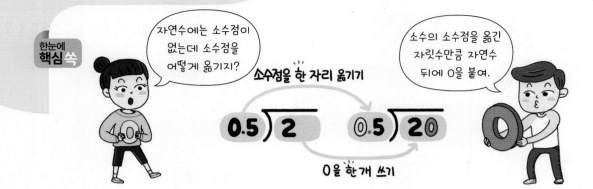

개념 강의

4 (자연수)÷(소수)

(1) (자연수)÷(소수 한 자리 수)

예 14÷3.5의 계산

방법1 분수의 나눗셈으로 바꾸어 계산하기

자연수를 분수로 나타내기

$14=\dfrac{140}{10}=\dfrac{1400}{100}=\cdots$

$$14÷3.5=\dfrac{140}{10}÷\dfrac{35}{10}=140÷35=4$$

방법2 세로로 계산하기

나누는 수가 자연수가 되도록
소수점을 옮기기

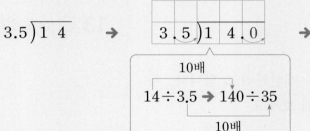

(2) (자연수)÷(소수 두 자리 수)

예 9÷0.36의 계산

방법1 분수의 나눗셈으로 바꾸어 계산하기

$$9÷0.36=\dfrac{900}{100}÷\dfrac{36}{100}=900÷36=25$$

방법2 세로로 계산하기

소수는 필요한 경우 오른쪽
끝자리에 0을 붙여 나타낼
수 있습니다.
$9=9.0=9.00=\cdots$

교과서 공통 1 2÷0.25를 두 가지 방법으로 계산하려고 합니다. □ 안에 알맞은 수를 써넣으세요.

방법 1 분수의 나눗셈으로 바꾸어 계산하기

$$2 \div 0.25 = \frac{200}{100} \div \frac{25}{100} = \boxed{} \div \boxed{} = \boxed{}$$

방법 2 세로로 계산하기

$$0.2\,5\,)\overline{\,2\,} \quad \rightarrow \quad 0.2\,5\,)\overline{\,2.0\,0\,} \quad \rightarrow \quad 2\,5\,)\overline{\,2\,0\,0\,}$$

2 □ 안에 알맞은 수를 써넣으세요.

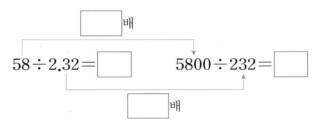

$$58 \div 2.32 = \boxed{} \qquad 5800 \div 232 = \boxed{}$$

3 자연수의 나눗셈을 이용하여 계산하려고 합니다. □ 안에 알맞은 수를 써넣으세요.

(1) $12 \div 2.4 = \boxed{} \div 24 = \boxed{}$

(2) $74 \div 3.7 = 740 \div \boxed{} = \boxed{}$

4 계산해 보세요.

(1)

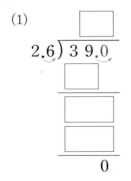

(2)

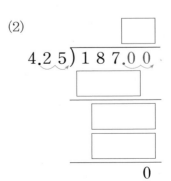

044쪽 에서 개념을 한 번 더 다집니다.

한눈에 **방법쏙**

사람수: 3명

$$4)\overline{15.2}$$
$$\quad\ 12$$
$$\quad\ 3.2$$

물 15.2 L → 4L 4L 4L

한 사람에게 4 L씩 나누어 주기

남는 물의 양: 3.2 L

개념 강의

반올림

구하려는 자리 바로 아래 자리의 숫자가
• 0, 1, 2, 3, 4이면 버림
• 5, 6, 7, 8, 9이면 올림

5 몫을 반올림하여 나타내기

예 3÷7의 몫을 반올림하여 나타내기

```
        0 . 4   2   8
   7 ) 3 . 0   0   0
       2 8
           2   0
           1   4
               6   0
               5   6
                   4
```

나눗셈의 몫이 간단한 소수로 구해지지 않을 때에는 몫을 어림하여 나타낼 수 있습니다.

① 몫을 반올림하여 소수 첫째 자리까지 나타내기

$3÷7=0.42\cdots$ → 0.4
└ 소수 둘째 자리 숫자가 2이므로 버립니다.

② 몫을 반올림하여 소수 둘째 자리까지 나타내기

$3÷7=0.428\cdots$ → 0.43
└ 소수 셋째 자리 숫자가 8이므로 올립니다.

6 나누어 주고 남는 양 알아보기

예 리본 14.3 m를 한 사람에게 3 m씩 나누어 주는 경우 알아보기

방법 **1** 뺄셈으로 알아보기

3m	3m	3m	3m	2.3 m

⌣------------ 14.3 m ------------⌣

$14.3-3-3-3-3=2.3$ → 14.3에서 3을 4번 빼면 2.3이 남습니다.
└─ 4번 ─┘
┌ 나누어 줄 수 있는 사람 수: **4**명
└ 남는 리본의 길이: **2.3** m

방법 **2** 세로로 계산하기

남는 양의 소수점은 처음 나누어지는 수의 소수점의 위치와 같은 자리에 찍습니다.

한 사람이 가지는 리본의 길이

```
              4
   3 ) 1   4 . 3
       1   2
           2 . 3
```
나누어 주는 리본의 길이

┌ 나누어 줄 수 있는 사람 수: **4**명
└ 남는 리본의 길이: **2.3** m

1 나눗셈식을 보고 □ 안에 알맞은 수를 써넣으세요.

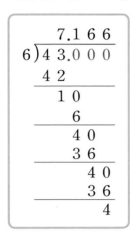

$$
\begin{array}{r}
7.166 \\
6\overline{)43.000} \\
42 \\
\hline
10 \\
6 \\
\hline
40 \\
36 \\
\hline
40 \\
36 \\
\hline
4
\end{array}
$$

(1) 몫의 소수 첫째 자리 숫자가 □이므로 몫을 반올림하여 일의 자리까지 나타내면 □입니다.

(2) 몫의 소수 둘째 자리 숫자가 □이므로 몫을 반올림하여 소수 첫째 자리까지 나타내면 □입니다.

(3) 몫의 소수 셋째 자리 숫자가 □이므로 몫을 반올림하여 소수 둘째 자리까지 나타내면 □입니다.

2단원

교과서 공통 **2** 물 13.4 L를 한 사람에게 2 L씩 나누어 주려고 합니다. 물음에 답하세요.

(1) 그림을 보고 □ 안에 알맞은 수를 써넣으세요.

| 2L | 2L | 2L | 2L | 2L | 2L | ← 남는 양 |

-------------------------------- 13.4L --------------------------------

$$13.4 - 2 - 2 - 2 - 2 - 2 - 2 = \boxed{}$$

(2) 물을 몇 명에게 나누어 줄 수 있나요?

(   )

(3) 나누어 주고 남는 물은 몇 L인가요?

(   )

3 쌀 21.8 kg을 한 사람에게 5 kg씩 나누어 줄 때 나누어 줄 수 있는 사람 수와 남는 쌀의 양을 구하려고 합니다. □ 안에 알맞은 수를 써넣으세요.

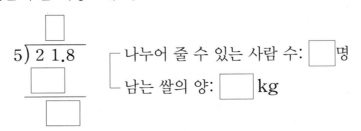

$$
\begin{array}{r}
\boxed{} \\
5\overline{)21.8} \\
\boxed{} \\
\hline
\boxed{}
\end{array}
$$

┌ 나누어 줄 수 있는 사람 수: □명
└ 남는 쌀의 양: □kg

045쪽 에서 개념을 **한 번** 더 다집니다.

4 (자연수)÷(소수)

01 42÷3.5를 두 가지 방법으로 계산하려고 합니다. □ 안에 알맞은 수를 써넣으세요.

(1) $42 \div 3.5 = \dfrac{\boxed{}}{10} \div \dfrac{\boxed{}}{10}$

$= \boxed{} \div \boxed{} = \boxed{}$

(2)
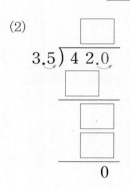

02 □ 안에 알맞은 수를 써넣으세요.

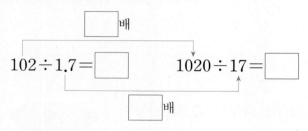

03 왼쪽의 계산 결과를 찾아 ○표 하세요.

252÷5.6	4.5 45 450

04 보기와 같은 방법으로 계산해 보세요.

보기
$$5 \div 0.25 = \frac{500}{100} \div \frac{25}{100} = 500 \div 25 = 20$$

(1) 16÷3.2

(2) 9÷2.25

05 □ 안에 알맞은 수를 써넣으세요.

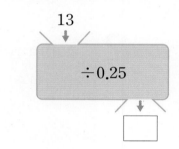

06 계산해 보세요.

(1)
$$3.2 \overline{)16}$$

(2)
$$2.75 \overline{)66}$$

07 □ 안에 알맞은 수를 써넣으세요.

$4.62 \div 0.06 = \boxed{}$

$46.2 \div 0.06 = \boxed{}$

$462 \div 0.06 = \boxed{}$

5 몫을 반올림하여 나타내기

08 나눗셈식을 보고 7.3÷0.6의 몫을 반올림하여 소수 둘째 자리까지 나타내어 보세요.

$$7.3 \div 0.6 = 12.16666\cdots$$

(   )

09 몫을 소수 둘째 자리까지 계산해 보고, 몫을 반올림하여 소수 첫째 자리까지 나타내어 보세요.

(1)
$$7\overline{)27.1}$$

(2)
$$7\overline{)11.35}$$

(   )   (   )

10 몫을 반올림하여 소수 둘째 자리까지 나타내어 보세요.

(1) $\boxed{29.7 \div 7}$ → (   )

(2) $\boxed{47.6 \div 9}$ → (   )

6 나누어 주고 남는 양 알아보기

[11~12] 오렌지 17.6 kg을 한 상자에 3 kg씩 나누어 담을 때 나누어 담을 수 있는 상자 수와 남는 오렌지의 무게를 구하려고 합니다. 물음에 답하세요.

11 □ 안에 알맞은 수를 써넣으세요.

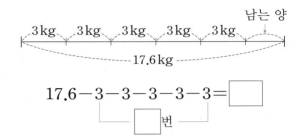

$$17.6 - 3 - 3 - 3 - 3 - 3 = \boxed{}$$
$$\boxed{}\,번$$

12 나누어 담을 수 있는 상자는 몇 개이고, 남는 오렌지는 몇 kg인지 구하세요.

(   ), (   )

13 끈 51.2 cm를 한 사람에게 8 cm씩 나누어 줄 때 나누어 줄 수 있는 사람 수와 남는 끈의 길이를 구하려고 합니다. □ 안에 알맞은 수를 써넣으세요.

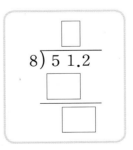

┌ 나누어 줄 수 있는 사람 수: $\boxed{}$ 명

└ 남는 끈의 길이: $\boxed{}$ cm

032쪽 개념❶

01 자연수의 나눗셈을 이용하여 소수의 나눗셈을 바르게 한 것의 기호를 쓰세요.

> ㉠ $81 \div 3 = 27$ ➜ $0.81 \div 0.03 = 27$
> ㉡ $332 \div 4 = 83$ ➜ $33.2 \div 0.4 = 8.3$

(   )

032쪽 개념❶

02 몫의 크기를 비교하여 ○ 안에 >, =, <를 알맞게 써넣으세요.

| $36.5 \div 0.5$ | ○ | $365 \div 5$ |

034쪽 개념❷

03 큰 수를 작은 수로 나눈 몫을 빈칸에 써넣으세요.

0.15	3.15

익힘책 공통

034쪽 개념❷

04 어느 영화관에 팝콘 7.8 kg이 있습니다. 이 팝콘을 한 통에 0.3 kg씩 담는다면 통이 몇 개가 필요한가요?

식 ▢ $\div$ ▢ $=$ ▢

답 _____

036쪽 개념❸

05 빈칸에 알맞은 수를 써넣으세요.

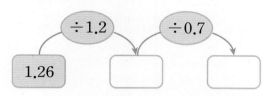

$\div 1.2$ $\div 0.7$

1.26

036쪽 개념❸

06 계산 결과를 오른쪽 칸에서 **모두** 찾아 색칠해 보세요.

문제 강의

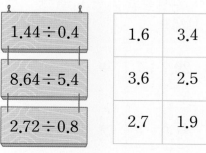

$1.44 \div 0.4$	1.6	3.4
$8.64 \div 5.4$	3.6	2.5
$2.72 \div 0.8$	2.7	1.9

07 기차역에서 집까지는 5.1 km이고, 기차역에서 캠핑장까지는 7.14 km입니다. 기차역에서 캠핑장까지의 거리는 기차역에서 집까지의 거리의 몇 배인가요?

036쪽 개념 ❸

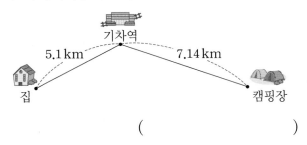

5.1 km   기차역   7.14 km

집   캠핑장

(   )

08 ☐ 안에 알맞은 수를 써넣으세요.

040쪽 개념 ❹

☐ → ×2.5 → 35

09 머랭 쿠키 1개를 만드는 데 설탕 1.5 g이 필요합니다. 설탕 30 g으로 머랭 쿠키 몇 개를 만들 수 있는지 두 가지 방법으로 구하세요.

040쪽 개념 ❹

방법1 분수의 나눗셈으로 바꾸어 계산하기

방법2 세로로 계산하기

10 민영이가 강낭콩을 키우면서 기록한 표입니다. 8월 1일 강낭콩 줄기와 잎의 길이는 각각 7월 1일의 몇 배가 되었는지 구하세요.

040쪽 개념 ❹

날짜	줄기의 길이	잎의 길이
7월 1일	5.4 cm	2.75 cm
8월 1일	27 cm	11 cm

줄기 (   )

잎 (   )

11 수 카드 3장을 ☐ 안에 한 번씩만 써넣어 몫이 가장 작은 나눗셈을 완성하고, 나눗셈의 몫을 구하세요.

040쪽 개념 ❹

문제
강의

2   3   6   ☐☐☐ ÷0.8

(   )

12 계산 결과를 비교하여 ○ 안에 >, =, <를 알맞게 써넣으세요.

익힘책 공통   042쪽 개념 ❺

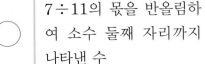

7÷11   ○   7÷11의 몫을 반올림하여 소수 둘째 자리까지 나타낸 수

042쪽 개념 ❺

13 1분에 1.7 km를 날아가는 드론이 있습니다. 이 드론이 같은 빠르기로 25 km를 날아가는 데 몇 분이 걸리는지 반올림하여 자연수로 나타내어 보세요.

식 _____

답 _____

042쪽 개념 ❺

14 몫의 소수 10째 자리 숫자를 구하세요.

$$17.2 \div 6$$

( )

익힘책 공통

042쪽 개념 ❻

15 페인트 14.8 L를 하루에 4 L씩 사용하려고 합니다. 사용할 수 있는 날수와 남는 페인트의 양을 바르게 구한 사람은 누구인가요?

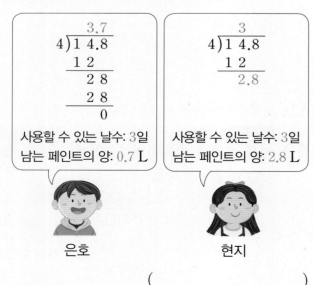

사용할 수 있는 날수: 3일
남는 페인트의 양: 0.7 L
은호

사용할 수 있는 날수: 3일
남는 페인트의 양: 2.8 L
현지

( )

042쪽 개념 ❻

16 쿠키 한 개를 만드는 데 버터 5 g이 필요합니다. 버터 43.3 g으로 쿠키를 몇 개까지 만들 수 있고, 남는 버터는 몇 g인지 구하세요.

( ), ( )

생각➕문제

17 정민이는 요구르트를 사기 위해 마트에 갔습니다. 가 요구르트와 나 요구르트 중 **같은 양을 살 때 더 저렴한 것**은 어느 것인지 구하세요.

가 요구르트(0.4 kg)
6160원

나 요구르트(0.3 kg)
5130원

(1) 가 요구르트 0.4 kg의 가격은 6160원입니다. 가 요구르트 1 kg의 가격은 얼마인가요?
( )

(2) 나 요구르트 0.3 kg의 가격은 5130원입니다. 나 요구르트 1 kg의 가격은 얼마인가요?
( )

(3) 가 요구르트와 나 요구르트 중 같은 양을 살 때 더 저렴한 것은 어느 것인가요?
( )

서술형 잡기

서술형 강의

1 계산에서 잘못된 곳을 찾아 **바르게 계산하고**, **잘못된 이유**를 쓰세요.

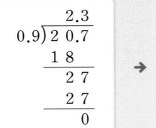

→ ❶

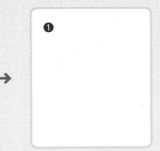

이유 ❷ 소수점을 옮겨서 계산하는 경우

[ ]의 소수점은 옮긴 소수점의 [ ]에

맞추어 찍어야 합니다.

2 계산에서 잘못된 곳을 찾아 **바르게 계산하고**, **잘못된 이유**를 쓰세요.

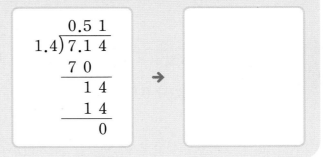

→

이유 _____

_____

_____

3 넓이가 8 m²인 직사각형이 있습니다. 세로가 1.6 m일 때 **가로는 몇 m**인지 풀이 과정을 쓰고, 답을 구하세요.

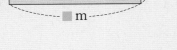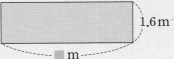

1.6 m

■ m

해결 순서 ❶ 직사각형의 넓이 구하는 식 쓰기
❷ 직사각형의 가로 구하기

풀이 ❶ 가로를 ■ m라 하면

■ × [ ] = 8입니다.

❷ 직사각형의 가로는 ■ = 8 ÷ [ ] = [ ]

이므로 [ ] m입니다.

답 _____

4 넓이가 32.4 cm²인 평행사변형이 있습니다. 평행사변형의 밑변의 길이가 5.4 cm일 때 **높이는 몇 cm**인지 풀이 과정을 쓰고, 답을 구하세요.

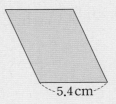

5.4 cm

해결 순서 ❶ 평행사변형의 넓이 구하는 식 쓰기
❷ 평행사변형의 높이 구하기

풀이 _____

_____

_____

_____

_____

답 _____

01 □ 안에 알맞은 수를 써넣으세요.

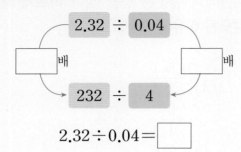

$2.32 \div 0.04 =$ □

02 자연수의 나눗셈을 이용하여 □ 안에 알맞은 수를 써넣으세요.

$46.8 \div 1.8 =$ □ $\div 18 =$ □

03 □ 안에 알맞은 수를 써넣으세요.

$49.5 \div 0.9 = \dfrac{\boxed{}}{10} \div \dfrac{\boxed{}}{10}$

$= \boxed{} \div \boxed{} = \boxed{}$

04 □ 안에 알맞은 수를 써넣으세요.

$7.3 \overline{)\, 8.7\,6}$

05 보기와 같은 방법으로 계산해 보세요.

> 보기
> $52 \div 1.3 = \dfrac{520}{10} \div \dfrac{13}{10} = 520 \div 13 = 40$

$35 \div 2.5$

06 계산해 보세요.

$2.2 \overline{)\, 5\,5\,}$

07 몫을 소수 둘째 자리까지 계산해 보고, 몫을 반올림하여 소수 첫째 자리까지 나타내어 보세요.

$6 \overline{)\, 8.3\,}$

(   )

08 67.4÷7의 몫을 자연수 부분까지 구했을 때의 몫과 나머지를 알아보려고 합니다. □ 안에 알맞은 수를 써넣으세요.

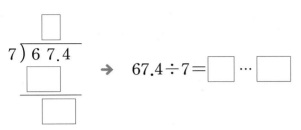

→ 67.4÷7=□ … □

09 □ 안에 알맞은 수를 써넣으세요.

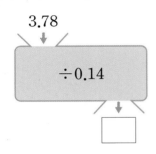

3.78
÷0.14

10 □ 안에 알맞은 수를 써넣으세요.

85÷5=□

85÷0.5=□

85÷0.05=□

11 큰 수를 작은 수로 나눈 몫을 빈칸에 써넣으세요.

3.3 7.92

12 몫을 반올림하여 소수 첫째 자리까지 나타내어 보세요.

15.6÷9

(   )

13 계산 결과를 비교하여 ○ 안에 >, =, <를 알맞게 써넣으세요.

9.25÷0.37 ○ 98.8÷3.8

14 귤 12.9 kg을 한 사람당 3 kg씩 나누어 주려고 합니다. □ 안에 알맞은 수를 써넣고, 나누어 줄 수 있는 사람 수와 남는 귤의 양을 구하세요.

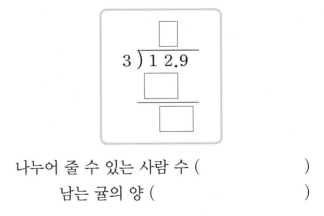

3) 1 2.9

나누어 줄 수 있는 사람 수 (   )
남는 귤의 양 (   )

15 물 3.84 L가 있습니다. 물을 물통 한 개에 0.32 L씩 담는다면 물통 몇 개가 필요한가요?

식 _____

답 _____

16 나눗셈의 몫이 큰 것부터 차례로 ◯ 안에 1, 2, 3을 쓰세요.

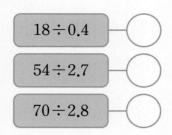

19 계산에서 잘못된 곳을 찾아 바르게 계산하고, 잘못된 이유를 쓰세요.

$$0.6)\overline{\begin{array}{r} 4\ 2 \\ 2.5\ 2 \\ 2\ 4 \\ \hline 1\ 2 \\ 1\ 2 \\ \hline 0 \end{array}}$$

→

이유 _____

_____

_____

17 몫의 소수 12째 자리 숫자를 구하세요.

$$5.2 \div 11$$

(   )

20 넓이가 $9.18\,cm^2$인 직사각형이 있습니다. 직사각형의 가로가 $2.7\,cm$일 때 세로는 몇 cm인지 풀이 과정을 쓰고, 답을 구하세요.

풀이 _____

_____

_____

_____

_____

답 _____

18 상자 한 개를 포장하는 데 색 테이프 2 m가 필요합니다. 색 테이프 27.5 m로 상자를 몇 개까지 포장할 수 있고, 남는 색 테이프는 몇 m인지 구하세요.

(   ), (   )

오늘은 순발력 훈련을 하려고 해요.

15초 안에 주어진 두 글자로 시작하는 네 글자 단어를 하나씩 말해 보세요.

네 글자 퀴즈 시작~!!

3 공간과 입체

이건 블록으로 만든 유람선이래.
와! 도대체 몇 개의 블록으로 이렇게 멋진 유람선을 만든걸까?
나도 만들어 보고 싶다~!

동영상 강의와 함께 계획을 세워 공부합니다.
동영상 강의를 시청했으면 ◯에 ∨표 하세요.

공부한 날	동영상 확인	쪽수	학습 내용
월 일	▶◯	056~059쪽	**교과서 개념 잡기** ❶ 어느 방향에서 보았는지 알아보기 ❷ 쌓은 모양과 위에서 본 모양으로 쌓기나무의 개수 알아보기 ❸ 위, 앞, 옆에서 본 모양으로 쌓은 모양과 쌓기나무의 개수 알아보기
월 일		060~061쪽	**개념 한 번 더 다지기**
월 일	▶◯	062~067쪽	**교과서 개념 잡기** ❹ 위에서 본 모양에 수를 쓴 것을 보고 쌓은 모양과 쌓기나무의 개수 알아보기 ❺ 층별로 나타낸 모양으로 쌓은 모양과 쌓기나무의 개수 알아보기 ❻ 여러 가지 모양 만들기
월 일		068~069쪽	**개념 한 번 더 다지기**
월 일	▶◯	070~072쪽	**수학 익힘 문제 잡기**
월 일	▶◯	073쪽	**서술형 잡기**
월 일		074~076쪽	**단원 마무리**

한눈에
핵심쏙

위에서 본 모양을 보면 쌓은 모양에서 보이지 않는 부분을 알 수 있어.

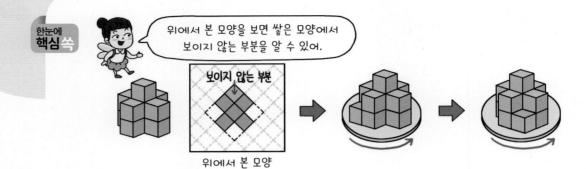

위에서 본 모양

개념 강의

보는 위치와 방향에 따라 보이는 모습이 달라집니다.
→ 각 방향에서 왼쪽과 오른쪽에 보이는 것이 무엇인지 파악하여 어느 방향에서 본 모양인지 찾습니다.

❶ 어느 방향에서 보았는지 알아보기

예

가에서 본 모양

나에서 본 모양

다에서 본 모양

라에서 본 모양

❷ 쌓은 모양과 위에서 본 모양으로 쌓기나무의 개수 알아보기

(1) 쌓은 모양을 보고 쌓기나무의 개수 알아보기

예

쌓은 모양

뒤에서 본 모양 →

숨겨진 쌓기나무가 없는 경우	숨겨진 쌓기나무가 있는 경우
쌓기나무의 개수: 8개	쌓기나무의 개수: 9개

→ 뒤에 숨겨진 쌓기나무가 있을 수 있으므로 쌓기나무의 개수를 정확히 나타내려면 위에서 본 모양을 함께 나타내야 합니다.

(2) 쌓은 모양과 위에서 본 모양을 보고 쌓기나무의 개수 구하기

예

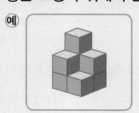

→

①

보이는 위의 면

②

위에서 본 모양

쌓기나무로 쌓은 모양에서 보이는 위의 면(①)과 위에서 본 모양(②)이 같으므로 숨겨진 쌓기나무가 없습니다. → 쌓기나무의 개수: 8개

1 오리 배를 타고 여러 방향에서 사진을 찍었습니다. 각각의 사진은 어느 오리 배에서 찍은 것인지 찾아 번호를 쓰세요.

(　　　　)

(　　　　)

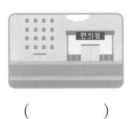

(　　　　)

3
단원

교과서 공통 2 주어진 모양과 똑같이 쌓는 데 필요한 쌓기나무는 몇 개인지 알아보려고 합니다. 알맞은 말에 ○표 하고, □ 안에 알맞은 수를 써넣으세요.

위에서 본 모양

(1) 쌓은 모양과 위에서 본 모양을 보면 뒤에 숨겨진 쌓기나무가
(있습니다 , 없습니다).

(2) 똑같은 모양으로 쌓는 데 필요한 쌓기나무는 □개입니다.

3 주어진 모양과 똑같이 쌓는 데 필요한 쌓기나무의 개수를 구하세요.

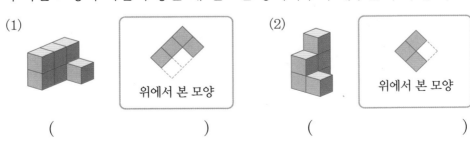

(1) 위에서 본 모양

(　　　　　　)

(2) 위에서 본 모양

(　　　　　　)

060쪽에서 개념을 **한 번** 더 다집니다.

한눈에
핵심쏙

앞과 옆에서 본 모양은 각 방향에서 각 줄의 가장 높은 층만큼 나타내!

개념 강의

3 위, 앞, 옆에서 본 모양으로 쌓은 모양과 쌓기나무의 개수 알아보기

(1) 쌓은 모양을 보고 위, 앞, 옆에서 본 모양 그리기

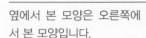
옆에서 본 모양은 오른쪽에서 본 모양입니다.

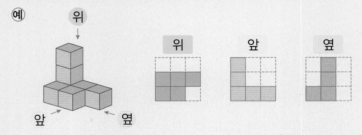

┌ **위** 에서 본 모양: 1층에 쌓은 모양과 같습니다.
├ **앞** 에서 본 모양: 왼쪽에서부터 3칸, 1칸, 1칸을 그립니다.
└ **옆** 에서 본 모양: 왼쪽에서부터 1칸, 3칸을 그립니다.

앞과 옆에서 본 모양은 각 방향에서 각 줄의 가장 높은 층의 모양과 같습니다.

(2) 위, 앞, 옆에서 본 모양을 보고 쌓기나무의 개수 알아보기

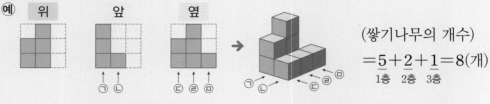

(쌓기나무의 개수)
$= 5 + 2 + 1 = 8$(개)
1층 2층 3층

㉠ 부분은 앞과 옆에서 본 모양을 모두 확인해야 쌓기나무의 개수를 정확히 알 수 있습니다.

① **위** 에서 본 모양과 같이 1층에 쌓기나무를 놓습니다.	② **앞** 에서 본 모양을 보면 ㉠은 3개까지, ㉡은 1개 쌓을 수 있습니다.	③ **옆** 에서 본 모양을 보면 ㉢은 2개까지, ㉣은 3개까지, ㉤은 1개 쌓을 수 있습니다.

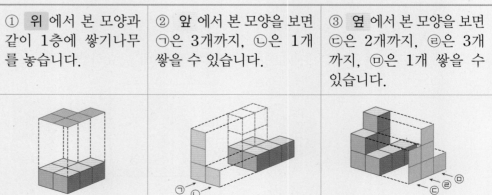

1 쌓기나무로 쌓은 모양을 위, 앞, 옆에서 본 모양입니다. 쌓은 모양으로 알맞은 것에 ○표 하세요.

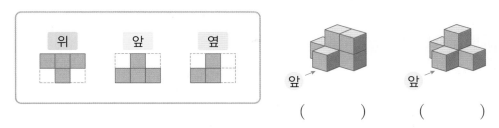

(   )   (   )

교과서 공통 2 쌓기나무로 쌓은 모양과 위에서 본 모양입니다. 앞과 옆에서 본 모양을 각각 그려 보세요.

(1)

(2)

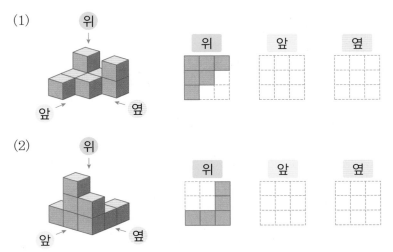

3 쌓기나무로 쌓은 모양을 위, 앞, 옆에서 본 모양입니다. 물음에 답하세요.

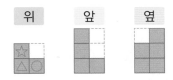

(1) □ 안에 알맞은 수를 써넣으세요.

- **앞**에서 본 모양을 보면 쌓기나무가 ○ 부분은 □개입니다.

- **옆**에서 본 모양을 보면 △ 부분은 □개, ☆ 부분은 □개입니다.

(2) 똑같은 모양으로 쌓는 데 필요한 쌓기나무는 몇 개인가요?

(   )

061쪽 에서 개념을 한 번 더 다집니다.

STEP 2 개념 한번 더 잡기

1 어느 방향에서 보았는지 알아보기

01 4명의 친구들이 서로 다른 위치에서 동상을 바라보고 있습니다. 각각의 모습은 누구의 위치에서 바라본 것인지 쓰세요.

(   ) (   ) (   )

02 가와 나는 각각 어느 방향에서 본 모습인지 쓰세요.

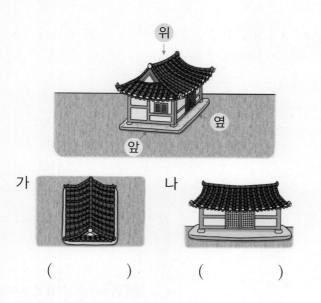

(   ) (   )

2 쌓은 모양과 위에서 본 모양으로 쌓기나무의 개수 알아보기

03 쌓기나무를 왼쪽과 같은 모양으로 쌓았습니다. 돌렸을 때 왼쪽과 같은 모양을 만들 수 <u>없는</u> 경우를 찾아 기호를 쓰세요.

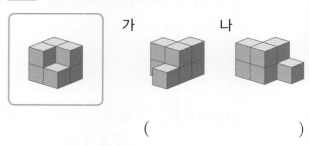

(   )

04 쌓기나무로 쌓은 모양을 보고 위에서 본 모양을 그렸습니다. 관계있는 것끼리 이어 보세요.

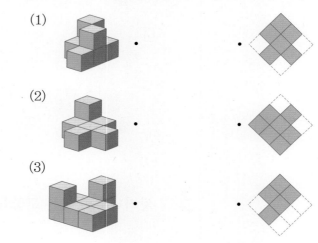

(1)   •   •

(2)   •   •

(3)   •   •

05 쌓기나무로 쌓은 모양을 보고 위에서 본 모양에 ○표 하세요.

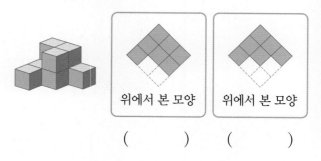

위에서 본 모양   위에서 본 모양

(   ) (   )

06 주어진 모양과 똑같이 쌓는 데 필요한 쌓기나무는 몇 개인가요?

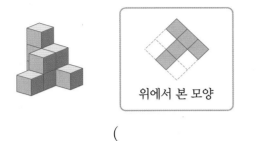

위에서 본 모양

(   )

③ 위, 앞, 옆에서 본 모양으로 쌓은 모양과 쌓기나무의 개수 알아보기

07 오른쪽 쌓기나무로 쌓은 모양을 보고 위, 앞, 옆에서 본 모양을 각각 찾아 □ 안에 '위', '앞', '옆'을 알맞게 써넣으세요.

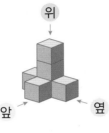

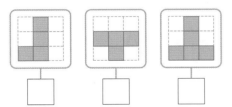

08 쌓기나무로 쌓은 모양과 위에서 본 모양입니다. 앞과 옆에서 본 모양을 각각 그려 보세요.

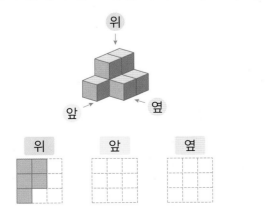

09 쌓기나무 8개로 쌓은 모양입니다. 앞과 옆에서 본 모양을 각각 그려 보세요.

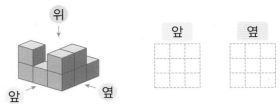

10 쌓기나무로 쌓은 모양을 위, 앞, 옆에서 본 모양입니다. 똑같은 모양으로 쌓는 데 필요한 쌓기나무는 몇 개인가요?

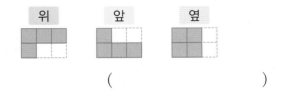

(   )

11 쌓기나무로 쌓은 모양을 위, 앞, 옆에서 본 모양입니다. 쌓기나무로 쌓은 모양이 될 수 있는 것을 **모두** 찾아 기호를 쓰세요.

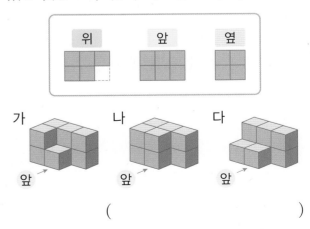

(   )

한눈에
핵심쏙

위에서 본 모양에 수를 쓴 것을 이용하면 쌓은 모양이 한 가지만 나와~.

개념 강의

위에서 본 모양에 수를 쓰면 쌓은 모양을 정확하게 알 수 있습니다.

4 위에서 본 모양에 수를 쓴 것을 보고 쌓은 모양과 쌓기나무의 개수 알아보기

(1) 쌓은 모양을 보고 위에서 본 모양에 수를 써서 나타내기

위에서 본 모양의 각 자리에 쌓기나무가 각각 몇 개씩 쌓여 있는지 세어 수를 써넣습니다.

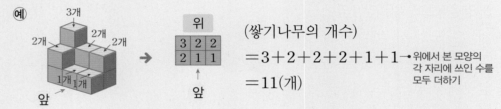

(2) 위에서 본 모양에 수를 쓴 것을 보고 쌓은 모양 알아보기

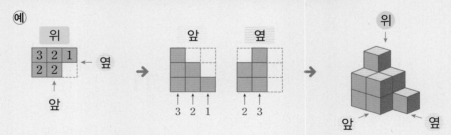

① 위 에서 본 모양의 각 자리의 수는 그 자리에 쌓은 쌓기나무의 개수입니다.

② 앞 에서 본 모양: 앞에서 보았을 때 각 줄에서 가장 큰 수는 3 2 1 이므로 왼쪽에서부터 3칸, 2칸, 1칸을 그립니다.

③ 옆 에서 본 모양: 옆에서 보았을 때 각 줄에서 가장 큰 수는 2 3 이므로 왼쪽에서부터 2칸, 3칸을 그립니다.

> 위에서 본 모양에 수를 쓴 것을 보고 앞과 옆에서 본 모양을 그릴 때 각 방향에서 각 줄의 가장 큰 수만큼 그립니다.

교과서 공통 1 쌓기나무로 쌓은 모양과 위에서 본 모양을 보고 물음에 답하세요.

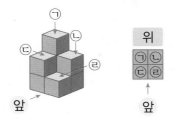

(1) 각 자리에 쌓인 쌓기나무의 개수를 세어 빈칸에 알맞은 수를 써넣으세요.

자리	㉠	㉡	㉢	㉣
쌓기나무의 개수(개)				

(2) 똑같은 모양으로 쌓는 데 필요한 쌓기나무는 몇 개인가요?

(   )

2 쌓기나무로 쌓은 모양을 보고 위에서 본 모양에 수를 쓰세요.

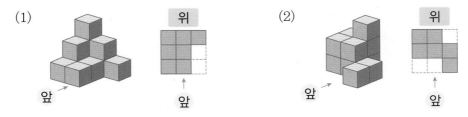

3 쌓기나무로 쌓은 모양을 보고 위에서 본 모양에 수를 썼습니다. 앞에서 본 모양과 옆에서 본 모양을 각각 그려 보세요.

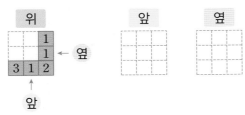

068쪽 에서 개념을 한 번 더 다집니다.

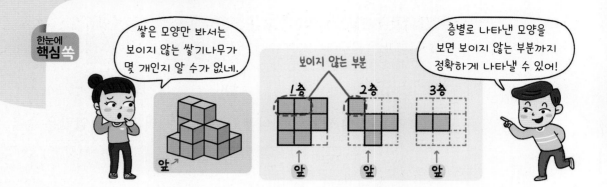

5 층별로 나타낸 모양으로 쌓은 모양과 쌓기나무의 개수 알아보기

(1) 쌓은 모양을 보고 층별로 나타낸 모양 그리기

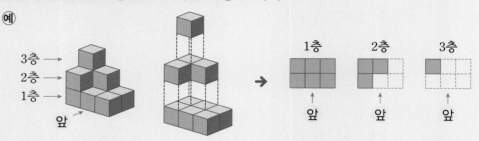

① 1층: 쌓기나무 6개가 놓인 모양을 그립니다. → 위에서 본 모양과 같습니다.

② 2층: 쌓기나무 3개가 놓인 모양을 자리에 맞게 그립니다.

③ 3층: 쌓기나무 1개가 놓인 모양을 자리에 맞게 그립니다.

➔ (쌓기나무의 개수)=6+3+1=10(개)

> 2층과 3층의 모양을 그릴 때에는 위에서 본 모양에서 각각의 쌓기나무가 놓인 자리에 맞게 그림을 그려야 합니다.

층별로 나타낸 모양에서 쌓기나무의 개수

> 각 층에 쌓은 쌓기나무의 개수
> =
> 층별로 나타낸 모양에서 색칠된 칸 수

(2) 층별로 나타낸 모양을 보고 쌓기나무의 개수 알아보기

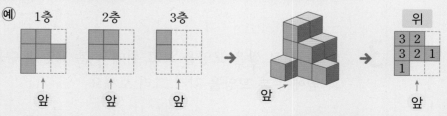

① 층별로 나타낸 모양을 보면 쌓기나무로 쌓은 각 층의 모양과 개수를 알 수 있습니다.

② 각 층에 사용된 쌓기나무는 1층: 6개, 2층: 4개, 3층: 2개입니다.

➔ (쌓기나무의 개수)=6+4+2=12(개)

교과서 공통 1 쌓기나무로 쌓은 모양과 1층 모양을 보고 2층과 3층 모양을 각각 그려 보세요.

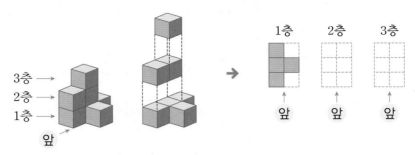

2 쌓기나무로 쌓은 모양을 층별로 나타낸 모양을 보고 쌓은 모양으로 알맞은 것에 ○표 하세요.

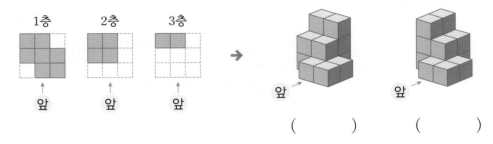

(   )   (   )

3 쌓기나무로 쌓은 모양을 층별로 나타낸 모양입니다. 물음에 답하세요.

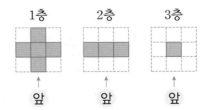

(1) 위에서 본 모양에 수를 쓰는 방법으로 나타내어 보세요.

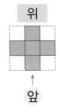

(2) 똑같은 모양으로 쌓는 데 필요한 쌓기나무는 몇 개인가요?

(   )

068쪽 에서 개념을 한 번 더 다집니다.

한눈에
방법쏙

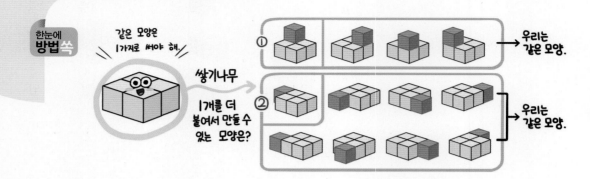

6 여러 가지 모양 만들기

(1) 만들 수 있는 서로 다른 모양 찾기

(예) 쌓기나무 4개로 만들 수 있는 서로 다른 모양 찾기

 ① 모양에 쌓기나무 1개를 붙여서 만들 수 있는 서로 다른 모양

만들 수 있는 서로 다른 모양을 찾을 때 주의할 점

뒤집거나 돌려서 모양이 같으면 같은 모양입니다.

같은 모양

② 모양에 쌓기나무 1개를 붙여서 만들 수 있는 서로 다른 모양

→ 쌓기나무 4개로 만들 수 있는 서로 다른 모양은 모두 8가지입니다.

(2) 두 가지 모양을 사용하여 여러 가지 모양 만들기

(예) 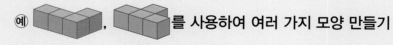 를 사용하여 여러 가지 모양 만들기

① 1층짜리 모양 만들기

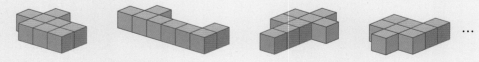

② 2층짜리 모양 만들기

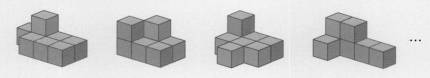

교과서 공통 1 쌓기나무 4개로 만든 모양입니다. 물음에 답하세요.

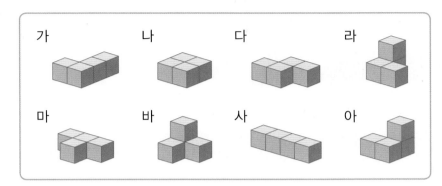

(1) 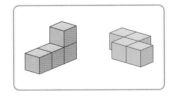 모양에 쌓기나무 1개를 붙여서 만들 수 있는 모양을 **모두** 찾아 기호를 쓰세요.

( )

(2) 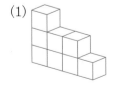 모양에 쌓기나무 1개를 붙여서 만들 수 있는 모양 중 (1)에서 찾지 <u>않은</u> 모양을 **모두** 찾아 기호를 쓰세요.

( )

2 왼쪽 쌓기나무 모양과 같은 모양을 찾아 ○표 하세요.

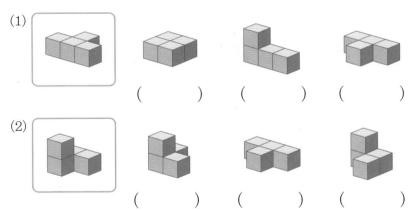

(1)

( ) ( ) ( )

(2)

( ) ( ) ( )

3 쌓기나무를 각각 4개씩 붙여서 만든 두 가지 모양을 사용하여 새로운 모양을 만들었습니다. 어떻게 만들었는지 구분하여 색칠해 보세요.

(1)　　　　　　　(2)

069쪽 에서 개념을 **한 번** 더 다집니다.

STEP 2 개념 한번더 잡기

4 위에서 본 모양에 수를 쓴 것을 보고
쌓은 모양과 쌓기나무의 개수 알아보기

01 쌓기나무로 쌓은 모양을 보고 위에서 본 모양
에 수를 썼습니다. 똑같은 모양으로 쌓는 데
필요한 쌓기나무는 몇 개인가요?

위
3	2	1
2	1	

( )

02 쌓기나무로 쌓은 모양을 보고 위에서 본 모양
에 수를 쓴 것입니다. 쌓은 모양을 찾아 기호
를 쓰세요.

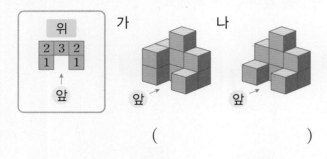

( )

03 쌓기나무로 쌓은 모양을 보고 위에서 본 모양
에 수를 썼습니다. 앞과 옆에서 본 모양을 각
각 그려 보세요.

04 쌓기나무로 쌓은 모양을 위, 앞, 옆에서 본
모양입니다. 물음에 답하세요.

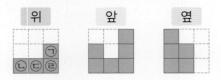

(1) 앞에서 본 모양을 보고 ⓛ과 ⓒ에 쌓인
쌓기나무는 각각 몇 개인지 구하세요.

ⓛ: ☐ 개, ⓒ: ☐ 개

(2) 옆에서 본 모양을 보고 ㉠과 ㉣에 쌓인
쌓기나무는 각각 몇 개인지 구하세요.

㉠: ☐ 개, ㉣: ☐ 개

(3) 똑같은 모양으로 쌓는 데 필요한 쌓기나
무는 몇 개인가요?

( )

5 층별로 나타낸 모양으로 쌓은 모양과
쌓기나무의 개수 알아보기

05 쌓기나무로 쌓은 모양을 층별로 나타낸 모양
을 보고 물음에 답하세요.

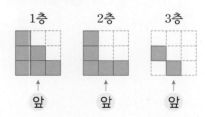

(1) 각 층에 쌓인 쌓기나무는 몇 개인가요?

층	1층	2층	3층
쌓기나무의 개수(개)			

(2) 똑같은 모양으로 쌓는 데 필요한 쌓기나무
는 몇 개인가요?

( )

06 쌓기나무로 쌓은 모양과 1층 모양을 보고 2층과 3층 모양을 각각 그려 보세요.

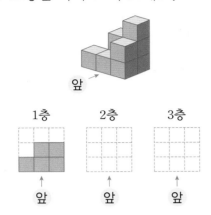

1층	2층	3층

앞 앞 앞

07 쌓기나무로 쌓은 모양을 층별로 나타낸 모양입니다. 위에서 본 모양에 수를 쓰는 방법으로 나타내고, 똑같은 모양으로 쌓는 데 필요한 쌓기나무는 몇 개인지 구하세요.

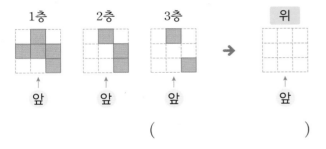

( )

6 여러 가지 모양 만들기

08 오른쪽은 쌓기나무 4개로 만든 모양입니다. 오른쪽과 같은 모양을 **모두** 찾아 ○표 하세요.

( ) ( ) ( )

09 오른쪽 모양에 쌓기나무 1개를 붙여서 만들 수 있는 모양을 **모두** 찾아 기호를 쓰세요.

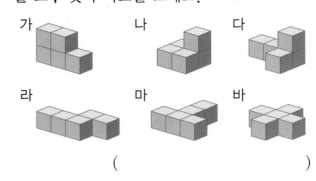

가 나 다
라 마 바

( )

10 쌓기나무 5개로 만든 모양입니다. 서로 같은 모양끼리 이어 보세요.

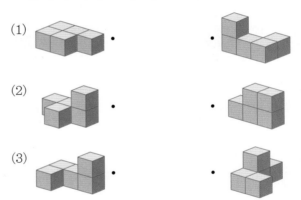

(1) (2) (3)

11 쌓기나무를 4개씩 붙여서 만든 두 가지 모양을 사용하여 새로운 모양을 만들었습니다. 어떻게 만들었는지 구분하여 색칠해 보세요.

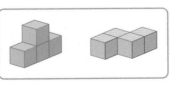

(1) (2)

01 5대의 카메라가 무대를 여러 방향에서 촬영하고 있습니다. 각 장면을 촬영하고 있는 카메라를 찾아 □ 안에 번호를 써넣으세요.

056쪽 개념 **1**

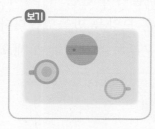

□ 번 카메라   □ 번 카메라

02 보기와 같이 물건을 놓았을 때 가능하지 <u>않은</u> 모습을 찾아 기호를 쓰세요.

056쪽 개념 **1**

(   )

03 오른쪽과 같이 빨대를 이어서 만든 모양을 위에서 내려다보면 어떤 모양인지 찾아 기호를 쓰세요.

056쪽 개념 **2**

위

㉠   ㉡   ㉢

(   )

04 익힘책 공통   056쪽 개념 **2**

쌓기나무를 이용하여 진열대를 만들었습니다. 진열대를 만드는 데 사용한 쌓기나무는 몇 개인가요?

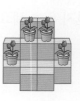

위에서 본 모양

(   )

05 쌓기나무를 오른쪽과 같은 모양으로 쌓았습니다. 위에서 본 모양이 될 수 있는 경우를 **모두** 찾아 기호를 쓰세요.

056쪽 개념 **2**

문제 강의

㉠   ㉡   ㉢

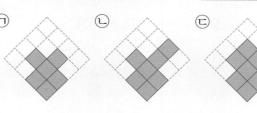

(   )

058쪽 개념 ❸

06 쌓기나무 9개로 쌓은 모양을 위와 앞에서 본 모양입니다. 옆에서 본 모양을 그려 보세요.

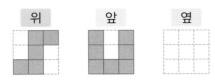

062쪽 개념 ❹

09 쌓기나무로 쌓은 모양을 위, 앞, 옆에서 본 모양입니다. 위에서 본 모양에 수를 써서 나타내고, 똑같은 모양으로 쌓는 데 필요한 쌓기나무는 몇 개인지 구하세요.

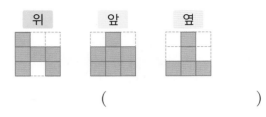

( )

058쪽 개념 ❸

07 오른쪽과 같은 구멍이 있는 상자에 쌓기나무를 붙여서 만든 모양을 넣으려고 합니다. 상자에 넣을 수 있는 모양을 **모두** 찾아 기호를 쓰세요.

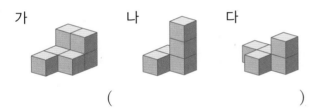

( )

익힘책 공통 062쪽 개념 ❹

10 쌓기나무를 8개씩 사용하여 조건 을 만족하도록 쌓았을 때 위에서 본 모양에 수를 쓰는 방법으로 나타내어 보세요.

조건
• 가와 나의 쌓은 모양은 서로 다릅니다.
• 위에서 본 모양이 서로 같습니다.
• 앞에서 본 모양이 서로 같습니다.
• 옆에서 본 모양이 서로 같습니다.

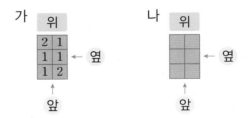

058쪽 개념 ❸

08 쌓기나무 9개로 쌓은 모양을 위, 앞, 옆에서 본 모양입니다. 가능하지 **않은** 모양을 찾아 기호를 쓰세요.

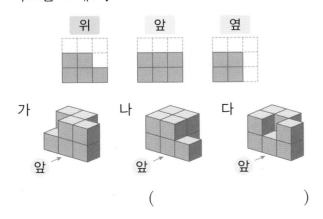

( )

064쪽 개념 ❺

11 쌓기나무로 쌓은 모양을 층별로 나타낸 모양입니다. 앞에서 본 모양을 그려 보세요.

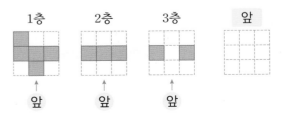

12 익힘책 공통   064쪽 개념 **5**

쌓기나무로 모양을 3층까지 쌓으려고 합니다. 각 층이 될 수 있는 모양을 찾아 기호를 쓰세요.

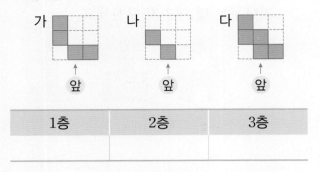

1층	2층	3층

13 064쪽 개념 **5**

문제강의

쌓기나무로 쌓은 모양을 보고 위에서 본 모양에 수를 썼습니다. 1층, 2층, 3층 모양을 각각 그려 보세요.

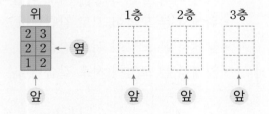

14 066쪽 개념 **6**

가, 나, 다 모양 중에서 두 가지 모양을 사용하여 새로운 모양을 만들었습니다. 사용한 두 가지 모양을 찾아 기호를 쓰세요.

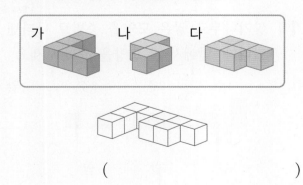

(   )

15 066쪽 개념 **6**

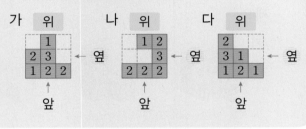 모양에 쌓기나무 1개를 더 붙여서 만들 수 있는 서로 다른 모양은 **모두** 몇 가지인가요? (단, 뒤집거나 돌렸을 때 같은 모양은 한 가지로 생각합니다.)

(   )

생각+문제

16 쌓기나무로 쌓은 모양을 보고 위에서 본 모양에 수를 쓴 것입니다. **옆에서 본 모양이 다른** 하나를 찾아 기호를 쓰세요.

문제강의

(1) 알맞은 말에 ○표 하세요.

> 쌓기나무를 옆에서 본 모양은 각 줄에서 가장 (큰 , 작은) 수만큼 그린 것과 같습니다.

(2) 옆에서 본 모양을 각각 그려 보세요.

가 옆   나 옆   다 옆

(3) 옆에서 본 모양이 다른 하나를 찾아 기호를 쓰세요.

(   )

서술형 잡기

서술형 강의

1 주어진 모양과 똑같이 쌓는 데 **필요한 쌓기나무**는 몇 개인지 풀이 과정을 쓰고, 답을 구하세요.

위에서 본 모양

해결 순서
❶ 층별 쌓기나무의 개수 구하기
❷ 필요한 쌓기나무의 개수 구하기

풀이 ❶ 1층이 ☐개, 2층이 ☐개, 3층이 ☐개입니다.

❷ 주어진 모양과 똑같이 쌓는 데 필요한 쌓기나무는 ☐+☐+☐=☐(개)입니다.

답

2 주어진 모양과 똑같이 쌓는 데 **필요한 쌓기나무**는 몇 개인지 풀이 과정을 쓰고, 답을 구하세요.

위에서 본 모양

해결 순서
❶ 층별 쌓기나무의 개수 구하기
❷ 필요한 쌓기나무의 개수 구하기

풀이

답

3
단원

3 쌓기나무 4개로 만든 모양입니다. **서로 다른 모양**은 모두 **몇 가지**인지 풀이 과정을 쓰고, 답을 구하세요.

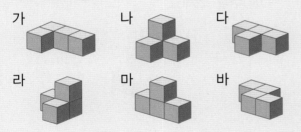

가   나   다
라   마   바

해결 순서
❶ 뒤집거나 돌려서 같은 모양인 것 찾기
❷ 서로 다른 모양은 모두 몇 가지인지 구하기

풀이 ❶ 뒤집거나 돌려서 같은 모양인 것은 ☐와 ☐, ☐와 ☐입니다.

❷ 서로 다른 모양은 모두 ☐가지입니다.

답

4 쌓기나무 4개로 만든 모양입니다. **서로 다른 모양**은 모두 **몇 가지**인지 풀이 과정을 쓰고, 답을 구하세요.

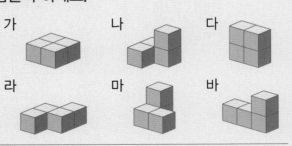

가   나   다
라   마   바

해결 순서
❶ 뒤집거나 돌려서 같은 모양인 것 찾기
❷ 서로 다른 모양은 모두 몇 가지인지 구하기

풀이

답

01 신우가 식탁에 있는 주전자 사진을 찍었습니다. 가와 나는 어느 방향에서 본 모습인지 쓰세요.

가   나

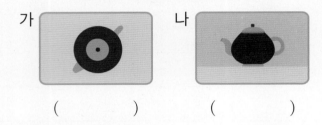

(   )   (   )

02 쌓기나무로 쌓은 모양을 보고 위에서 본 모양을 그려 보세요.

위에서 본 모양

03 쌓기나무로 쌓은 모양을 보고 위에서 본 모양에 수를 썼습니다. 똑같은 모양으로 쌓는 데 필요한 쌓기나무는 몇 개인가요?

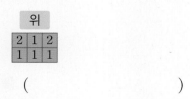

위

2	1	2
1	1	1

(   )

04 쌓기나무로 쌓은 모양을 보고 1층과 2층 모양을 각각 그려 보세요.

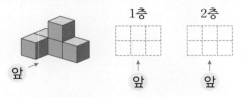

05 쌓기나무로 쌓은 모양과 위에서 본 모양입니다. 앞과 옆에서 본 모양을 각각 그려 보세요.

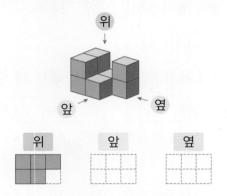

06 쌓기나무로 쌓은 모양을 보고 위에서 본 모양에 수를 쓰세요.

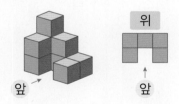

07 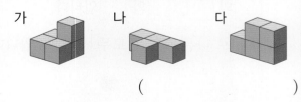 모양에 쌓기나무 1개를 붙여서 만들 수 있는 모양이 <u>아닌</u> 것을 찾아 기호를 쓰세요.

가   나   다

(   )

08 쌓기나무로 쌓은 모양을 층별로 나타낸 모양입니다. 쌓은 모양으로 알맞은 것을 찾아 기호를 쓰세요.

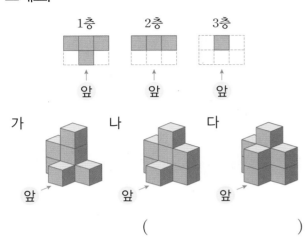

(   )

[09~10] 쌓기나무로 쌓은 모양을 위, 앞, 옆에서 본 모양입니다. 물음에 답하세요.

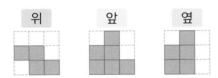

09 쌓은 모양으로 알맞은 것의 기호를 쓰세요.

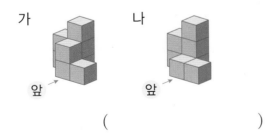

(   )

10 똑같은 모양으로 쌓는 데 필요한 쌓기나무는 몇 개인가요?

(   )

11 쌓기나무로 쌓은 모양을 보고 위에서 본 모양에 수를 썼습니다. 앞과 옆에서 본 모양을 각각 그려 보세요.

12 쌓기나무 5개로 만든 모양입니다. 서로 같은 모양끼리 이어 보세요.

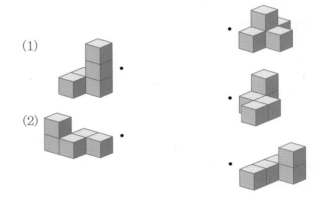

13 쌓기나무 3개로 만들 수 있는 서로 다른 모양은 모두 몇 가지인가요? (단, 뒤집거나 돌렸을 때 같은 모양은 한 가지로 생각합니다.)

(   )

14 쌓기나무로 쌓은 모양을 보고 위에서 본 모양에 수를 썼습니다. 1층, 2층, 3층 모양을 각각 그려 보세요.

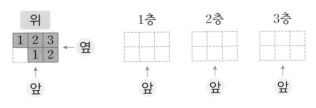

15 쌓기나무를 오른쪽과 같은 모양으로 쌓았습니다. 돌렸을 때 오른쪽과 같은 모양이 될 수 있는 경우를 모두 찾아 기호를 쓰세요.

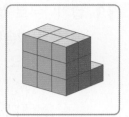

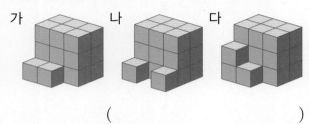

가　　　　나　　　　다

(　　　　　　　　　　　)

16 쌓기나무를 4개씩 붙여서 만든 두 가지 모양을 사용하여 새로운 모양을 만들었습니다. 어떻게 만들었는지 구분하여 색칠해 보세요.

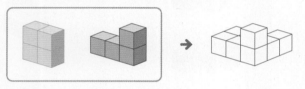

17 쌓기나무로 쌓은 모양을 층별로 나타낸 모양입니다. 옆에서 본 모양을 그려 보세요.

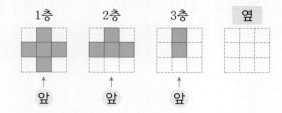

1층　　　2층　　　3층　　　옆

↑　　　　↑　　　　↑
앞　　　　앞　　　　앞

18 쌓기나무 8개로 쌓은 모양을 위와 옆에서 본 모양입니다. 앞에서 본 모양을 그려 보세요.

위　　　앞　　　옆

19 주어진 모양과 똑같이 쌓는 데 필요한 쌓기나무는 몇 개인지 풀이 과정을 쓰고, 답을 구하세요.

서술형

위에서 본 모양

풀이

답

20 쌓기나무 4개로 만든 모양입니다. 서로 다른 모양은 모두 몇 가지인지 풀이 과정을 쓰고, 답을 구하세요.

서술형

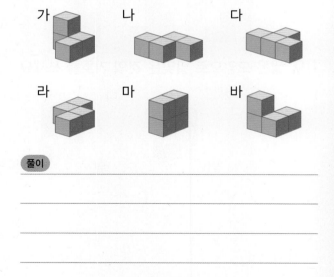

가　　　　나　　　　다

라　　　　마　　　　바

풀이

답

후후~. 이건 내가 만든 바람개비예요.

☆에 들어갈 숫자를 맞춘 친구에게 바람개비를 나누어 주려고 해요!

☆에 들어갈 숫자는 무엇일까요?

정답은 진도북 **148**쪽에서 확인하세요.

4 비례식과 비례배분

오늘은 부모님과 함께 등산을 할 거야.
1코스는 정상까지 2.4 km이고
1시간 30분 정도 걸린다고 해!
같은 빠르기로 걸으면 2코스로 내려올 때는 얼마나 걸릴까?

동영상 강의와 함께 계획을 세워 공부합니다.
동영상 강의를 시청했으면 ◯에 ∨표 하세요.

공부한 날	동영상 확인	쪽수	학습 내용
월 일	▶️◯	080~083쪽	**교과서 개념 잡기** ❶ 비의 성질 ❷ 간단한 자연수의 비로 나타내기 ❸ 비례식
월 일		084~085쪽	**개념 한 번 더 잡기**
월 일	▶️◯	086~089쪽	**교과서 개념 잡기** ❹ 비례식의 성질 ❺ 비례식 활용하기 ❻ 비례배분
월 일		090~091쪽	**개념 한 번 더 잡기**
월 일	▶️◯	092~096쪽	**수학 익힘 문제 잡기**
월 일	▶️◯	097쪽	**서술형 잡기**
월 일		098~100쪽	**단원 마무리**

한눈에
핵심 쏙

개념 강의

1 비의 성질

(1) 비의 전항과 후항

3 : 4
↑   ↑
전항 후항

비 3 : 4에서 기호 ' : ' 앞에 있는 3을 **전항**, 뒤에 있는 4를 **후항**이라고 합니다.

(2) 비의 성질 알아보기

비의 전항과 후항에 0을 곱하면 0:0이 되므로 0을 곱할 수 없습니다.

① 비의 전항과 후항에 0이 아닌 같은 수를 곱하여도 비율은 같습니다.

(예)

×2
전항 ├─────┼─────┤
     0   2   4
후항 ├─────┼─────┤
     0   5   10
×2

• 비 2 : 5의 비율 ➡ $\dfrac{2}{5}$

• 비 4 : 10의 비율 ➡ $\dfrac{4}{10}\left(=\dfrac{2}{5}\right)$

       비율이 같습니다.

분모가 0인 분수는 없으므로 비의 전항과 후항을 0으로 나눌 수 없습니다.

② 비의 전항과 후항을 0이 아닌 같은 수로 나누어도 비율은 같습니다.

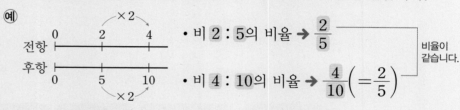

(예)

÷5
전항 ├─┼─────────┤
    0 2   10
후항 ├─┼─────────┤
    0 3   15
÷5

• 비 10 : 15의 비율 ➡ $\dfrac{10}{15}\left(=\dfrac{2}{3}\right)$

• 비 2 : 3의 비율 ➡ $\dfrac{2}{3}$

       비율이 같습니다.

2 간단한 자연수의 비로 나타내기

소수의 비를 자연수의 비로 나타내기	분수의 비를 자연수의 비로 나타내기
전항과 후항에 10, 100, 1000…을 곱합니다.	전항과 후항에 두 분모의 최소공배수를 곱합니다.

(예)

       ×10
0.7 : 1.2   7 : 12
       ×10

(예)

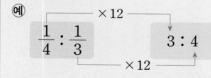

×12
$\dfrac{1}{4} : \dfrac{1}{3}$ 3 : 4
×12

1 비를 보고 □ 안에 알맞은 수를 써넣으세요.

(1) 8 : 3 → 전항: □ , 후항: □

(2) 1 : 2 → 전항: □ , 후항: □

4 단원

교과서 공통 2 비의 성질을 알아보려고 합니다. □ 안에 알맞은 수나 말을 써넣으세요.

(1)
4 : 5의 전항과 후항에 □ 을/를 곱하여도 비율은 □ .

(2)
12 : 20의 전항과 후항을 □ (으)로 나누어도 비율은 □ .

3 2.6 : 0.13을 간단한 자연수의 비로 나타내려고 합니다. 물음에 답하세요.

(1) 전항과 후항에 각각 100을 곱하여 자연수의 비로 나타내어 보세요.

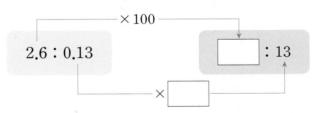

(2) (1)에서 나타낸 자연수의 비를 비의 성질을 이용하여 간단한 자연수의 비로 나타내어 보세요.

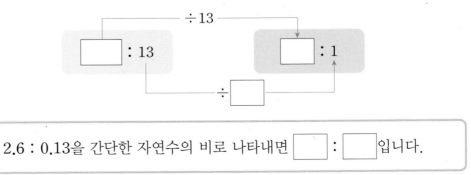

2.6 : 0.13을 간단한 자연수의 비로 나타내면 □ : □ 입니다.

084쪽 에서 개념을 한 번 더 다집니다.

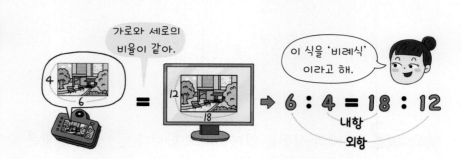

한눈에
핵심쏙

가로와 세로의 비율이 같아.

이 식을 '비례식' 이라고 해.

6 : 4 = 18 : 12
내항
외항

개념 강의

비율은 기준량에 대한 비교하는 양의 크기입니다.

(비율)
＝(비교하는 양)÷(기준량)
＝$\dfrac{(비교하는 양)}{(기준량)}$

3 비례식

(1) 비례식

비율이 같은 두 비를 기호 '＝'를 사용하여 3 : 4＝6 : 8과 같이 나타낼 수 있습니다. 이와 같은 식을 **비례식**이라고 합니다.

3 : 4의 비율 → $\dfrac{3}{4}$

6 : 8의 비율 → $\dfrac{6}{8}\left(=\dfrac{3}{4}\right)$

→

비례식

3 : 4＝6 : 8

(2) 외항과 내항

비례식 3 : 4＝6 : 8에서 바깥쪽에 있는 3과 8을 **외항**, 안쪽에 있는 4와 6을 **내항**이라 합니다.

외항
3 : 4 ＝ 6 : 8
내항

(3) 비례식을 이용하여 비의 성질 나타내기

①

×3
5 : 2＝15 : 6
×3

5 : 2는 전항과 후항에 3을 곱한
15 : 6과 그 비율이 같습니다.

②

÷7
21 : 35＝3 : 5
÷7

21 : 35는 전항과 후항을 7로 나눈
3 : 5와 그 비율이 같습니다.

1 두 비를 보고 물음에 답하세요.

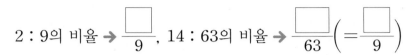

$$2 : 9 \qquad\qquad 14 : 63$$

(1) 2 : 9와 14 : 63의 비율을 각각 구하고, 알맞은 말에 ○표 하세요.

$$2 : 9의\ 비율 \rightarrow \dfrac{\boxed{}}{9}, \quad 14 : 63의\ 비율 \rightarrow \dfrac{\boxed{}}{63}\left(= \dfrac{\boxed{}}{9} \right)$$

두 비 2 : 9와 14 : 63의 비율은 (같습니다 , 다릅니다).

(2) 2 : 9와 14 : 63을 비례식으로 나타내어 보세요.

$$2 : \boxed{} = \boxed{} : 63$$

교과서 공통 2 □ 안에 알맞은 수나 말을 써넣으세요.

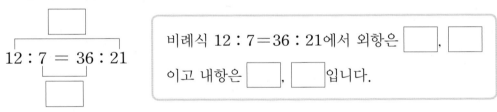

$$12 : 7 = 36 : 21$$

비례식 12 : 7 = 36 : 21에서 외항은 $\boxed{}$, $\boxed{}$ 이고 내항은 $\boxed{}$, $\boxed{}$ 입니다.

3 비례식을 이용하여 비의 성질 나타내려고 합니다. □ 안에 알맞은 수를 써넣으세요.

(1)
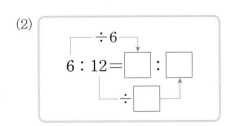

$$\times 3$$
$$4 : 5 = 12 : \boxed{}$$
$$\times \boxed{}$$

4 : 5는 전항과 후항에 3을 곱한 $\boxed{}$: $\boxed{}$ 와/과 그 비율이 같습니다.

(2)
$$\div 6$$
$$6 : 12 = \boxed{} : \boxed{}$$
$$\div \boxed{}$$

6 : 12는 전항과 후항을 6으로 나눈 $\boxed{}$: $\boxed{}$ 와/과 그 비율이 같습니다.

085쪽 에서 개념을 한 번 더 다집니다.

4. 비례식과 비례배분 **083**

STEP 2 개념 한번더 잡기

1 비의 성질

01 □ 안에 알맞은 수를 써넣으세요.

> 비 19 : 31에서 전항은 [ ]이고, 후항은 [ ]입니다.

02 비의 성질을 알아보려고 합니다. □ 안에 알맞은 수나 말을 써넣으세요.

(1)
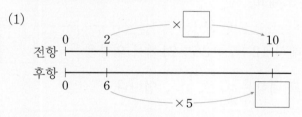

비의 전항과 후항에 0이 아닌 같은 수를 [ ] 비율은 같습니다.

(2)
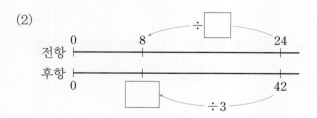

비의 전항과 후항을 0이 아닌 같은 수로 [ ] 비율은 같습니다.

03 비의 성질을 이용하여 36 : 20과 비율이 같은 비를 2개 쓰세요.

( )

2 간단한 자연수의 비로 나타내기

04 0.5 : 0.8을 간단한 자연수의 비로 나타내려고 합니다. □ 안에 알맞은 수를 써넣으세요.

$$0.5 : 0.8 \rightarrow (0.5 \times \boxed{}) : (0.8 \times 10)$$
$$\rightarrow \boxed{} : \boxed{}$$

05 $\dfrac{3}{4} : \dfrac{5}{7}$를 간단한 자연수의 비로 나타내려고 합니다. □ 안에 알맞은 수를 써넣으세요.

$$\dfrac{3}{4} : \dfrac{5}{7} \rightarrow \left(\dfrac{3}{4} \times 28\right) : \left(\dfrac{5}{7} \times \boxed{}\right)$$
$$\rightarrow \boxed{} : \boxed{}$$

06 □ 안에 알맞은 수를 써넣어 간단한 자연수의 비로 나타내어 보세요.

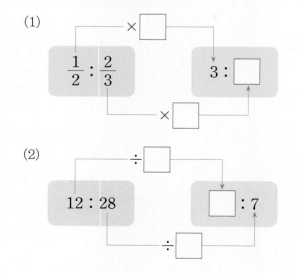

(1)
$\dfrac{1}{2} : \dfrac{2}{3}$ → $3 : \boxed{}$

(2)
$12 : 28$ → $\boxed{} : 7$

07 $\frac{3}{5}$: 0.3을 간단한 자연수의 비로 나타내려고 합니다. 물음에 답하세요.

(1) $\frac{3}{5}$을 소수로 바꾸어 간단한 자연수의 비로 나타내어 보세요.

$$\frac{3}{5} : 0.3 \rightarrow \boxed{} : 0.3$$

$$\rightarrow (\boxed{} \times 10) : (0.3 \times \boxed{})$$

$$\rightarrow \boxed{} : \boxed{} \rightarrow \boxed{} : \boxed{}$$

(2) 0.3을 분수로 바꾸어 간단한 자연수의 비로 나타내어 보세요.

$$\frac{3}{5} : 0.3 \rightarrow \frac{3}{5} : \frac{\boxed{}}{10}$$

$$\rightarrow \left(\frac{3}{5} \times 10\right) : \left(\frac{\boxed{}}{10} \times \boxed{}\right)$$

$$\rightarrow \boxed{} : \boxed{} \rightarrow \boxed{} : \boxed{}$$

08 간단한 자연수의 비로 나타내어 보세요.

(1) 0.6 : 1.5 → (   )

(2) $\frac{4}{7} : \frac{3}{14}$ → (   )

09 0.5 : $\frac{1}{4}$을 간단한 자연수의 비로 바르게 나타낸 것에 ○표 하세요.

2 : 1	4 : 5
( )	( )

---

3 비례식

10 비례식을 보고 외항과 내항을 각각 쓰세요.

(1)
$$5 : 8 = 15 : 24$$

외항 (   )

내항 (   )

(2)
$$6 : 11 = 42 : 77$$

외항 (   )

내항 (   )

11 옳은 비례식을 찾아 ○표 하세요.

$$3 : 7 = 9 : 5 \qquad (\quad\quad)$$

$$3 : 4 = 9 : 12 \qquad (\quad\quad)$$

$$7 : 9 = 10 : 18 \qquad (\quad\quad)$$

12 비율이 같은 비를 찾아 비례식으로 나타내려고 합니다. □ 안에 알맞은 비를 찾아 기호를 쓰세요.

$$5 : 4 = \boxed{}$$

ㄱ 8 : 10   ㄴ 15 : 12   ㄷ 20 : 15

(   )

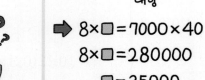

양말 8켤레
7000원

양말 40켤레의
가격은 얼마지?

$$8 : 7000 = 40 : \square$$

외항 / 내항

➡ $8 \times \square = 7000 \times 40$
$8 \times \square = 280000$
$\square = 35000$

개념 강의

외항의 곱과 내항의 곱이 같은지 확인하면 비례식인지 아닌지 알 수 있습니다.

❹ 비례식의 성질

예 $3 : 5 = 6 : 10$에서 외항의 곱과 내항의 곱 알아보기

$$3 : 5 = 6 : 10$$

3×10 / 5×6

➡ (외항의 곱)$= 3 \times 10 = 30$
(내항의 곱)$= 5 \times 6 = 30$ 같습니다.

비례식에서 외항의 곱과 내항의 곱은 같습니다.

❺ 비례식 활용하기

예 김밥 2인분을 만드는 데 필요한 밥의 양이 380 g일 때 김밥 6인분을 만드는 데 필요한 밥의 양은 몇 g인지 구하기

① 구하려고 하는 것
   김밥 6인분을 만드는 데 필요한 밥의 양

② 구하려고 하는 것을 $\square$라 하고 비례식 세우기
   $2 : 380 = 6 : \square$

③ 비례식의 성질을 이용하여 $\square$의 값 구하기
   비례식에서 외항의 곱과 내항의 곱은 같으므로
   $2 \times \square = 380 \times 6$, $2 \times \square = 2280$, $\square = 1140$입니다.

④ 답 구하기
   김밥 6인분을 만드는 데 필요한 밥의 양은 1140 g입니다.

교과서 공통 1 비례식을 보고 물음에 답하세요.

$$6 : 7 = 12 : 14$$

(1) 외항의 곱과 내항의 곱을 각각 구하세요.

(외항의 곱)$=6 \times \boxed{} = \boxed{}$, (내항의 곱)$=7 \times \boxed{} = \boxed{}$

(2) 알맞은 말에 ◯표 하세요.

비례식에서 외항의 곱과 내항의 곱은 (같습니다 , 다릅니다).

2 ☐ 안에 알맞은 수를 써넣고 비례식이면 ◯표, 비례식이 <u>아니면</u> ✕표 하세요.

(1)
$5 \times 32 = \boxed{}$

$5 : 8 = 20 : 32$

$8 \times 20 = \boxed{}$

(   )

(2)
$12 \times 5 = \boxed{}$

$12 : 8 = 6 : 5$

$8 \times 6 = \boxed{}$

(   )

3 8분 동안 충전하면 75 km를 달릴 수 있는 전기 자동차가 있습니다. 이 전기 자동차가 450 km를 달리려면 몇 분 동안 충전해야 하는지 구하려고 합니다. 물음에 답하세요.

(1) 충전해야 하는 시간을 ■분이라 하고 비례식을 세워 보세요.

$$8 : 75 = ■ : \boxed{}$$

(2) 비례식의 성질을 이용하여 ■의 값을 구하세요.

$8 \times \boxed{} = 75 \times ■$이므로 $\boxed{} = 75 \times ■$, $■ = \boxed{}$입니다.

(3) 전기 자동차가 450 km를 달리려면 몇 분 동안 충전해야 하나요?

(   )

090쪽 에서 개념을 한 번 더 다집니다.

4. 비례식과 비례배분   **087**

교과서 개념 잡기

학교별 모든 개념을 담았습니다.

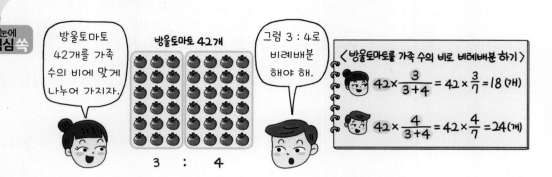

한눈에 **핵심쏙**

방울토마토 42개를 가족 수의 비에 맞게 나누어 가지자.

방울토마토 42개

3 : 4

그럼 3 : 4로 비례배분 해야 해.

〈방울토마토를 가족 수의 비로 비례배분 하기〉

$42 \times \dfrac{3}{3+4} = 42 \times \dfrac{3}{7} = 18$ (개)

$42 \times \dfrac{4}{3+4} = 42 \times \dfrac{4}{7} = 24$ (개)

개념 강의

⑥ 비례배분

전체를 주어진 비로 배분하는 것을 **비례배분**이라고 합니다.

비례배분한 수의 합은 전체의 수와 같습니다.
→ 6+4=10

⑩ 10을 3 : 2로 비례배분하기

(1) **그림으로 알아보기**

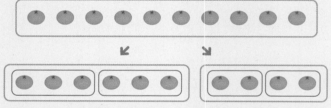

→ 귤 10개를 3 : 2로 비례배분하면 6개와 4개로 나눌 수 있습니다.

(2) **수직선을 보고 식으로 나타내어 알아보기**

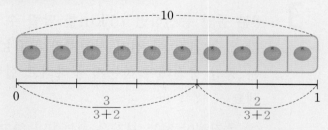

3 : 2로 비례배분하면 각각 전체의 $\dfrac{3}{3+2} = \dfrac{3}{5}$, $\dfrac{2}{3+2} = \dfrac{2}{5}$로 나눌 수 있습니다.

● ■ : ▲로 비례배분하면 다음과 같습니다.

● × $\dfrac{■}{■+▲}$

● × $\dfrac{▲}{■+▲}$

· $10 \times \dfrac{3}{3+2} = 10 \times \dfrac{3}{5} = 6$

· $10 \times \dfrac{2}{3+2} = 10 \times \dfrac{2}{5} = 4$

→ 귤 10개를 3 : 2로 비례배분하면 6개와 4개로 나눌 수 있습니다.

1 도넛 27개를 찬원이와 영서에게 4 : 5로 나누어 빈칸에 ◯로 나타내고, ☐ 안에 알맞은 수를 써넣으세요.

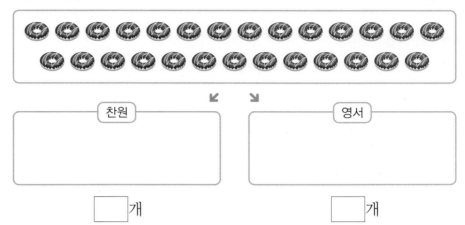

찬원	영서

☐개   ☐개

교과서 공통 2 35를 3 : 4로 나누려고 합니다. ☐ 안에 알맞은 수를 써넣으세요.

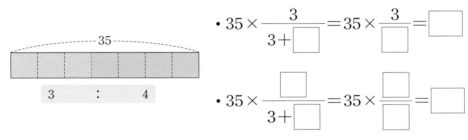

35

3   :   4

• $35 \times \dfrac{3}{3+\boxed{}} = 35 \times \dfrac{3}{\boxed{}} = \boxed{}$

• $35 \times \dfrac{\boxed{}}{3+\boxed{}} = 35 \times \dfrac{\boxed{}}{\boxed{}} = \boxed{}$

3 연재와 서현이가 구슬 40개를 5 : 3으로 나누어 가지려고 합니다. 물음에 답하세요.

(1) 연재와 서현이가 각각 가지게 되는 구슬은 전체의 몇 분의 몇이 되는지 식으로 나타내어 보세요.

연재 $\dfrac{\boxed{}}{5+3} = \dfrac{\boxed{}}{\boxed{}}$ 서현 $\dfrac{\boxed{}}{5+3} = \dfrac{\boxed{}}{\boxed{}}$

(2) 연재와 서현이는 구슬을 각각 몇 개씩 가지게 되나요?

연재 $40 \times \dfrac{\boxed{}}{\boxed{}} = \boxed{}$(개)   서현 $40 \times \dfrac{\boxed{}}{\boxed{}} = \boxed{}$(개)

091쪽 에서 개념을 한 번 더 다집니다.

4 비례식의 성질

01 비례식에서 외항의 곱과 내항의 곱을 각각 구하세요.

$$7 : 2 = 14 : 4$$

외항의 곱: $\boxed{} \times \boxed{} = \boxed{}$

내항의 곱: $\boxed{} \times \boxed{} = \boxed{}$

02 비례식의 성질을 이용하여 옳은 비례식을 **모두** 찾아 기호를 쓰세요.

> ㉠ $0.1 : 0.5 = 3 : 15$
> ㉡ $40 : 16 = 10 : 6$
> ㉢ $\dfrac{1}{3} : \dfrac{1}{5} = 5 : 3$

(   )

03 비례식의 성질을 이용하여 ■의 값을 구하려고 합니다. □ 안에 알맞은 수를 써넣으세요.

$$\overbrace{4 : 7 = 16 : ■}^{4 \times ■}_{7 \times \boxed{}}$$

$4 \times ■ = 7 \times \boxed{}$

$4 \times ■ = \boxed{}$

$■ = \boxed{}$

5 비례식 활용하기

04 진희네 집 식탁의 가로와 세로의 비는 $3 : 2$ 입니다. 식탁의 가로가 $180\ cm$일 때 세로는 몇 cm인지 비례식을 세워 구하세요.

$$3 : 2 = \boxed{} : (세로)$$

➔ $3 \times (세로) = 2 \times \boxed{}$

$3 \times (세로) = \boxed{}$

$(세로) = \boxed{}$

05 부침 가루와 튀김 가루를 $7 : 3$으로 섞어 부침개를 만들려고 합니다. 부침 가루를 $210\ g$ 넣을 때 필요한 튀김 가루의 양을 ■ g이라 하여 비례식을 세우고, 답을 구하세요.

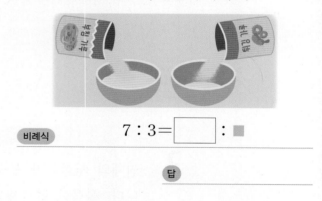

비례식 $7 : 3 = \boxed{} : ■$

답 _____

06 소금 $16\ kg$을 얻으려면 바닷물 $400\ L$가 필요합니다. 소금 $8\ kg$을 얻으려면 바닷물 몇 L가 필요한지 구하려고 합니다. 소금 $8\ kg$을 얻는 데 필요한 바닷물의 양을 ■ L라 하여 비례식을 세우고, 답을 구하세요.

비례식 $\boxed{} : \boxed{} = \boxed{} : ■$

답 _____

6 비례배분

07 선호와 혜진이가 사과 18개를 4 : 5로 나누어 가지려고 합니다. 두 사람이 각각 가지게 되는 사과는 몇 개인지 구하세요.

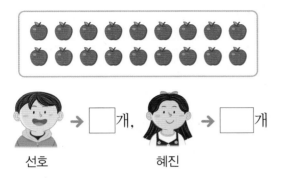

선호 → ☐ 개,　혜진 → ☐ 개

08 50을 3 : 7로 나누려고 합니다. ☐ 안에 알맞은 수를 써넣으세요.

- $50 \times \dfrac{\boxed{}}{\boxed{}+7} = 50 \times \dfrac{\boxed{}}{\boxed{}} = \boxed{}$

- $50 \times \dfrac{7}{3+\boxed{}} = 50 \times \dfrac{\boxed{}}{\boxed{}} = \boxed{}$

09 ▩ 안의 수를 주어진 비로 비례배분하여 [,] 안에 나타내어 보세요.

(1) ▩ 56　　2 : 5 → [　　　,　　　]

(2) ▩ 45　　3 : 2 → [　　　,　　　]

10 지후와 소라가 7000원을 5 : 2로 나누어 가지려고 합니다. 지후와 소라는 각각 얼마를 가지게 되는지 구하세요.

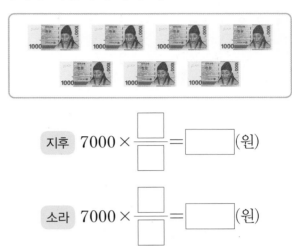

지후　$7000 \times \dfrac{\boxed{}}{\boxed{}} = \boxed{}$ (원)

소라　$7000 \times \dfrac{\boxed{}}{\boxed{}} = \boxed{}$ (원)

11 은철이네 반 전체 학생은 21명이고 남학생 수와 여학생 수의 비는 4 : 3입니다. 남학생과 여학생은 각각 몇 명인지 구하세요.

남학생 (　　　　　　　　　)
여학생 (　　　　　　　　　)

12 55를 주어진 비로 비례배분하여 ☐ 안에 알맞은 수를 써넣으세요.

2 : 9

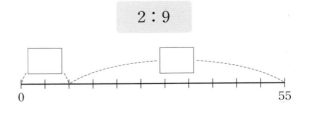

학교별 모든 수학 익힘 문제를 담았습니다.

 문제 강의

01 후항이 <u>다른</u> 하나를 찾아 ○표 하세요.

080쪽 개념 ❶

| 8 : 3 | 3 : 7 | 5 : 3 |

(   ) (   ) (   )

익힘책 공통

02 비 48 : 36과 비율이 같은 비를 **모두** 찾아 기호를 쓰세요.

080쪽 개념 ❶

ㄱ 24 : 15   ㄴ 8 : 3
ㄷ 12 : 9   ㄹ 16 : 12

(   )

03 가로와 세로의 비가 4 : 3과 비율이 같은 직사각형을 **모두** 찾아 기호를 쓰세요.

080쪽 개념 ❶

문제 강의

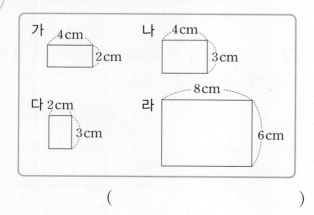

가 4cm 2cm
나 4cm 3cm
다 2cm 3cm
라 8cm 6cm

(   )

04 정우는 가로와 세로의 비가 3 : 2가 되도록 태극기를 그리려고 합니다. 가로를 48 cm로 하면 세로는 몇 cm로 해야 하나요?

080쪽 개념 ❶

48 cm

(   )

05 왼쪽의 비를 간단한 자연수의 비로 바르게 나타낸 것을 찾아 이어 보세요.

080쪽 개념 ❷

(1) $\dfrac{4}{9} : \dfrac{2}{5}$ •

(2) $2.5 : 1\dfrac{2}{3}$ •

• 3 : 2

• 5 : 4

• 10 : 9

06 다음 비를 간단한 자연수의 비로 나타내려고 합니다. 두 가지 방법으로 나타내어 보세요.

080쪽 개념 ❷

$1.2 : 1\dfrac{1}{4}$

방법 1 분수를 소수로 바꾸어 나타내기

방법 2 소수를 분수로 바꾸어 나타내기

080쪽 개념 ❷

07 유빈이와 지호가 같은 책을 1시간 동안 읽었습니다. 유빈이는 전체의 $\frac{3}{5}$을, 지호는 전체의 $\frac{1}{3}$을 읽었습니다. 유빈이와 지호가 각각 1시간 동안 읽은 책의 양을 간단한 자연수의 비로 나타내어 보세요.

(   )

080쪽 개념 ❷

08 아라와 주현이가 꿀물을 만들었습니다. 꿀물을 만들 때 각각 사용한 꿀의 양과 물의 양의 비를 간단한 자연수의 비로 나타내고, 두 꿀물의 진하기를 비교해 보세요.

나는 꿀 0.2 L와 물 0.7 L를 넣었어.

나는 꿀 $\frac{1}{5}$컵과 물 $\frac{7}{10}$컵을 넣었어.

아라   주현

아라 → ☐ : ☐ , 주현 → ☐ : ☐

두 비의 비율이 (같으므로 , 다르므로)
두 꿀물의 진하기는 (같습니다 , 다릅니다).

080쪽 개념 ❷

09 삼각형에서 높이와 밑변의 길이의 비를 간단한 자연수의 비로 나타내어 보세요.

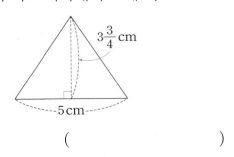
$3\frac{3}{4}$ cm
5 cm

(   )

080쪽 개념 ❷

10 30일 동안 비가 온 날은 8일입니다. 비가 온 날수와 비가 오지 않은 날수의 비를 간단한 자연수의 비로 나타내어 보세요.

(   )

082쪽 개념 ❸

11 비율이 같은 두 비를 찾아 비례식으로 나타내려고 합니다. ☐ 안에 알맞은 수를 써넣으세요.

| 8 : 5 | 54 : 16 | 40 : 25 | 11 : 6 |

☐ : ☐ = ☐ : ☐

익힘책 공통   082쪽 개념 ❸

12 비례식 4 : 9 = 12 : 27을 보고 설명한 것입니다. 잘못 말한 사람의 이름을 쓰세요.

현서: 두 비의 비율이 $\frac{4}{9}$로 같으므로 비례식이야.

민규: 내항은 4와 27, 외항은 9와 12야.

(   )

익힘책 공통   082쪽 개념 ❸

13 비례식이 바르게 적힌 표지판을 따라가면 할머니 댁이 나옵니다. 길을 따라 선을 긋고 도착한 할머니 댁에 ○표 하세요.

082쪽 개념 ❸

14 조건 에 맞게 비례식을 완성해 보세요.

조건

· 비율은 $\frac{1}{3}$입니다.

· 외항의 곱은 12입니다.

$1 : \boxed{} = \boxed{} : \boxed{}$

086쪽 개념 ❹

15 옳은 비례식을 **모두** 찾아 기호를 쓰세요.

㉠ $3.3 : 0.9 = 10 : 3$

㉡ $6 : 1 = 24 : 4$

㉢ $100 : 2 = 10 : \frac{1}{5}$

㉣ $32 : 8 = 9 : 2$

(   )

086쪽 개념 ❹

16 외항의 곱이 36일 때 ㉠과 ㉡에 각각 알맞은 수를 구하세요.

$12 : 9 = ㉠ : ㉡$

㉠ (   )

㉡ (   )

086쪽 개념 ❹

17 □ 안에 들어갈 수가 가장 큰 것을 찾아 기호를 쓰세요.

문제 강의

㉠ $\frac{5}{8} : \frac{2}{3} = 15 : \boxed{}$

㉡ $54 : \boxed{} = 3 : 2$

㉢ $7 : 4 = \boxed{} : 16$

(   )

086쪽 개념 ❹

18 수 카드 5장 중에서 4장을 골라 한 번씩만 사용하여 비례식을 만들어 보세요.

$\boxed{7}$ $\boxed{9}$ $\boxed{3}$ $\boxed{15}$ $\boxed{21}$

(   )

19 3분 동안 12 L의 물이 나오는 수도가 있습니다. 이 수도로 들이가 180 L인 욕조에 물을 가득 채우려고 합니다. 몇 분 동안 물을 받아야 하나요?

086쪽 개념 ⑤

(   )

086쪽 개념 ⑤

20 액자의 가로가 20 cm일 때 물음에 답하세요.

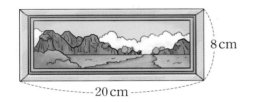

8 cm
20 cm

(1) 액자의 가로와 세로의 비를 간단한 자연수의 비로 나타내어 보세요.

(   )

(2) 위의 액자와 가로와 세로의 비가 같은 액자를 샀습니다. 산 액자의 세로가 24 cm라면 가로는 몇 cm인가요?

(   )

086쪽 개념 ⑤

21 희수가 가지고 있는 색종이의 25 %는 파란색 색종이입니다. 희수가 가지고 있는 파란색 색종이가 7장이라면 희수가 가지고 있는 색종이는 모두 몇 장인가요?

(   )

086쪽 개념 ⑤

22 다음과 같은 지도에서 1 cm인 거리는 실제로 20000 cm입니다. 학교에서 집을 지나 공원까지 가는 실제 거리는 몇 km인가요?

축척 1 : 20000
학교   집   공원

(1) 지도에서 자로 재어 보면 학교에서 집을 지나 공원까지 가는 거리는 몇 cm인가요?

(   )

(2) 학교에서 집을 지나 공원까지 가는 실제 거리는 몇 km인가요?

(   )

익힘책 공통   088쪽 개념 ⑥

23 바구니 안에 구슬 52개가 있습니다. 바구니 안에 있는 분홍색 구슬과 하늘색 구슬의 비가 8 : 5라면 분홍색 구슬과 하늘색 구슬은 각각 몇 개인지 구하세요.

분홍색 구슬 (   )
하늘색 구슬 (   )

088쪽 개념 ⑥

24 어느 날 낮과 밤의 길이가 5 : 7이라면 밤은 몇 시간인지 구하세요.

(   )

088쪽 개념 ⑥

25 ▨ 안의 수를 주어진 비로 비례배분하여 [,] 안에 나타내었을 때 아래에서 결과를 찾아 각 자리에 해당하는 자음과 모음을 빈 카드에 써넣고, 어떤 단어가 만들어지는지 구하세요.

15	2 : 3 → [ㅈ , ㅂ]
24	1 : 5 → [ㅏ , ㄷ]
39	4 : 9 → [ㅇ , ㅓ]

| 6 | 27 | 12 | | 20 | 4 | 9 |
| □ | □ | □ | | □ | □ | □ |

(   )

익힘책 공통 **088쪽 개념 ⑥**

26 장미 36송이를 둥근 꽃병과 네모난 꽃병에 5 : 4로 나누어 꽂았습니다. 둥근 꽃병에 꽂은 장미는 몇 송이인지 두 가지 방법으로 구하세요.

방법 1 비례배분하여 구하기

(둥근 꽃병에 꽂은 장미 수)

$= 36 × \dfrac{\boxed{}}{\boxed{}} = \boxed{}$ (송이)

방법 2 비례식의 성질을 이용하여 구하기

둥근 꽃병에 꽂은 장미를 ■송이라 하면

$\boxed{} : 5 = \boxed{} : ■$

$\boxed{} × ■ = \boxed{}$, ■ $= \boxed{}$

(둥근 꽃병에 꽂은 장미 수) $= \boxed{}$ 송이

088쪽 개념 ⑥

27 동민이는 스케치북에 가로와 세로의 비가 7 : 5이고 둘레가 96 cm인 직사각형을 그렸습니다. 동민이가 그린 직사각형의 가로와 세로는 각각 몇 cm인지 구하세요.

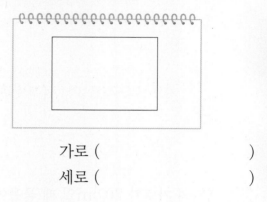

가로 (   )
세로 (   )

생각 ➕ 문제

28 길이가 63 cm인 털실을 1 : 6으로 나누었습니다. **긴 도막은 짧은 도막보다 몇 cm 더 긴지** 구하세요.

(1) 긴 도막의 길이는 몇 cm인지 구하세요.

(   )

(2) 짧은 도막의 길이는 몇 cm인지 구하세요.

(   )

(3) 긴 도막은 짧은 도막보다 몇 cm 더 긴지 구하세요.

(   )

서술형 잡기

1 어느 문구점에서 스케치북 4권을 8000원에 팔고 있습니다. **20000원으로 스케치북을 몇 권 살 수 있는지** 풀이 과정을 쓰고, 답을 구하세요.

해결 순서
❶ 비례식 세우기
❷ 스케치북을 몇 권 살 수 있는지 구하기

풀이 ❶ 살 수 있는 스케치북의 수를 ■권이라 하면 4 : ☐ = ■ : 20000입니다.

❷ 4×20000 = ☐ × ■, ■ = ☐ 이므로 스케치북을 ☐ 권 살 수 있습니다.

답

2 어느 가게에서 초콜릿 5개를 6000원에 팔고 있습니다. **30000원으로 초콜릿을 몇 개 살 수 있는지** 풀이 과정을 쓰고, 답을 구하세요.

해결 순서
❶ 비례식 세우기
❷ 초콜릿을 몇 개 살 수 있는지 구하기

풀이

답

3 연경이네 가족과 현수네 가족이 함께 여행을 다녀온 전체 비용 24만 원을 가족 수에 따라 나누어 내려고 합니다. 연경이네 가족은 5명, 현수네 가족은 3명이라면 **내야 하는 비용은 각각 얼마인지** 풀이 과정을 쓰고, 답을 구하세요.

해결 순서
❶ 연경이네 가족과 현수네 가족 수의 비 구하기
❷ 내야 하는 비용 각각 구하기

풀이 ❶ 연경이네 가족과 현수네 가족 수의 비는 ☐ : ☐ 입니다.

❷ (연경이네 가족이 내야 하는 비용)

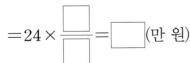

(현수네 가족이 내야 하는 비용)

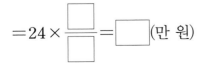

답　　　　　,

4 텃밭에서 수확한 배추 54포기를 가족 수에 따라 나누어 가지려고 합니다. 지아네 가족은 4명, 민경이네 가족은 5명이라면 **배추를 몇 포기씩 나누어 가져야 하는지** 풀이 과정을 쓰고, 답을 구하세요.

해결 순서
❶ 지아네 가족과 민경이네 가족 수의 비 구하기
❷ 배추를 몇 포기씩 나누어 가져야 하는지 구하기

풀이

답　　　　　,

01 전항에 △표, 후항에 ○표 하세요.

$$2 : 3$$

02 □ 안에 알맞은 수를 써넣어 간단한 자연수의 비로 나타내어 보세요.

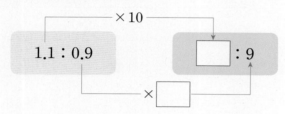

03 □ 안에 알맞은 말을 써넣으세요.

비율이 같은 두 비를 기호 '='를 사용하여 1 : 2 = 4 : 8과 같이 나타낸 식을 □ 이라고 합니다.

04 비례식에서 외항과 내항을 각각 찾아 쓰세요.

$$4 : 3 = 16 : 12$$

외항 (　　　　　　)

내항 (　　　　　　)

05 비례식에서 외항의 곱과 내항의 곱을 각각 구하세요.

$$5 : 7 = 10 : 14$$

외항의 곱: □ × □ = □

내항의 곱: □ × □ = □

06 비례식의 성질을 이용하여 □ 안에 알맞은 수를 써넣으세요.

$$4 : 27 = □ : 54$$

07 28을 3 : 1로 나누려고 합니다. □ 안에 알맞은 수를 써넣으세요.

- $28 \times \dfrac{3}{□+□} = 28 \times \dfrac{□}{□} = □$

- $28 \times \dfrac{1}{□+□} = 28 \times \dfrac{□}{□} = □$

08 6초 동안 7장을 복사할 수 있는 복사기로 30초 동안 몇 장을 복사할 수 있는지 구하려고 합니다. 30초 동안 복사할 수 있는 종이 수를 ■장이라 하여 비례식을 세우고, 답을 구하세요.

비례식 $6 : 7 = \boxed{} : ■$

답 _____

09 안의 수를 주어진 비로 비례배분하여 [,] 안에 나타내어 보세요.

26    $4 : 9 →$ [,   ]

10 간단한 자연수의 비로 나타내어 보세요.

$$1\frac{2}{5} : 1.3$$

(   )

11 3 : 5와 비율이 같은 비를 찾아 ○표 하고, 비례식으로 나타내어 보세요.

3 : 8   9 : 15   9 : 10

$3 : 5 = \boxed{} : \boxed{}$

12 비의 성질을 이용하여 4 : 10과 비율이 같은 비를 2개 쓰세요.

(   )

13 혜진이는 밀가루 1.4 kg과 버터 0.4 kg을 섞어서 케이크 반죽을 만들었습니다. 혜진이가 사용한 밀가루와 버터 양의 비를 간단한 자연수의 비로 나타내어 보세요.

(   )

14 □ 안에 들어갈 수가 가장 큰 것을 찾아 기호를 쓰세요.

ㄱ $4 : \square = 12 : 18$

ㄴ $7 : 4 = 17.5 : \square$

ㄷ $2\frac{1}{2} : \square = 35 : 70$

(   )

15 상규네 반 전체 학생 27명 중 안경을 쓴 학생은 15명입니다. 상규네 반에서 안경을 쓴 학생 수와 안경을 쓰지 않은 학생 수의 비를 간단한 자연수의 비로 나타내어 보세요.

(   )

정답 25쪽

16 오렌지 원액이 90 % 들어 있는 주스가 있습니다. 이 주스 500 mL에 들어 있는 오렌지 원액은 몇 mL인가요?

(   )

17 조건 에 맞게 비례식을 완성해 보세요.

조건
• 비율은 $\frac{1}{4}$입니다.
• 외항의 곱은 20입니다.

$1 : \boxed{} = \boxed{} : \boxed{}$

18 가로와 세로의 비가 5 : 2이고 둘레가 84 cm인 직사각형이 있습니다. 이 직사각형의 세로는 몇 cm인지 구하세요.

(   )

서술형
19 어느 문구점에서 연필 4자루를 3600원에 팔고 있습니다. 45000원으로 연필을 몇 자루 살 수 있는지 풀이 과정을 쓰고, 답을 구하세요.

풀이 _____

_____

_____

답 _____

서술형
20 고구마 21 kg을 가족 수에 따라 나누어 가지려고 합니다. 재호네 가족은 3명, 윤서네 가족은 4명이라면 고구마를 몇 kg씩 나누어 가져야 하는지 풀이 과정을 쓰고, 답을 구하세요.

풀이 _____

_____

_____

_____

_____

답 _____ , _____

선생님이 아영이에게 편지를 보내셨어요!

그런데 알 수 없는 기호들이 많이 써 있네요.

아영이가 편지를 읽을 수 있도록 암호를 풀어보세요!

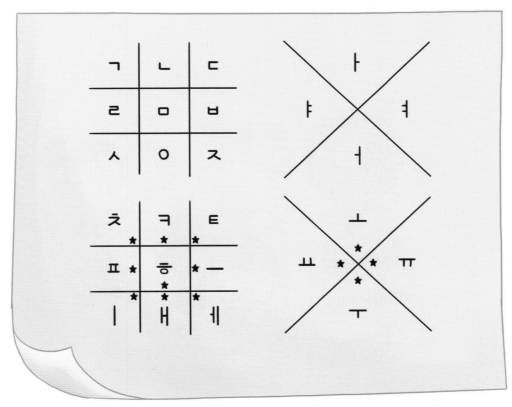

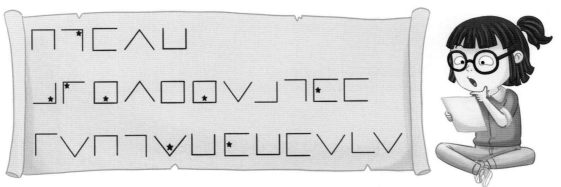

● 정답은 진도북 148쪽에서 확인하세요.

5 원의 넓이

지름 16 cm

도넛을 사서 친구들과 나누어 먹어야지~!
내 얼굴보다 커 보이는 원 모양의 도넛도 있어.
저 도넛의 넓이는 몇 cm²일까~?

동영상 강의와 함께 계획을 세워 공부합니다.
동영상 강의를 시청했으면 ☐에 ∨표 하세요.

공부한 날	동영상 확인	쪽수	학습 내용
월 일	▶️ ☐	104~107쪽	**교과서 개념 잡기** ❶ 원주와 지름의 관계 ❷ 원주율 ❸ 원주와 지름 구하기
월 일		108~109쪽	**개념 한 번 더 잡기**
월 일	▶️ ☐	110~115쪽	**교과서 개념 잡기** ❹ 원의 넓이 어림하기 ❺ 원의 넓이 구하는 방법 ❻ 여러 가지 원의 넓이 구하기
월 일		116~117쪽	**개념 한 번 더 잡기**
월 일	▶️ ☐	118~120쪽	**수학 익힘 문제 잡기**
월 일	▶️ ☐	121쪽	**서술형 잡기**
월 일		122~124쪽	**단원 마무리**

한눈에
핵심 쏙

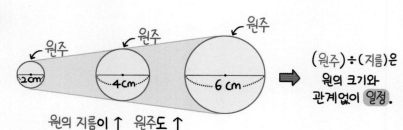

원의 지름이 ↑ 원주도 ↑

(원주)÷(지름)은 원의 크기와 관계없이 일정.

개념 강의

원의 지름과 반지름
• 지름: 원의 중심을 지나도록 원 위의 두 점을 이은 선분
• 반지름: 원의 중심과 원 위의 한 점을 이은 선분

1 원주와 지름의 관계

(1) 원주

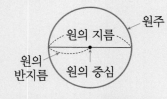

① 원의 둘레를 원주라고 합니다.
② 원의 지름이 길어지면 원주도 길어집니다.

(2) 원주와 원의 지름의 관계

(정육각형의 둘레)
＝(원의 반지름)×6
＝(원의 지름)×3

➜ (정육각형의 둘레)<(원주)

(정사각형의 둘레)
＝(원의 지름)×4

➜ (원주)<(정사각형의 둘레)

> 원주는 원의 지름의 3배보다 길고, 원의 지름의 4배보다 짧습니다.

2 원주율

① 원의 지름에 대한 원주의 비율을 **원주율**이라고 합니다.

> (원주율)＝(원주)÷(지름)

② 원주율을 소수로 나타내면 3.1415926535897932…와 같이 끝없이 계속됩니다. ➜ 필요에 따라 3, 3.1, 3.14 등으로 어림하여 사용하기도 합니다.

③ 원주율은 원의 크기와 관계없이 일정합니다.

예

원주(cm)	지름(cm)	(원주)÷(지름)
6.28	2	6.28÷2＝3.14
9.42	3	9.42÷3＝3.14
15.7	5	15.7÷5＝3.14

1 원에 원주는 빨간색, 지름은 파란색으로 표시해 보세요.

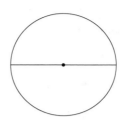

교과서 공통 **2** 그림을 보고 원주와 원의 지름의 관계를 나타내려고 합니다. ○ 안에 ＞, ＝, ＜를 알맞게 써넣으세요.

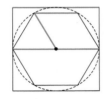

(원의 지름)×3 ◯ (원주)
└─ 정육각형의 둘레

(원주) ◯ (원의 지름)×4
└─ 정사각형의 둘레

3 원 모양 물건의 원주와 지름을 재어 나타낸 표입니다. 물음에 답하세요.

물건	단추	접시	병뚜껑
원주(cm)	3.14	47.1	12.56
지름(cm)	1	15	4
(원주)÷(지름)			

(1) 알맞은 말에 ◯표 하세요.

원의 지름이 길어지면 원주가 (길어집니다 , 짧아집니다).

(2) (원주)÷(지름)을 계산하여 위 표의 빈칸에 써넣으세요.

(3) 원주는 지름의 몇 배인가요?

(   )

108쪽 에서 개념을 **한 번** 더 다집니다.

한눈에 **공식쏙**

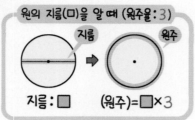 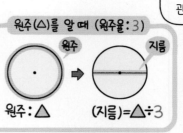 

원주와 지름의 관계를 잘 기억해!

 개념 강의

③ 원주와 지름 구하기

(1) 지름을 알 때 원주 구하기

지름을 알면 원주율을 이용하여 원주를 구할 수 있습니다.

> (원주율)＝(원주)÷(지름)
> → (원주)＝(지름)×(원주율)＝(반지름)×2×(원주율)

예

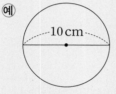

(원주)＝(지름)×(원주율)
＝10×3.14＝31.4 (cm)

(원주율: 3.14)

원주율은 3, 3.1, 3.14 등으로 어림하여 사용합니다.

(원주)＝(반지름)×2×(원주율)
＝4×2×3.1＝24.8 (cm)

(원주율: 3.1)

(2) 원주를 알 때 지름 구하기

원주를 알면 원주율을 이용하여 지름을 구할 수 있습니다.

> (원주율)＝(원주)÷(지름)
> → (지름)＝(원주)÷(원주율)

예 원주가 46.5 cm인 원의 지름 구하기 (원주율: 3.1)

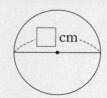

(지름)＝(원주)÷(원주율)
＝46.5÷3.1
＝15 (cm)

매칭북 24~25쪽 정답 27쪽

1 원주를 구하려고 합니다. ☐ 안에 알맞은 수를 써넣으세요. (원주율: 3.14)

(1)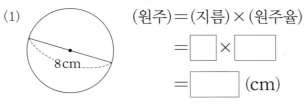

(원주) = (지름) × (원주율)

= ☐ × ☐

= ☐ (cm)

(2)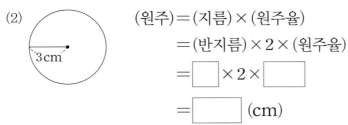

(원주) = (지름) × (원주율)

= (반지름) × 2 × (원주율)

= ☐ × 2 × ☐

= ☐ (cm)

교과서 공통 **2** 원주가 30 cm인 원의 지름을 구하려고 합니다. ☐ 안에 알맞은 수를 써넣으세요. (원주율: 3)

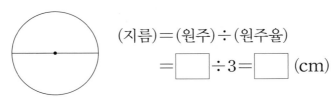

(지름) = (원주) ÷ (원주율)

= ☐ ÷ 3 = ☐ (cm)

3 나무 기둥의 둘레는 원 모양입니다. 나무 기둥의 원주를 보고 기둥의 지름은 각각 몇 cm인지 구하세요. (원주율: 3.14)

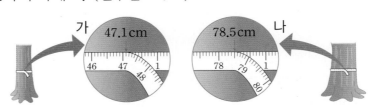

나무 기둥	기둥의 원주(cm)	기둥의 지름(cm)
가	47.1	
나	78.5	

109쪽 에서 개념을 한 번 더 다집니다.

5. 원의 넓이 **107**

STEP 2 개념 한번더 잡기

1 원주와 지름의 관계

01 □ 안에 알맞은 말을 써넣으세요.

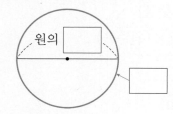

원의 □

□

02 설명이 맞으면 ○표, 틀리면 ×표 하세요.

(1) 원의 지름이 길어져도 원주는 변하지 않습니다. ( )

(2) 원주가 짧아지면 지름도 짧아집니다. ( )

03 한 변의 길이가 1 cm인 정육각형, 지름이 2 cm인 원, 한 변의 길이가 2 cm인 정사각형입니다. □ 안에 알맞은 수를 써넣으세요.

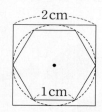

2cm
1cm

(정육각형의 둘레)=1× □ = □ (cm)

(정사각형의 둘레)=2× □ = □ (cm)

➔ 원주는 □ cm보다 길고, □ cm보다 짧습니다.

2 원주율

04 □ 안에 알맞은 말을 써넣으세요.

원의 지름에 대한 원주의 비율을 □ 이라고 합니다.

➔ (원주율)=(□)÷(□)

05 여러 가지 원의 원주와 지름의 관계를 나타낸 표입니다. 빈칸에 알맞은 수를 써넣고, 알맞은 말에 ○표 하세요.

원	원주(cm)	지름(cm)	(원주)÷(지름)
가	6.28	2	
나	15.7	5	
다	25.12	8	

원의 지름이 길어질 때 원주율은 (커집니다 , 일정합니다 , 작아집니다).

06 크기가 다른 원 모양의 고리가 있습니다. 두 고리의 원주율을 비교하여 ○ 안에 >, =, <를 알맞게 써넣으세요.

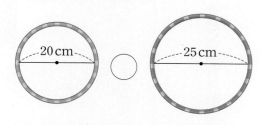

20 cm   25 cm

원주: 62.8 cm   원주: 78.5 cm

3 원주와 지름 구하기

07 원주는 몇 cm인지 구하세요.(원주율: 3.1)

(1)
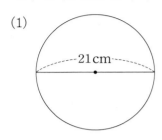
21 cm

( )

(2)
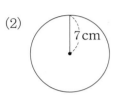
7 cm

( )

08 □ 안에 알맞은 수를 써넣으세요.

(원주율: 3.14)

(1)
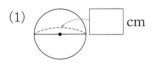
□ cm
원주: 37.68 cm

(2)
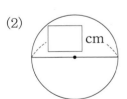
□ cm
원주: 69.08 cm

09 100원짜리 동전의 지름이 다음과 같을 때 100원짜리 동전의 원주는 몇 cm인가요?

(원주율: 3)

지름: 2.4 cm

( )

10 호연이가 그린 원의 반지름은 몇 cm인지 구하세요. (원주율: 3.14)

내가 그린 원은 원주가 50.24 cm야.
호연

( )

11 윤서는 길이가 2 m인 실을 사용하여 운동장에 그릴 수 있는 가장 큰 원을 그렸습니다. 그린 원의 원주는 몇 m인가요? (단, 매듭의 길이는 생각하지 않습니다.) (원주율: 3.14)

( )

12 길이가 34.1 cm인 종이띠를 겹치지 않게 이어 붙여서 원을 만들었습니다. 만들어진 원의 지름은 몇 cm인가요? (원주율: 3.1)

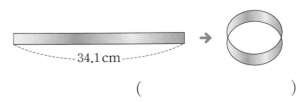
34.1 cm →

( )

초록색 원의 넓이를 어림해 보자!

원 안에 있는 도형의 넓이 < (원의 넓이)

(원의 넓이) < 원 밖에 있는 도형의 넓이

개념 강의

4 원의 넓이 어림하기

(1) 다각형을 이용하여 반지름이 10 m인 원의 넓이 어림하기

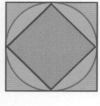

① (작은 정사각형의 넓이)=(한 대각선의 길이)×(한 대각선의 길이)÷2
   └─ 마름모의 넓이 이용하기
   $=20 \times 20 \div 2 = 200 \ (\mathrm{m}^2)$

② (큰 정사각형의 넓이)=(한 변의 길이)×(한 변의 길이)
   $=20 \times 20 = 400 \ (\mathrm{m}^2)$

③ $200 \ \mathrm{m}^2$<(원의 넓이), (원의 넓이)<$400 \ \mathrm{m}^2$

(2) 모눈종이를 이용하여 반지름이 10 m인 원의 넓이 어림하기

(모눈의 넓이)
=(모눈 한 칸의 넓이)
 ×(모눈의 수)

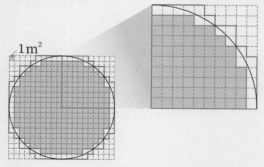

① 초록색 모눈의 수: $69 \times 4 = 276$(칸) ➔ $276 \ \mathrm{m}^2$

② 빨간색 선 안쪽 모눈의 수: $86 \times 4 = 344$(칸) ➔ $344 \ \mathrm{m}^2$

③ $276 \ \mathrm{m}^2$<(원의 넓이), (원의 넓이)<$344 \ \mathrm{m}^2$

교과서 공통 1 반지름이 5 m인 원의 넓이를 어림하려고 합니다. 물음에 답하세요.

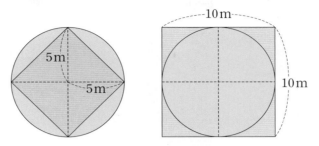

(1) 원 안에 있는 정사각형의 넓이는 몇 m²인가요?

(원 안에 있는 정사각형의 넓이) = □ × □ ÷ 2 = □ (m²)
└•(한 대각선의 길이)×(한 대각선의 길이)÷2

(2) 원 밖에 있는 정사각형의 넓이는 몇 m²인가요?

(원 밖에 있는 정사각형의 넓이) = □ × □ = □ (m²)

(3) □ 안에 알맞은 수를 써넣으세요.

□ m² < (원의 넓이)

(원의 넓이) < □ m²

2 지름이 12 cm인 원의 넓이를 어림하려고 합니다. 물음에 답하세요.

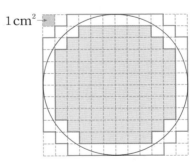

(1) 보라색 모눈의 수와 빨간색 선 안쪽 모눈의 수를 각각 세어 보세요.

보라색 모눈의 수 ( )

빨간색 선 안쪽 모눈의 수 ( )

(2) □ 안에 알맞은 수를 써넣으세요.

원의 넓이는 □ cm²보다 넓고, □ cm²보다 좁습니다.

116쪽에서 개념을 **한 번** 더 다집니다.

한눈에 **공식쏙**

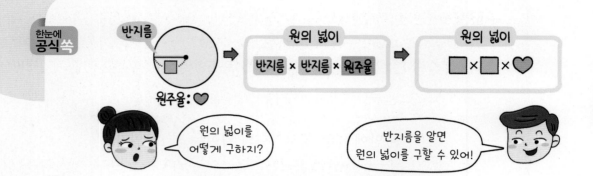

5 원의 넓이 구하는 방법

개념 강의

(1) **원을 한없이 잘게 잘라서 이어 붙이기**

다음과 같이 원을 여러 개의 조각으로 자른 다음 이어 붙이면 점점 직사각형에 가까워집니다.

원을 자를 때에는 원의 중심을 지나도록 잘라야 합니다.

16등분

32등분

→ 원을 자르는 횟수가 많아질수록 점점 직사각형 모양이 됩니다.

(2) **원의 넓이 구하는 방법 알아보기**

직사각형의 넓이 구하는 방법을 이용하여 원의 넓이를 구합니다.

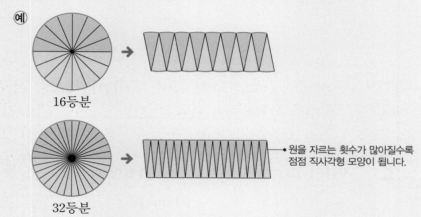

$$(\text{원의 넓이}) = (\text{원주}) \times \frac{1}{2} \times (\text{반지름})$$

$$= (\text{원주율}) \times (\text{지름}) \times \frac{1}{2} \times (\text{반지름})$$

$$= (\text{반지름}) \times (\text{반지름}) \times (\text{원주율})$$

교과서 공통 1 원을 한없이 잘게 잘라 이어 붙여서 점점 직사각형에 가까워지는 도형을 만들었습니다. ☐ 안에 알맞은 말을 써넣으세요.

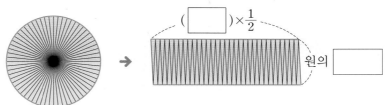

(원의 넓이) = (직사각형의 가로) × (직사각형의 세로)

$$= (\boxed{}) \times \frac{1}{2} \times (반지름)$$

$$= (원주율) \times (\boxed{}) \times \frac{1}{2} \times (반지름)$$

$$= (\boxed{}) \times (\boxed{}) \times (원주율)$$

2 원의 넓이를 구하려고 합니다. ☐ 안에 알맞은 수를 써넣으세요. (원주율: 3)

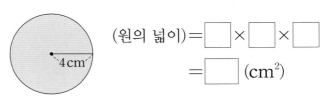

$$(원의 넓이) = \boxed{} \times \boxed{} \times \boxed{}$$

$$= \boxed{} \ (\text{cm}^2)$$

3 원의 넓이는 몇 cm^2인지 구하세요. (원주율: 3.1)

(1)   (2)

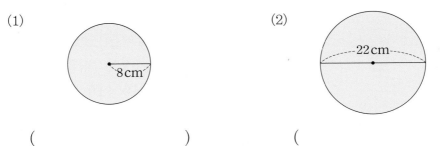

(   )   (   )

116쪽 에서 개념을 한 번 더 다집니다.

5. 원의 넓이   **113**

한눈에
방법쏙

아래쪽 부분을 이동하면 하나의 원이 되네~!

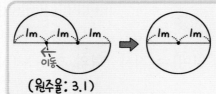

개념 강의

반지름이 길어지면 원의 넓이도 넓어집니다.

6 여러 가지 원의 넓이 구하기

(1) 반지름과 원의 넓이의 관계 (원주율: 3)

예

원	가	나	다
반지름(cm)	1	2	3
넓이(cm²)	$1 \times 1 \times 3 = 3$	$2 \times 2 \times 3 = 12$	$3 \times 3 \times 3 = 27$

→ 반지름이 2배, 3배,...가 되면 원의 넓이는 4배, 9배,...가 됩니다.

(2) 여러 가지 원의 넓이 구하기

방법1 모양을 바꾸어 넓이 구하기 (원주율: 3)

예

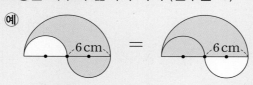

(색칠한 부분의 넓이) = (반지름이 6 cm인 반원의 넓이)

$$= 6 \times 6 \times 3 \div 2$$

$$= 54 \, (\text{cm}^2)$$

방법2 더하거나 빼서 넓이 구하기 (원주율: 3.14)

예

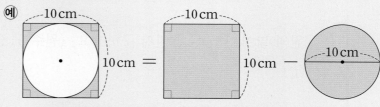

(색칠한 부분의 넓이) = (정사각형의 넓이) − (원의 넓이)

$$= 10 \times 10 - 5 \times 5 \times 3.14$$

$$= 100 - 78.5$$

$$= 21.5 \, (\text{cm}^2)$$

1 원 모양 땅에 장미와 해바라기를 각각 심었습니다. 해바라기를 심은 꽃밭의 넓이를 구하려고 합니다. □ 안에 알맞은 수를 써넣으세요. (원주율: 3)

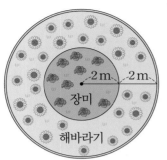

(1) (장미를 심은 꽃밭의 넓이)

　　= □ × □ × □ = □ (m²)

(2) (해바라기를 심은 꽃밭의 넓이)

　　= (전체 꽃밭의 넓이) − (장미를 심은 꽃밭의 넓이)

　　= □ × □ × □ − □

　　= □ − □ = □ (m²)

교과서 공통 2 색칠한 부분의 넓이를 구하려고 합니다. □ 안에 알맞은 수를 써넣으세요.

(원주율: 3.1)

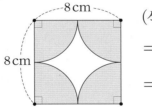

(색칠한 부분의 넓이)

= (반지름이 □ cm인 원의 넓이)

= □ × □ × □ = □ (cm²)

3 색칠한 부분의 넓이는 몇 cm²인지 구하세요. (원주율: 3)

(1)

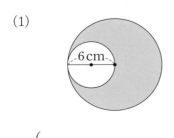

(　　　　　　　)

(2)

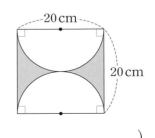

(　　　　　　　)

117쪽 에서 개념을 **한 번** 더 다집니다.

4 원의 넓이 어림하기

01 반지름이 20 cm인 원의 넓이를 어림하려고 합니다. □ 안에 알맞은 수를 써넣으세요.

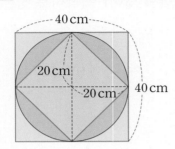

(원 안에 있는 정사각형의 넓이)

$= \boxed{} \times \boxed{} \div 2 = \boxed{}$ (cm²)

(원 밖에 있는 정사각형의 넓이)

$= \boxed{} \times \boxed{} = \boxed{}$ (cm²)

$\boxed{}$ cm² < (원의 넓이)

(원의 넓이) < $\boxed{}$ cm²

02 보라색 모눈의 수와 빨간색 선 안쪽 모눈의 수를 세어 지름이 8 cm인 원의 넓이를 어림해 보세요.

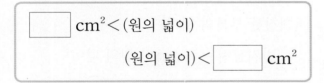

$\boxed{}$ cm² < (원의 넓이)

(원의 넓이) < $\boxed{}$ cm²

원의 넓이는 약 $\boxed{}$ cm²입니다.

5 원의 넓이 구하는 방법

03 보기 를 보고 □ 안에 알맞은 말을 골라 써넣으세요.

보기

원주   반지름   지름   원주율

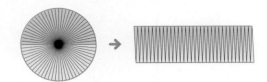

(원의 넓이)

$= (\boxed{}) \times \dfrac{1}{2} \times (반지름)$

$= (원주율) \times (\boxed{}) \times \dfrac{1}{2} \times (반지름)$

$= (\boxed{}) \times (\boxed{}) \times (원주율)$

04 반지름이 5 cm인 원을 한없이 잘게 잘라 이어 붙여서 직사각형을 만들었습니다. □ 안에 알맞은 수를 써넣으세요. (원주율: 3.14)

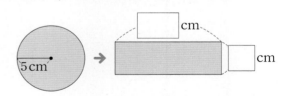

05 원의 지름을 이용하여 원의 넓이를 각각 구하세요. (원주율: 3)

지름 (cm)	반지름 (cm)	원의 넓이 구하는 식	원의 넓이 (cm²)
16	8	8×8×3	
4			
30			

06 지름이 80 cm인 자전거 표지판이 있습니다. 이 자전거 표지판의 넓이는 몇 cm²인가요?

(원주율: 3.1)

( )

6 여러 가지 원의 넓이 구하기

[07~08] 과녁 그림을 보고 각 색깔의 넓이를 구하려고 합니다. 물음에 답하세요. (원주율: 3.1)

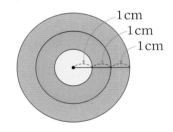

07 반지름에 따른 원의 넓이를 각각 구하여 빈칸에 써넣으세요.

반지름(cm)	1	2	3
넓이(cm²)			

08 각 색깔이 차지하는 넓이는 몇 cm²인가요?

노란색 ( )

빨간색 ( )

파란색 ( )

09 색칠한 부분의 넓이를 구하려고 합니다. ☐ 안에 알맞은 수를 써넣으세요. (원주율: 3)

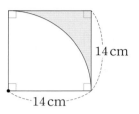

(색칠한 부분의 넓이)

=(정사각형의 넓이)

$-$(반지름이 14 cm인 원의 넓이)$\times \dfrac{1}{\boxed{}}$

$= \boxed{} - \boxed{}$

$= \boxed{}$ (cm²)

10 색칠한 부분의 넓이는 몇 cm²인가요?

(원주율: 3)

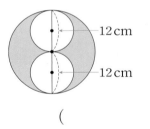

( )

11 한지를 그림과 같이 오려서 부채를 만들려고 합니다. 오린 한지의 넓이는 몇 cm²인가요?

(원주율: 3.14)

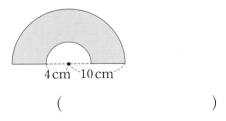

( )

학교별 모든 수학 익힘 문제를 담았습니다.

문제 강의

01 한 변의 길이가 2 cm인 정육각형과 한 변의
길이가 4 cm인 정사각형을 이용하여 지름이
4 cm인 원의 원주를 어림해 보세요.

104쪽 개념 ❶

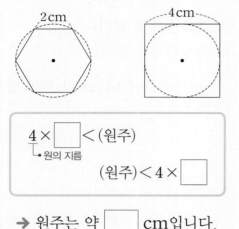

$4 \times \boxed{} < (원주)$

→ 원의 지름

$(원주) < 4 \times \boxed{}$

→ 원주는 약 $\boxed{}$ cm입니다.

02 지름이 2 cm인 원판을 한 바퀴 굴렸습니다.
이 원판의 원주는 지름의 몇 배인가요?

104쪽 개념 ❷

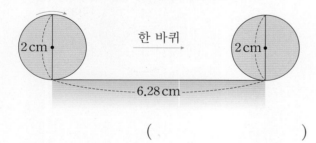

2 cm   한 바퀴 →   2 cm

6.28 cm

( )

03 바르게 말한 사람을 **모두** 찾아 이름을 쓰세요.

104쪽 개념 ❷

> 은주: 원주율은 끝없이 계속되기 때문에 3,
> 3.1, 3.14 등으로 어림하여 사용해.
> 현우: 원주는 지름의 2배야.
> 민희: (원주)÷(지름)=(원주율)이야.

( )

04 놀이공원의 기차가 지름이 7 m인 원 모양 철
로 위를 4바퀴 돌았습니다. 기차가 달린 거리
는 몇 m인가요? (원주율: 3)

106쪽 개념 ❸

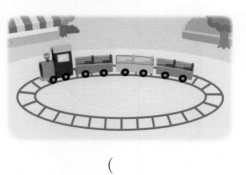

( )

05 원의 지름이 더 긴 것을 찾아 기호를 쓰세요.

익힘책 공통   106쪽 개념 ❸

(원주율: 3.1)

> ㉠ 원주가 55.8 cm인 원
> ㉡ 지름이 17 cm인 원

( )

06 작은 원과 큰 원의 원주는 각각 몇 cm인지
구하세요. (원주율: 3.1)

문제 강의   106쪽 개념 ❸

2 cm   13 cm

작은 원 ( )
큰 원 ( )

07 그림과 같이 원 모양의 접시를 밑면이 정사각형인 직육면체 모양 상자에 담아 포장하려고 합니다. 상자 밑면의 한 변의 길이는 적어도 몇 cm이어야 하나요? (단, 상자의 두께는 생각하지 않습니다.) (원주율: 3.1)

106쪽 개념 ❸

접시의 원주:
80.6 cm

(   )

08 지름이 50 m인 원 모양 운동장의 둘레에 3 m 간격으로 나무를 심으려고 합니다. 나무를 **모두** 몇 그루 심을 수 있는지 구하세요. (단, 나무의 두께는 생각하지 않습니다.) (원주율: 3)

106쪽 개념 ❸

(   )

09 정육각형의 넓이를 이용하여 원의 넓이를 어림하려고 합니다. 삼각형 ㄱㅇㄷ의 넓이가 8 cm², 삼각형 ㄹㅇㅂ의 넓이가 6 cm²일 때 원의 넓이를 어림해 보세요.

110쪽 개념 ❹

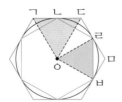

☐ cm² < (원의 넓이)

(원의 넓이) < ☐ cm²

10 고대 이집트의 수학자는 큰 정사각형을 9개의 작은 정사각형으로 나눈 다음 팔각형의 넓이를 이용하여 원의 넓이를 구했습니다. 원의 넓이와 팔각형의 넓이의 차는 몇 cm²인지 구하세요. (원주율: 3.14)

110쪽 개념 ❹

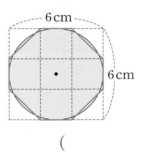

(   )

11 원 가의 넓이는 원 나의 넓이의 몇 배인가요?
(원주율: 3.1)

112쪽 개념 ❺

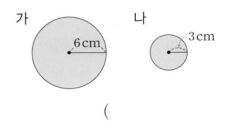

(   )

12 넓이가 넓은 원부터 ☆ 안에 1, 2, 3을 차례로 쓰세요. (원주율: 3.1)

익힘책 공통   112쪽 개념 ❺

13 직사각형 모양의 종이를 잘라 만들 수 있는 가장 큰 원의 넓이는 몇 cm²인가요?

112쪽 **개념 ⑤**

(원주율: 3)

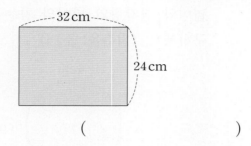

(   )

14 색칠한 부분의 넓이는 몇 cm²인가요?

114쪽 **개념 ⑥**

(원주율: 3.1)

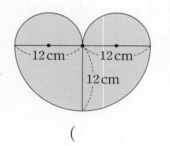

(   )

15 반원 모양의 땅에 원 모양 연못이 있습니다. 연못의 넓이는 몇 m²인가요? (원주율: 3.14)

익힘책 공통   114쪽 **개념 ⑥**

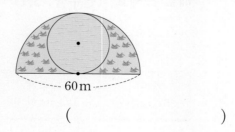

(   )

16 두 도형의 색칠한 부분의 넓이를 각각 구하고, 두 넓이를 비교하여 ○ 안에 >, =, <를 알맞게 써넣으세요. (원주율: 3)

114쪽 **개념 ⑥**

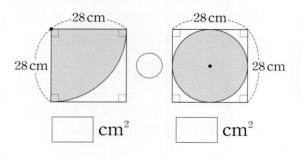

[   ] cm²   [   ] cm²

생각 ➕ 문제

17 폭이 1 m이고 직선 구간과 반원 모양의 곡선 구간으로 된 경주로가 있습니다. 공정한 경기를 하려면 1번 경주로의 출발점을 기준으로 했을 때 **2번 경주로에서 달리는 사람은 몇 m 더 앞에서 출발하면 되는지** 구하세요.

(원주율: 3.1)

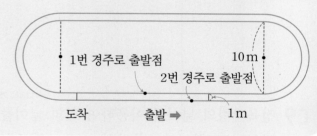

(1) 두 경주로의 곡선 구간의 거리는 각각 몇 m 인가요?

1번 경주로 (   )

2번 경주로 (   )

(2) 2번 경주로에서 달리는 사람은 몇 m 더 앞에서 출발하면 되나요?

(   )

서술형 잡기

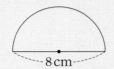

5 단원

1 도형의 둘레는 몇 **cm**인지 풀이 과정을 쓰고, 답을 구하세요. (원주율: 3)

8 cm

해결
순서
❶ 곡선 부분의 길이 구하기
❷ 도형의 둘레 구하기

풀이 ❶ 곡선 부분의 길이는 지름이 [   ] cm 인 원의 원주의 반이므로

[   ] × [   ] ÷ 2 = [   ] (cm)입니다.

❷ (도형의 둘레) = [   ] + [   ] = [   ] (cm)

답 _____

2 도형의 둘레는 몇 **cm**인지 풀이 과정을 쓰고, 답을 구하세요. (원주율: 3)

6 cm

해결
순서
❶ 곡선 부분의 길이 구하기
❷ 도형의 둘레 구하기

풀이 _____

_____

_____

답 _____

3 정사각형 모양 과자와 원 모양 과자 중 **어느 과자의 넓이가 몇 cm² 더 넓은지** 풀이 과정을 쓰고, 답을 구하세요. (원주율: 3)

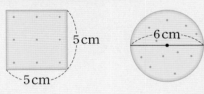

5 cm
5 cm
6 cm

해결
순서
❶ 두 과자의 넓이 각각 구하기
❷ 어느 과자의 넓이가 몇 cm² 더 넓은지 구하기

풀이 ❶ (정사각형 모양 과자의 넓이)

= [   ] × [   ] = [   ] (cm²)

(원 모양 과자의 넓이)

= 3 × [   ] × [   ] = [   ] (cm²)

❷ (정사각형 , 원) 모양 과자의 넓이가

[   ] − [   ] = [   ] (cm²) 더 넓습니다.

답 _____ , _____

4 직사각형 모양 거울과 원 모양 거울 중 **어느 거울의 넓이가 몇 cm² 더 넓은지** 풀이 과정을 쓰고, 답을 구하세요. (원주율: 3.14)

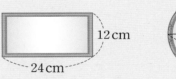

12 cm
24 cm
20 cm

해결
순서
❶ 두 거울의 넓이 각각 구하기
❷ 어느 거울의 넓이가 몇 cm² 더 넓은지 구하기

풀이 _____

_____

_____

_____

답 _____ , _____

01 □ 안에 알맞은 말을 써넣으세요.

> 원의 지름에 대한 원주의 비율을 □
> 이라고 합니다.

02 그림을 보고 ○ 안에 >, =, <를 알맞게 써넣으세요.

(원 안의 정사각형의 넓이) ○ (원의 넓이)

(원의 넓이) ○ (원 밖의 정사각형의 넓이)

03 원주는 몇 cm인가요? (원주율: 3.1)

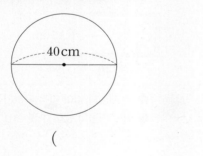

40cm

(　　　　　　　　)

04 원주를 보고 □ 안에 알맞은 수를 써넣으세요.
(원주율: 3.14)

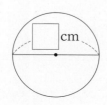

□ cm

원주: 21.98 cm

05 □ 안에 알맞은 수를 써넣으세요.

(원의 지름) × □ < (원주)

(원주) < (원의 지름) × □

06 빈칸에 알맞은 수를 써넣으세요.

원주(cm)	지름(cm)	(원주)÷(지름)
9.42	3	
18.84	6	

07 원의 넓이는 몇 cm²인가요? (원주율: 3.1)

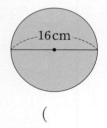

16cm

(　　　　　　　　)

08 설명이 맞으면 ○표, 틀리면 ×표 하세요.

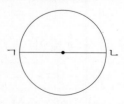

ㄱ　　ㄴ

(1) 원의 중심을 지나는 선분 ㄱㄴ은 원의 지름입니다.
(　　　)

(2) 원주는 지름의 2배입니다. (　　　)

09 주황색 모눈의 수와 초록색 선 안쪽 모눈의 수를 세어 지름이 10 cm인 원의 넓이를 어림해 보세요.

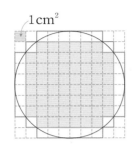

$\boxed{}$ cm² < (원의 넓이)

(원의 넓이) < $\boxed{}$ cm²

10 원주율을 소수로 나타내었더니 다음과 같았습니다. 반올림하여 주어진 자리까지 나타내어 보세요.

3.1415926535897932⋯

일의 자리까지	소수 첫째 자리까지	소수 둘째 자리까지

11 반지름이 11 cm인 원 모양의 쟁반이 있습니다. 이 쟁반의 넓이는 몇 cm²인가요?
(원주율: 3.1)

식

답

12 원의 크기를 비교하여 ○ 안에 >, =, <를 알맞게 써넣으세요. (원주율: 3)

반지름이 7 cm인 원 원주가 24 cm인 원

13 꽃밭의 넓이는 몇 m²인가요? (원주율: 3.1)

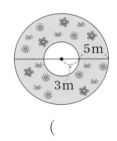

(　　　　　　　　)

14 지름이 50 cm인 원 모양 굴렁쇠를 6바퀴 굴렸습니다. 굴렁쇠가 굴러간 거리는 몇 cm인가요? (원주율: 3.14)

(　　　　　　　　)

15 넓이가 좁은 접시부터 차례로 기호를 쓰세요.
(원주율: 3)

㉠ 반지름이 13 cm인 원 모양 접시
㉡ 지름이 28 cm인 원 모양 접시
㉢ 원주가 72 cm인 원 모양 접시

(　　　　　　　　)

16 원주가 99.2 cm인 원 모양 로봇 청소기를 밑면이 정사각형인 직육면체 모양 상자에 넣으려고 합니다. 상자 밑면의 한 변의 길이는 적어도 몇 cm이어야 하나요? (단, 상자의 두께는 생각하지 않습니다.) (원주율: 3.1)

(   )

17 색칠한 부분의 넓이는 몇 cm²인가요?

(원주율: 3)

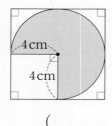

(   )

18 진우가 다음과 같은 무늬를 그렸습니다. 빨간색 부분의 넓이는 몇 cm²인가요? (원주율: 3.1)

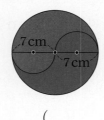

(   )

서술형
19 도형의 둘레는 몇 cm인지 풀이 과정을 쓰고, 답을 구하세요. (원주율: 3)

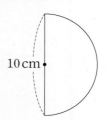

10 cm

풀이

_____

_____

_____

답 _____

서술형
20 직사각형 모양 피자와 원 모양 피자 중 어느 피자의 넓이가 몇 cm² 더 넓은지 풀이 과정을 쓰고, 답을 구하세요. (원주율: 3.14)

30 cm

25 cm

30 cm

내용

_____

_____

_____

_____

_____

답 _____ , _____

아영이가 삼각형과 사각형을 이용하여 그림을 그렸어요!

그림 안에는 정사각형을 여러 개 숨겨 놓았다고 해요!

숨겨 놓은 정사각형이 모두 몇 개인지 찾아보세요~!

● 정답은 진도북 148쪽에서 확인하세요.

6 원기둥, 원뿔, 구

너희들은 이름이 뭐야?

상상 속 동물을 만들어서 친구들에게 보여 주려고 해.
그런데 내가 사용한 이 입체도형들은 뭐라고 부르지?
각기둥, 각뿔처럼 이름이 있을텐데~

동영상 강의와 함께 계획을 세워 공부합니다.
동영상 강의를 시청했으면 ☐에 ∨표 하세요.

공부한 날	동영상 확인	쪽수	학습 내용
월 일	▶ ☐	128~131쪽	**교과서 개념 잡기** ❶ 원기둥 ❷ 원기둥의 전개도
월 일		132~133쪽	개념 한 번 더 잡기
월 일	▶ ☐	134~137쪽	**교과서 개념 잡기** ❸ 원뿔 ❹ 구
월 일		138~139쪽	개념 한 번 더 잡기
월 일	▶ ☐	140~142쪽	수학 익힘 문제 잡기
월 일	▶ ☐	143쪽	서술형 잡기
월 일		144~146쪽	단원 마무리

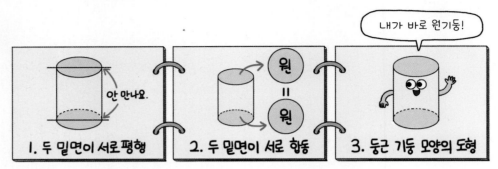

내가 바로 원기둥!

1. 두 밑면이 서로 평행   2. 두 밑면이 서로 합동   3. 둥근 기둥 모양의 도형

개념 강의

1 원기둥

(1) **원기둥** → 둥근 기둥 모양입니다.

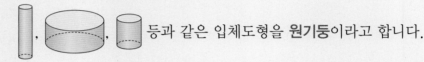 등과 같은 입체도형을 **원기둥**이라고 합니다.

원기둥을 위에서 본 모양과 옆에서 본 모양

① 위에서 본 모양: 원
② 옆에서 본 모양: 직사각형

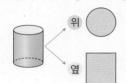

위

옆

(2) **원기둥의 구성 요소**

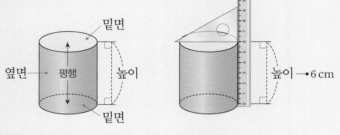

밑면

옆면 평행 높이

밑면

높이 → 6 cm

① 원기둥에서 서로 평행하고 합동인 두 면을 **밑면**이라고 합니다.
② 원기둥에서 두 밑면과 만나는 면을 **옆면**이라고 합니다.
   이때 원기둥의 옆면은 굽은 면입니다.
③ 두 밑면에 수직인 선분의 길이를 **높이**라고 합니다.

(3) **직사각형 모양의 종이를 돌려서 원기둥 만들기**

예

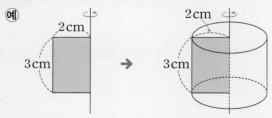

2cm

3cm → 3cm 2cm

직사각형 모양 종이를 한 변을 기준으로 한 바퀴 돌리면 **원기둥**이 만들어집니다.
① 원기둥의 밑면의 반지름: 2 cm
② 원기둥의 높이: 3 cm

1 원기둥을 **모두** 찾아 ○표 하세요.

(   )   (   )   (   )   (   )

교과서 공통 2 □ 안에 알맞은 말을 써넣으세요.

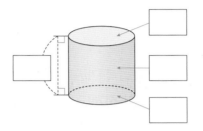

3 원기둥의 밑면의 반지름과 높이는 각각 몇 cm인가요?

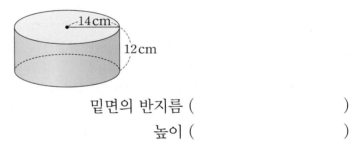

밑면의 반지름 (   )

높이 (   )

4 직사각형 모양의 종이를 한 변을 기준으로 한 바퀴 돌려 입체도형을 만들었습니다. 물음에 답하세요.

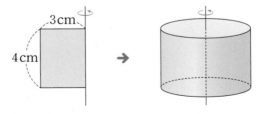

(1) 어떤 입체도형이 되나요?

(   )

(2) 입체도형에서 밑면의 반지름과 높이는 각각 몇 cm인가요?

밑면의 반지름 (   )

높이 (   )

132쪽 에서 개념을 **한 번** 더 다집니다.

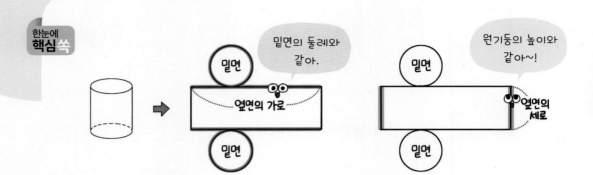

한눈에
핵심쏙

개념 강의

2 원기둥의 전개도

(1) 원기둥의 전개도

> 원기둥을 잘라서 펼쳐 놓은 그림을 원기둥의 **전개도**라고 합니다.

원기둥을 만들 수 없는 전개도 알아보기

① 두 밑면이 서로 겹쳐지는 경우

② 옆면이 직사각형이 아닌 경우

(예)

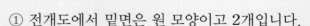

① 전개도에서 밑면은 원 모양이고 2개입니다.
② 전개도에서 옆면은 직사각형 모양이고 1개입니다.

(2) 원기둥의 전개도의 특징 (원주율: 3.14)

(예)

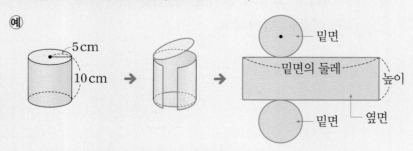

① (원의 반지름)＝(밑면의 반지름)＝5 cm
② 옆면의 세로의 길이는 원기둥의 높이와 같습니다.
  → (옆면의 세로)＝(원기둥의 높이)＝10 cm
③ 옆면의 가로의 길이는 밑면의 둘레와 같습니다.
  → (옆면의 가로)＝(밑면의 둘레)＝(밑면의 지름)×(원주율)
        →원주
             ＝10×3.14＝31.4 (cm)

1 원기둥과 원기둥의 전개도를 보고 □ 안에 알맞은 수나 말을 써넣으세요.

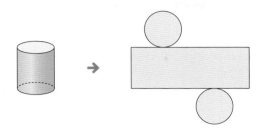

(1) 전개도에서 밑면은 □ 모양이고 □ 개입니다.

(2) 전개도에서 옆면은 □ 모양이고 □ 개입니다.

교과서 공통 **2** 원기둥의 전개도를 보고 □ 안에 알맞은 수를 써넣으세요. (원주율: 3.14)

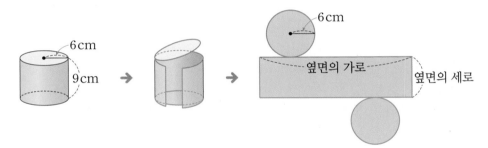

(1) (옆면의 세로)＝(원기둥의 높이)＝□ cm

(2) (옆면의 가로)＝(밑면의 지름)×(원주율)

$$=□×3.14=□ (cm)$$

3 원기둥을 만들 수 있는 전개도를 찾아 기호를 쓰세요.

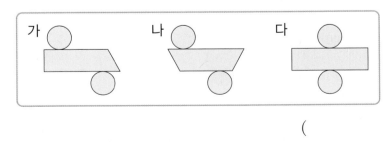

( )

133쪽 에서 개념을 **한 번 더** 다집니다.

1 원기둥

01 원기둥을 **모두** 찾아 기호를 쓰세요.

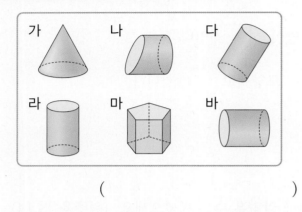

가 나 다
라 마 바

(   )

02 원기둥의 밑면을 **모두** 찾아 색칠해 보세요.

(1) 　　(2)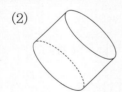

03 원기둥의 밑면의 반지름과 높이는 각각 몇 cm인가요?

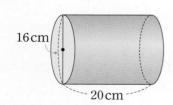

16 cm
20 cm

밑면의 반지름 (   )
높이 (   )

04 원기둥을 위에서 본 모양에 ◯표 하세요.

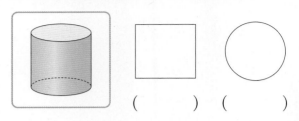

(   )　(   )

05 직사각형 모양의 종이를 한 변을 기준으로 한 바퀴 돌려 만든 입체도형에서 밑면의 지름과 높이는 각각 몇 cm인지 구하세요.

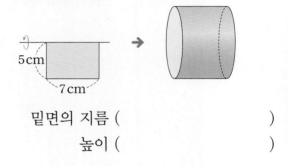

5 cm
7 cm

밑면의 지름 (   )
높이 (   )

06 원기둥을 보고 설명이 맞으면 ◯표, 틀리면 ✕표 하세요.

(1) 원기둥의 두 밑면은 서로 합동입니다.

(   )

(2) 옆을 둘러싼 면은 굽은 면입니다.

(   )

❷ 원기둥의 전개도

07 원기둥을 만들 수 <u>없는</u> 전개도를 **모두** 찾아 기호를 쓰세요.

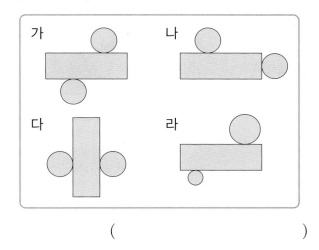

( )

08 원기둥과 원기둥의 전개도를 보고 물음에 답하세요.

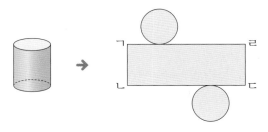

(1) 전개도에서 원기둥의 밑면의 둘레와 길이가 같은 선분을 **모두** 찾아 쓰세요.

( )

(2) 전개도에서 원기둥의 높이와 길이가 같은 선분을 **모두** 찾아 쓰세요.

( )

09 원기둥의 전개도가 <u>아닌</u> 이유를 쓰세요.

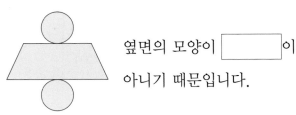

옆면의 모양이 ☐ 이 아니기 때문입니다.

10 다음 전개도로 만든 원기둥의 높이와 밑면의 둘레는 각각 몇 cm인가요?

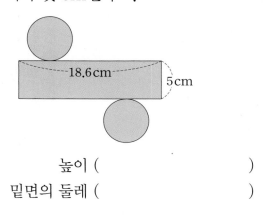

높이 ( )
밑면의 둘레 ( )

11 원기둥과 원기둥의 전개도를 보고 ☐ 안에 알맞은 수를 써넣으세요. (원주율: 3.1)

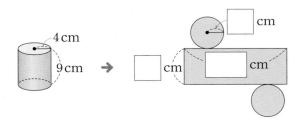

12 원기둥의 전개도를 완성하고, 밑면의 반지름과 옆면의 가로, 세로의 길이를 각각 나타내어 보세요. (원주율: 3)

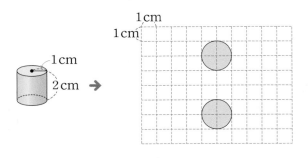

한눈에 **핵심쏙**

한 변을 기준으로 한 바퀴 돌리면 원뿔이 만들어져!

원뿔

모선, 높이, 밑면의 반지름

개념 강의

3 원뿔

(1) 원뿔 →뿔 모양입니다.

원기둥과 원뿔의 밑면

원기둥은 밑면이 2개이고,
원뿔은 밑면이 1개입니다.

, , 등과 같은 입체도형을 **원뿔**이라고 합니다.

(2) 원뿔의 구성 요소

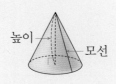

원뿔의 꼭짓점, 옆면, 밑면, 높이, 모선

① 원뿔에서 평평한 면을 **밑면**, 옆을 둘러싼 굽은 면을 **옆면**이라고 합니다.
② 원뿔에서 뾰족한 부분의 점을 **원뿔의 꼭짓점**이라고 합니다.
③ 원뿔에서 원뿔의 꼭짓점과 밑면인 원의 둘레의 한 점을 이은 선분을 **모선**이라고 합니다.
④ 원뿔의 꼭짓점에서 밑면에 수직인 선분의 길이를 **높이**라고 합니다.

한 원뿔에서 모선의 길이는 모두 같습니다.

6 cm

(모선의 길이)=6 cm

(3) 원뿔의 높이와 모선의 길이, 밑면의 지름을 재는 방법

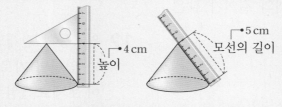
4 cm, 높이, 5 cm, 모선의 길이

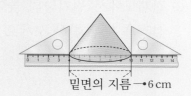
밑면의 지름 →6 cm

(4) 직각삼각형 모양의 종이를 돌려서 원뿔 만들기

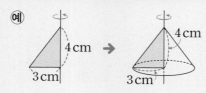
예
4 cm, 3 cm → 4 cm, 3 cm

→직각을 낀 변

직각삼각형 모양의 종이를 한 변을 기준으로 한 바퀴 돌리면 **원뿔**이 만들어집니다.

① 원뿔의 밑면의 반지름: 3 cm
② 원뿔의 높이: 4 cm

1 원뿔을 **모두** 찾아 ○표 하세요.

(　　　) 　　(　　　) 　　(　　　) 　　(　　　)

교과서 공통 **2** 원뿔에서 밑면의 지름과 모선의 길이는 각각 몇 cm인가요?

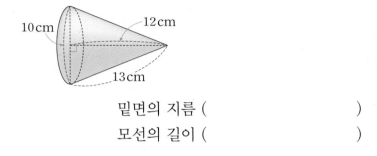

밑면의 지름 (　　　　　　　)

모선의 길이 (　　　　　　　)

3 원뿔의 높이를 바르게 잰 것을 찾아 기호를 쓰세요.

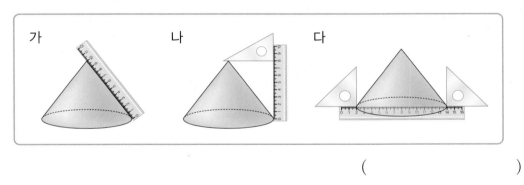

가　　　　나　　　　다

(　　　　　　　)

4 직각삼각형 모양의 종이를 한 변을 기준으로 한 바퀴 돌려 입체도형을 만들었습니다. 물음에 답하세요.

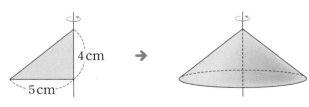

(1) 어떤 입체도형이 되나요?

(　　　　　　　)

(2) 입체도형에서 밑면의 반지름과 높이는 각각 몇 cm인가요?

밑면의 반지름 (　　　　　　　)

높이 (　　　　　　　)

138쪽 에서 개념을 **한 번 더** 다집니다.

한눈에 **핵심쏙**

난 공과 모양이 같아. 내 이름는 구!

구

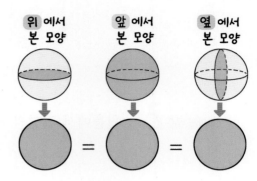

위에서 본 모양 　 **앞**에서 본 모양 　 **옆**에서 본 모양

=　=

개념 강의

4 구

(1) 구 → 공 모양입니다.

, , 등과 같은 입체도형을 **구**라고 합니다.

> 구는 어느 방향에서 보아도 똑같은 원 모양입니다.

(2) 구의 구성 요소

구의 중심　　구의 반지름

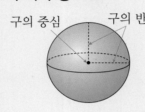

① 구에서 가장 안쪽에 있는 점을 **구의 중심**이라고 합니다.
② 구의 중심에서 구의 겉면의 한 점을 이은 선분을 **구의 반지름**이라고 합니다.

> **구의 특징 알아보기**
> ① 구의 반지름은 모두 같습니다.
> ② 구의 반지름은 무수히 많습니다.
> ③ 구는 굽은 면으로 둘러싸여 있고 잘 굴러갑니다.

(3) 반원 모양의 종이를 돌려서 구 만들기

예

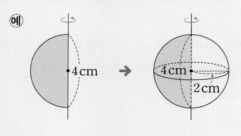

4 cm → 4 cm 2 cm

반원 모양의 종이를 지름을 기준으로 한 바퀴 돌리면 구가 만들어집니다.
이때, 구의 반지름은 반원의 반지름과 같습니다.
→ 구의 반지름: 2 cm

(4) 원기둥, 원뿔, 구의 공통점과 차이점

입체도형		원기둥	원뿔	구
공통점		• 굽은 면으로 둘러싸여 있습니다. • 위에서 본 모양은 원입니다.		
차이점	모양	기둥 모양	뿔 모양	공 모양
	앞, 옆에서 본 모양	직사각형	이등변삼각형	원
	꼭짓점	없습니다.	있습니다.	없습니다.

교과서 공통 1 다음 물건과 같은 입체도형에 대하여 알아보려고 합니다. 물음에 답하세요.

(1) 위와 같은 입체도형을 무엇이라고 하나요?

(   )

(2) 위의 입체도형을 위와 옆에서 본 모양은 각각 어떤 도형인가요?

위에서 본 모양 (   )

옆에서 본 모양 (   )

2 □ 안에 알맞은 말을 써넣으세요.

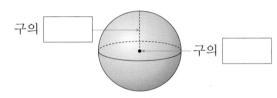

구의 [   ]

구의 [   ]

3 구의 반지름은 몇 cm인가요?

(1)

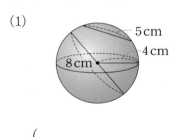

(   )

(2)

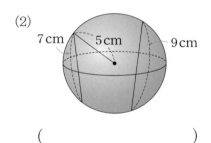

(   )

4 반원 모양의 종이를 지름을 기준으로 한 바퀴 돌려 입체도형을 만들었습니다. □ 안에 알맞은 수나 말을 써넣으세요.

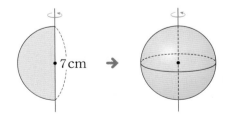

(1) 만든 입체도형은 [   ] 입니다.

(2) 만든 입체도형에서 지름은 [   ] cm입니다.

139쪽 에서 개념을 **한 번 더** 다집니다.

STEP 2 개념 한번더 잡기

3 원뿔

01 원뿔을 **모두** 찾아 기호를 쓰세요.

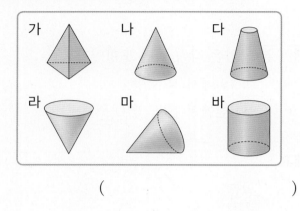

( )

02 □ 안에 알맞은 말을 써넣으세요.

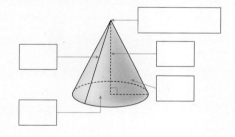

03 원뿔에서 밑면의 지름을 잰 것입니다. □ 안에 알맞은 수를 써넣으세요.

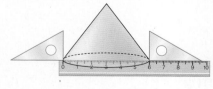

밑면의 지름: □ cm

04 원뿔에서 밑면의 반지름과 높이, 모선의 길이는 각각 몇 cm인가요?

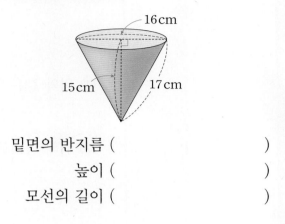

밑면의 반지름 ( )

높이 ( )

모선의 길이 ( )

05 직각삼각형 모양의 종이를 한 변을 기준으로 한 바퀴 돌려 만든 입체도형에서 밑면의 지름과 높이는 각각 몇 cm인지 구하세요.

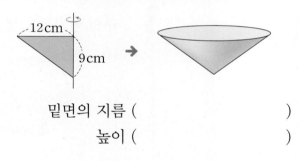

밑면의 지름 ( )

높이 ( )

06 오른쪽 원뿔에 대해서 <u>잘못</u> 설명한 사람의 이름을 쓰세요.

원뿔의 꼭짓점에서 밑면에 수직인 선분의 길이를 모선이라고 해.

주형

원뿔을 앞에서 본 모양은 삼각형이야.

신혜

( )

4 구

07 구는 **모두** 몇 개인지 구하세요.

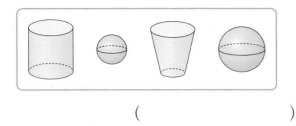

(   )

08 구의 중심을 찾아 기호를 쓰고, 구의 반지름을 표시해 보세요.

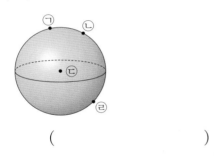

(   )

09 구의 반지름은 몇 cm인가요?

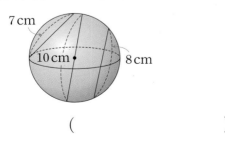

(   )

10 구를 보고 위와 앞에서 본 모양을 각각 그려 보세요.

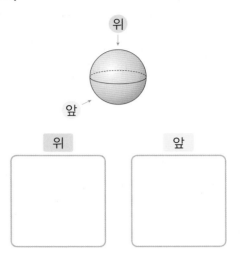

위	앞

11 반원 모양의 종이를 지름을 기준으로 한 바퀴 돌려 만든 입체도형의 반지름은 몇 cm인가요?

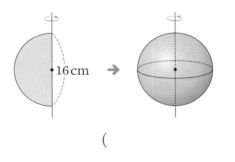

(   )

12 원기둥, 원뿔, 구에 대한 설명이 맞으면 ○표, 틀리면 ×표 하세요.

(1) 원기둥과 원뿔은 모두 꼭짓점이 있습니다.

(   )

(2) 구는 보는 방향에 따라 모양이 다릅니다.

(   )

(3) 원기둥과 구에는 굽은 면이 있습니다.

(   )

학교별 모든 수학 익힘 문제를 담았습니다.

수학 익힘 문제잡기

문제 강의

01 직사각형 모양의 종이를 한 변을 기준으로 돌리면 어떤 입체도형이 되는지 겨냥도를 완성해 보세요.

128쪽 **개념 ❶**

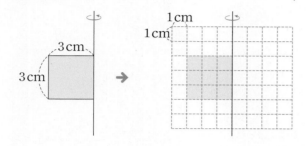

02 오른쪽과 같은 입체도형에 대해 바르게 설명한 사람의 이름을 쓰세요.

128쪽 **개념 ❶**

밑면이 2개이고 원 모양이므로 원기둥이야.
정원

밑면이 서로 합동이 아니므로 원기둥이 아니야.
다윤

( )

03 원기둥을 보고 설명한 것입니다. 이 원기둥의 높이는 몇 cm인가요?

128쪽 **개념 ❶**

• 위에서 본 모양은 반지름이 5 cm인 원입니다.
• 앞에서 본 모양은 정사각형입니다.

( )

04 오른쪽 원기둥과 각기둥에 대해 잘못 설명한 것을 찾아 기호를 쓰세요.

128쪽 **개념 ❶**

㉠ 원기둥과 각기둥은 모두 밑면이 2개입니다.
㉡ 원기둥과 각기둥은 모두 꼭짓점과 모서리가 있습니다.
㉢ 원기둥에는 굽은 면이 있고, 각기둥에는 굽은 면이 없습니다.

( )

05 높이가 15 cm인 원기둥의 전개도입니다. 옆면의 가로와 세로는 각각 몇 cm인가요?

익힘책 공통   130쪽 **개념 ❷**

(원주율: 3.1)

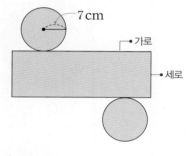

옆면의 가로 ( )
옆면의 세로 ( )

06 원기둥의 전개도에서 □ 안에 알맞은 수를 써넣으세요. (원주율: 3)

130쪽 **개념 ❷**

문제 강의

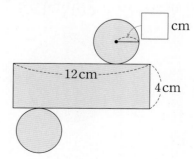

07 원기둥의 전개도를 그리고, 밑면의 지름과 옆면의 가로, 세로의 길이를 각각 나타내어 보세요. (원주율: 3)

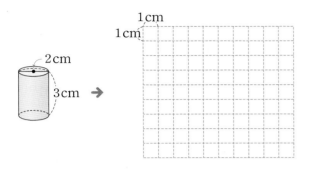

08 원기둥의 전개도에서 옆면의 넓이는 몇 cm² 인가요? (원주율: 3.14)

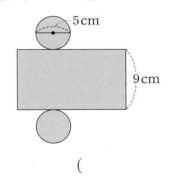

(　　　　　　　)

09 입체도형을 보고 빈칸에 알맞은 수나 말을 써 넣으세요.

입체도형	오각뿔	원뿔
밑면의 모양	오각형	
밑면의 수(개)		
위에서 본 모양		

10 원뿔에서 삼각형 ㄱㄴㄷ의 둘레는 몇 cm인가요?

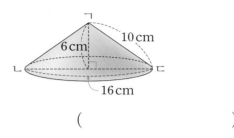

(　　　　　　　)

11 모양과 크기가 같은 원뿔을 보고 설명한 것입니다. 잘못 설명한 사람은 누구인가요?

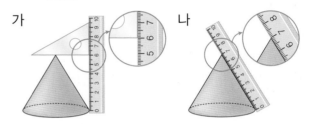

설아: 가는 원뿔의 높이를, 나는 모선의 길이를 재는 그림이야.
진영: 높이가 6 cm인 원뿔이야.
영우: 원뿔의 높이는 항상 모선의 길이보다 길어.

(　　　　　　　)

12 원기둥 가와 원뿔 나의 높이의 차는 몇 cm인가요?

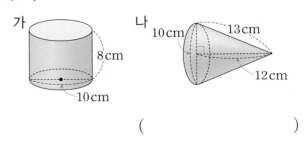

(　　　　　　　)

136쪽 개념 ❹

13 구에 대해서 잘못 설명한 것을 찾아 기호를 쓰세요.

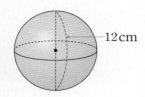
⎯12 cm

┌─────────────────────────────┐
│ ㉠ 구의 중심은 1개입니다.   │
│ ㉡ 구의 반지름은 12 cm입니다. │
│ ㉢ 어느 방향에서 보아도 원 모양입니다. │
└─────────────────────────────┘

(   )

익힘책 공통   136쪽 개념 ❹

14 입체도형을 보고 위, 앞, 옆에서 본 모양을 보기에서 골라 그려 보세요.

┌─ 보기 ──────────────────────┐
│   ○   □   △   │
└─────────────────────────────┘

입체도형	위	앞	옆
위 ↓ 구 ← 옆 ↑ 앞			
위 ↓ 원기둥 ← 옆 ↑ 앞			
위 ↓ 원뿔 ← 옆 ↑ 앞			

136쪽 개념 ❹

15 반원 모양의 종이를 지름을 기준으로 한 바퀴 돌려 입체도형을 만들었습니다. 물음에 답하세요. (원주율: 3)

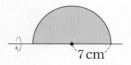
7 cm

(1) 위에서 본 모양의 둘레는 몇 cm인가요?

(   )

(2) 앞에서 본 모양의 넓이는 몇 cm²인가요?

(   )

생각＋문제

16 원기둥과 원기둥의 전개도를 보고 **전개도의 둘레는 몇 cm**인지 구하세요. (원주율: 3.1)

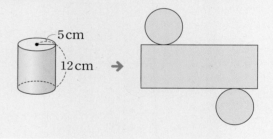
5 cm
12 cm →

(1) 전개도에서 두 밑면의 둘레의 합은 몇 cm인가요?

(   )

(2) 전개도에서 옆면의 둘레는 몇 cm인가요?

(   )

(3) 전개도의 둘레는 몇 cm인가요?

(   )

서술형 잡기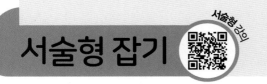

1 원기둥과 각기둥의 **공통점과 차이점**을 각각 한 가지씩 쓰세요.

공통점 ❶ 두 밑면이 서로 □하고 □입니다.

차이점 ❷ 원기둥의 □은 굽은 면이고, 각기둥의 옆면은 □입니다.

2 원기둥과 원뿔의 **공통점과 차이점**을 한 가지씩 쓰세요.

공통점 _____

_____

차이점 _____

_____

3 반원 모양의 종이를 지름을 기준으로 한 바퀴 돌려 만든 구입니다. **돌리기 전 평면도형의 넓이는 몇 cm²**인지 구하세요. (원주율: 3)

16 cm

해결 순서 ❶ 돌리기 전 평면도형 알아보기
❷ 돌리기 전 평면도형의 넓이 구하기

풀이 ❶ 돌리기 전 평면도형은 반지름이 □÷2=□(cm)인 반원입니다.

❷ (돌리기 전 평면도형의 넓이)

$$= □×□×3×\frac{1}{2}$$

$$= □ (cm^2)$$

답 _____

4 직사각형 모양의 종이를 한 변을 기준으로 한 바퀴 돌려 만든 원기둥입니다. **돌리기 전 평면도형의 넓이는 몇 cm²**인지 구하세요.

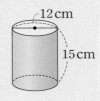
12 cm
15 cm

해결 순서 ❶ 돌리기 전 평면도형 알아보기
❷ 돌리기 전 평면도형의 넓이 구하기

풀이 _____

_____

_____

_____

_____

답 _____

01 그림과 같은 입체도형을 무엇이라고 하나요?

(   )

[02~03] 입체도형을 보고 물음에 답하세요.

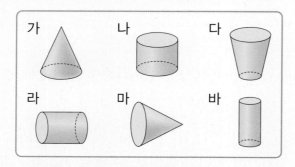

02 원기둥을 모두 찾아 기호를 쓰세요.

(   )

03 원뿔을 모두 찾아 기호를 쓰세요.

(   )

04 원기둥에서 각 부분의 이름을 □ 안에 써넣으시오.

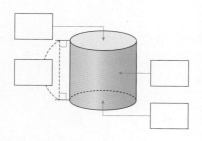

05 원기둥의 높이는 몇 cm인가요?

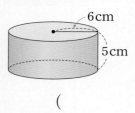

(   )

06 원기둥의 전개도를 찾아 ○표 하세요.

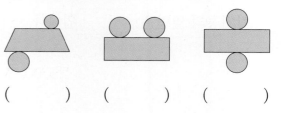

(   )   (   )   (   )

[07~08] 다음과 같이 반원 모양의 종이를 지름을 기준으로 한 바퀴 돌려 입체도형을 만들었습니다. 물음에 답하세요.

07 만든 입체도형을 찾아 기호를 쓰세요.

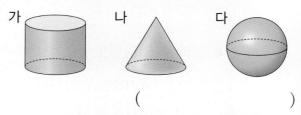

(   )

08 만든 입체도형의 반지름은 몇 cm인가요?

(   )

09 다음은 원뿔의 무엇을 재는 그림인가요?

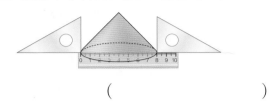

(   )

10 원기둥에 대해 바르게 설명한 사람의 이름을 쓰세요.

원기둥은 옆면이 굽은 면이야.

원기둥에는 꼭짓점이 1개 있어.

진우   다영

(   )

11 원뿔에서 밑면의 지름과 높이, 모선의 길이는 각각 몇 cm인가요?

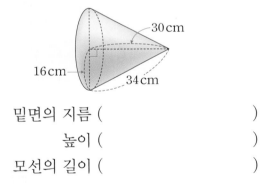

밑면의 지름 (   )

높이 (   )

모선의 길이 (   )

12 원기둥과 원기둥의 전개도를 보고 선분 ㄱㄹ의 길이는 몇 cm인지 구하세요. (원주율: 3)

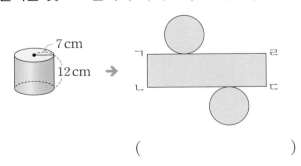

(   )

13 오른쪽 구에 대해서 바르게 설명한 것을 찾아 기호를 쓰세요.

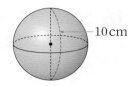

> ㉠ 구의 중심은 여러 개입니다.
> ㉡ 구의 반지름은 10 cm입니다.
> ㉢ 구의 반지름은 무수히 많고, 길이가 모두 같습니다.

(   )

14 두 원뿔 가와 나의 높이의 차는 몇 cm인가요?

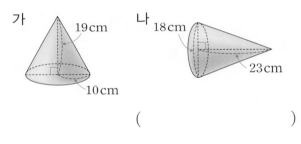

(   )

15 원기둥과 원기둥의 전개도를 보고 □ 안에 알맞은 수를 써넣으세요. (원주율: 3.1)

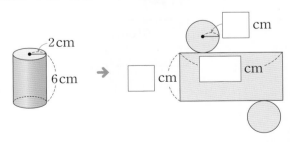

16 원기둥, 원뿔, 구에 대해 잘못 설명한 것을 찾아 기호를 쓰세요.

> ㉠ 원기둥은 밑면이 1개이고, 원뿔은 밑면
>   이 2개입니다.
> ㉡ 구는 어느 방향에서 보아도 모양이 같
>   습니다.
> ㉢ 원기둥과 구에는 뾰족한 부분이 없습니다.

(   )

17 원기둥을 보고 위, 앞, 옆에서 본 모양을 각각 그려 보세요.

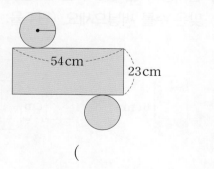

위	앞	옆

18 원기둥의 전개도입니다. 전개도를 접었을 때 만들어지는 원기둥의 밑면의 반지름은 몇 cm인가요? (원주율: 3)

54 cm

23 cm

(   )

19 원뿔과 구의 공통점과 차이점을 한 가지씩 쓰세요.

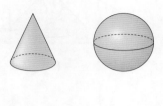

공통점 _____

_____

차이점 _____

_____

20 직각삼각형 모양의 종이를 한 변을 기준으로 한 바퀴 돌려 만든 원뿔입니다. 돌리기 전 평면도형의 넓이는 몇 cm²인지 구하세요.

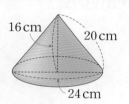

16 cm   20 cm

24 cm

풀이 _____

_____

_____

_____

답

물음표 안에 들어갈 숫자를 맞추면 선생님께서 선물을 주신다고 해요.

도형의 모양을 잘 살펴보면 답을 알 수 있어요!

선물을 받을 수 있게 모두 도와주세요~!

창의력 쑥쑥

029쪽

①, ④, ⑥

053쪽

077쪽

101쪽

이번 체험 학습 장소는 바다

125쪽

5개

147쪽

학업 성취도 평가

1. 분수의 나눗셈 ~
6. 원기둥, 원뿔, 구

맞힌 개수

---

01 □ 안에 알맞은 수를 써넣으세요. <small>1단원 | 개념 ❶</small>

$\dfrac{6}{7}$은 $\dfrac{1}{7}$이 □ 개이고

$\dfrac{2}{7}$는 $\dfrac{1}{7}$이 □ 개이므로

$\dfrac{6}{7} \div \dfrac{2}{7} = \boxed{\ } \div \boxed{\ } = \boxed{\ }$ 입니다.

---

02 □ 안에 알맞은 수를 써넣으세요. <small>1단원 | 개념 ❷</small>

$\dfrac{5}{8} \div \dfrac{3}{8} = \boxed{\ } \div \boxed{\ } = \dfrac{\boxed{\ }}{\boxed{\ }} = \boxed{\ } \dfrac{\boxed{\ }}{\boxed{\ }}$

---

03 빈칸에 알맞은 수를 써넣으세요. <small>1단원 | 개념 ❸</small>

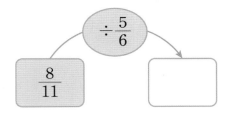

---

04 바르게 계산한 것을 찾아 기호를 쓰세요. <small>1단원 | 개념 ❻</small>

㉠ $1\dfrac{2}{5} \div \dfrac{3}{11} = 2\dfrac{7}{15}$

㉡ $\dfrac{8}{7} \div \dfrac{5}{4} = \dfrac{32}{35}$

(   )

---

05 오렌지주스 4 L를 똑같이 나누어 마시려고 합니다. 한 명이 $\dfrac{2}{5}$ L씩 마신다면 모두 몇 명이 마실 수 있는지 구하세요. <small>1단원 | 개념 ❹</small>

(   )

---

06 자연수의 나눗셈을 이용하여 소수의 나눗셈을 계산해 보세요. <small>2단원 | 개념 ❶</small>

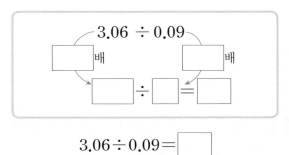

$3.06 \div 0.09 = \boxed{\ }$

---

07 □ 안에 알맞은 수를 써넣으세요. <small>2단원 | 개념 ❷</small>

$6.76 \div 0.52 = \boxed{\ } \div 52 = \boxed{\ }$

---

08 계산해 보세요. <small>2단원 | 개념 ❸</small>

$3.2\overline{)5.4\,4}$

2단원 | 개념 ❷ ❹

09 계산 결과를 비교하여 ○ 안에 >, =, <를 알맞게 써넣으세요.

$$11.2 \div 0.8 \qquad \bigcirc \qquad 34 \div 1.7$$

2단원 | 개념 ❺

10 몫의 소수 9째 자리 숫자를 구하세요.

$$13.7 \div 3$$

(   )

3단원 | 개념 ❷

11 주어진 모양과 똑같이 쌓는 데 필요한 쌓기나무는 몇 개인가요?

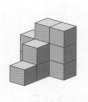 

위에서 본 모양

(   )

3단원 | 개념 ❹

12 쌓기나무로 쌓은 모양을 보고 위에서 본 모양에 수를 쓰세요.

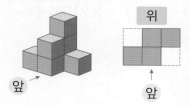

앞   위
앞

3단원 | 개념 ❸

13 쌓기나무로 쌓은 모양을 위, 앞, 옆에서 본 모양입니다. 쌓은 모양이 될 수 있는 것을 찾아 기호를 쓰세요.

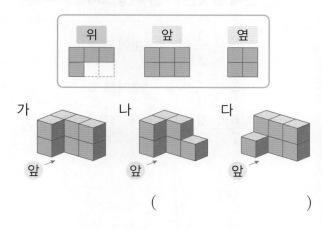

위   앞   옆

가   나   다
앞   앞   앞

(   )

3단원 | 개념 ❻

14 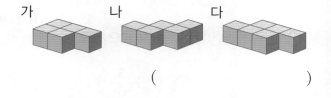 모양에 쌓기나무 1개를 더 붙여서 만들 수 있는 모양이 <u>아닌</u> 것을 찾아 기호를 쓰세요.

가   나   다

(   )

3단원 | 개념 ❺

15 쌓기나무로 모양을 3층까지 쌓으려고 합니다. 각 층이 될 수 있는 모양을 찾아 기호를 쓰세요.

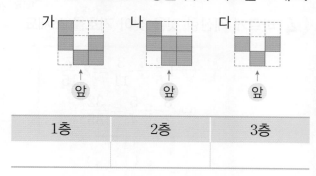

가   나   다
앞   앞   앞

1층	2층	3층

16 □ 안에 알맞은 수를 써넣으세요.

4단원 | 개념❶

> 비 22 : 35에서 전항은 ☐ 이고,
>
> 후항은 ☐ 입니다.

4단원 | 개념❸

17 비례식에서 외항과 내항을 각각 찾아 쓰세요.

> 9 : 5 = 45 : 25

외항 ( )

내항 ( )

4단원 | 개념❷

18 간단한 자연수의 비로 나타낸 것을 찾아 이어 보세요.

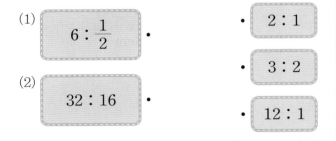

4단원 | 개념❹

19 외항의 곱이 84일 때 ㉠과 ㉡에 알맞은 수를 구하세요.

> 4 : 3 = ㉠ : ㉡

㉠ ( )

㉡ ( )

4단원 | 개념❻

20 가로와 세로의 비가 4 : 5이고 둘레가 72 cm인 직사각형이 있습니다. 이 직사각형의 가로는 몇 cm인지 구하세요.

( )

5단원 | 개념❶❷

21 잘못 설명한 것을 찾아 기호를 쓰세요.

> ㉠ 원의 지름이 커지면 원주가 커집니다.
> ㉡ 원의 지름에 대한 원주의 비율을 원주율이라고 합니다.
> ㉢ 원의 지름이 작아지면 원주율도 작아집니다.

( )

5단원 | 개념❸

22 원주는 몇 cm인가요? (원주율: 3.1)

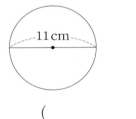

( )

5단원 | 개념❺

23 원의 넓이는 몇 cm²인가요? (원주율: 3.1)

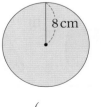

( )

24 큰 정사각형을 9개의 작은 정사각형으로 나누어 팔각형을 그렸습니다. 팔각형의 넓이와 원의 넓이는 각각 몇 cm^2인가요? (원주율: 3.14)

5단원 | 개념 ❹

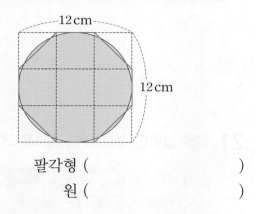

팔각형 (　　　　　　)

원 (　　　　　　)

25 색칠한 부분의 넓이는 몇 cm^2인지 구하세요.

5단원 | 개념 ❻

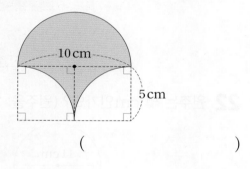

(　　　　　　)

26 원기둥을 모두 찾아 기호를 쓰세요.

6단원 | 개념 ❶

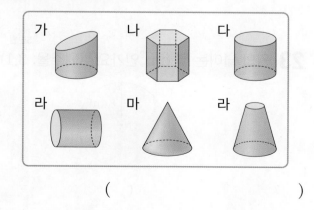

(　　　　　　)

27 원기둥과 원기둥의 전개도를 보고 □ 안에 알맞은 수를 써넣으세요. (원주율: 3.1)

6단원 | 개념 ❷

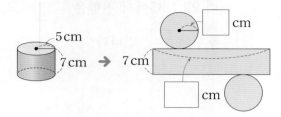

28 원뿔에서 모선의 길이는 몇 cm인가요?

6단원 | 개념 ❸

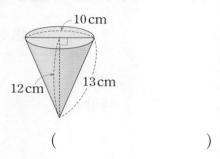

(　　　　　　)

29 반원 모양의 종이를 지름을 기준으로 한 바퀴 돌려 만든 입체도형의 반지름은 몇 cm인가요?

6단원 | 개념 ❹

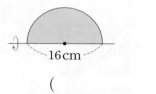

(　　　　　　)

30 원기둥의 전개도입니다. 전개도를 접었을 때 만들어지는 원기둥의 밑면의 반지름은 몇 cm인가요? (원주율: 3)

6단원 | 개념 ❷

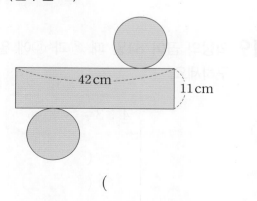

(　　　　　　)

동아출판
초등 무료
스마트러닝

동아출판 초등 **무료 스마트러닝**으로
초등 전 과목 · 전 영역을 쉽고 재미있게!

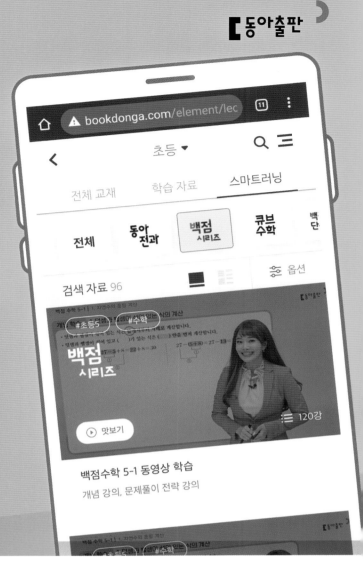

과목별·영역별 특화 강의

전 과목 개념 강의

국어 독해 지문 분석 강의

구구단 송

그림으로 이해하는 비주얼씽킹 강의

과학 실험 동영상 강의

과목별 문제 풀이 강의

서비스 제공 교재   백점 시리즈 | 큐브 | 빠작 초등 국어 | 초능력 | 초고필 | 하이탑 초등 과학

큐브수학

개념

매칭북

6·2

◆ 기초력 학습지 | 미리 보는 수학 익힘

동아출판

매칭북

기초력 학습지 01   분모가 같은 (분수)÷(분수)(1)

진도북 009쪽

● 정답 39쪽

[1~18] 계산해 보세요.

1 $\dfrac{2}{3} \div \dfrac{1}{3}$

2 $\dfrac{3}{4} \div \dfrac{1}{4}$

3 $\dfrac{4}{5} \div \dfrac{1}{5}$

4 $\dfrac{5}{6} \div \dfrac{1}{6}$

5 $\dfrac{7}{9} \div \dfrac{1}{9}$

6 $\dfrac{9}{10} \div \dfrac{1}{10}$

7 $\dfrac{6}{11} \div \dfrac{1}{11}$

8 $\dfrac{8}{13} \div \dfrac{1}{13}$

9 $\dfrac{10}{19} \div \dfrac{1}{19}$

10 $\dfrac{4}{5} \div \dfrac{2}{5}$

11 $\dfrac{6}{7} \div \dfrac{3}{7}$

12 $\dfrac{8}{11} \div \dfrac{4}{11}$

13 $\dfrac{10}{13} \div \dfrac{2}{13}$

14 $\dfrac{15}{16} \div \dfrac{3}{16}$

15 $\dfrac{12}{17} \div \dfrac{6}{17}$

16 $\dfrac{16}{25} \div \dfrac{4}{25}$

17 $\dfrac{27}{32} \div \dfrac{9}{32}$

18 $\dfrac{36}{43} \div \dfrac{12}{43}$

학습지

1 단원

기초력 학습지 **02** 분모가 같은 (분수)÷(분수)⑵

진도북 011쪽

● 정답 39쪽

[1~6] □ 안에 알맞은 수를 써넣으세요.

1 $\dfrac{2}{5} \div \dfrac{3}{5} = \square \div \square = \dfrac{\square}{\square}$

2 $\dfrac{3}{8} \div \dfrac{5}{8} = \square \div \square = \dfrac{\square}{\square}$

3 $\dfrac{5}{14} \div \dfrac{13}{14} = \square \div \square = \dfrac{\square}{\square}$

4 $\dfrac{7}{17} \div \dfrac{12}{17} = \square \div \square = \dfrac{\square}{\square}$

5 $\dfrac{5}{7} \div \dfrac{4}{7} = \square \div \square = \dfrac{\square}{\square} = \dfrac{\square}{\square}$

6 $\dfrac{9}{10} \div \dfrac{7}{10} = \square \div \square = \dfrac{\square}{\square} = \dfrac{\square}{\square}$

[7~15] 계산해 보세요.

7 $\dfrac{5}{8} \div \dfrac{7}{8}$

8 $\dfrac{2}{9} \div \dfrac{5}{9}$

9 $\dfrac{7}{12} \div \dfrac{11}{12}$

10 $\dfrac{9}{13} \div \dfrac{10}{13}$

11 $\dfrac{4}{15} \div \dfrac{13}{15}$

12 $\dfrac{12}{17} \div \dfrac{5}{17}$

13 $\dfrac{13}{18} \div \dfrac{11}{18}$

14 $\dfrac{17}{19} \div \dfrac{8}{19}$

15 $\dfrac{19}{20} \div \dfrac{17}{20}$

기초력 학습지 03 분모가 다른 (분수)÷(분수)

진도북 013쪽

●정답 39쪽

[1~18] 계산해 보세요.

1 $\dfrac{1}{3} \div \dfrac{1}{6}$

2 $\dfrac{3}{4} \div \dfrac{1}{8}$

3 $\dfrac{4}{5} \div \dfrac{2}{15}$

4 $\dfrac{6}{7} \div \dfrac{3}{14}$

5 $\dfrac{9}{12} \div \dfrac{1}{4}$

6 $\dfrac{8}{10} \div \dfrac{2}{5}$

7 $\dfrac{12}{16} \div \dfrac{3}{8}$

8 $\dfrac{12}{14} \div \dfrac{2}{7}$

9 $\dfrac{16}{18} \div \dfrac{4}{9}$

10 $\dfrac{5}{8} \div \dfrac{3}{4}$

11 $\dfrac{3}{10} \div \dfrac{2}{5}$

12 $\dfrac{4}{9} \div \dfrac{5}{6}$

13 $\dfrac{2}{3} \div \dfrac{5}{7}$

14 $\dfrac{3}{5} \div \dfrac{1}{2}$

15 $\dfrac{5}{6} \div \dfrac{2}{5}$

16 $\dfrac{7}{8} \div \dfrac{4}{9}$

17 $\dfrac{8}{11} \div \dfrac{1}{3}$

18 $\dfrac{9}{13} \div \dfrac{2}{5}$

학습지

1 단원

기초력 학습지 04 (자연수)÷(분수)

진도북 017쪽

● 정답 39쪽

[1~8] □ 안에 알맞은 수를 써넣으세요.

1 $3 \div \dfrac{3}{8} = (3 \div \boxed{}) \times \boxed{} = \boxed{}$

2 $10 \div \dfrac{5}{6} = (10 \div \boxed{}) \times \boxed{} = \boxed{}$

3 $6 \div \dfrac{2}{3} = (6 \div \boxed{}) \times \boxed{} = \boxed{}$

4 $9 \div \dfrac{3}{4} = (9 \div \boxed{}) \times \boxed{} = \boxed{}$

5 $4 \div \dfrac{2}{5} = (4 \div \boxed{}) \times \boxed{} = \boxed{}$

6 $15 \div \dfrac{5}{9} = (15 \div \boxed{}) \times \boxed{} = \boxed{}$

7 $8 \div \dfrac{4}{7} = (8 \div \boxed{}) \times \boxed{} = \boxed{}$

8 $12 \div \dfrac{3}{8} = (12 \div \boxed{}) \times \boxed{} = \boxed{}$

[9~17] 계산해 보세요.

9 $6 \div \dfrac{3}{7}$

10 $8 \div \dfrac{4}{9}$

11 $10 \div \dfrac{5}{8}$

12 $9 \div \dfrac{3}{10}$

13 $12 \div \dfrac{3}{4}$

14 $7 \div \dfrac{7}{8}$

15 $12 \div \dfrac{6}{11}$

16 $16 \div \dfrac{8}{21}$

17 $18 \div \dfrac{6}{7}$

기초력 학습지 05 (분수)÷(분수)를 (분수)×(분수)로 나타내기

진도북 017쪽

● 정답 39쪽

[1~8] □ 안에 알맞은 수를 써넣으세요.

1 $\dfrac{2}{5} \div \dfrac{3}{4} = \dfrac{2}{5} \times \dfrac{\square}{\square} = \dfrac{\square}{\square}$

2 $\dfrac{4}{7} \div \dfrac{3}{5} = \dfrac{4}{7} \times \dfrac{\square}{\square} = \dfrac{\square}{\square}$

3 $\dfrac{3}{8} \div \dfrac{4}{5} = \dfrac{3}{8} \times \dfrac{\square}{\square} = \dfrac{\square}{\square}$

4 $\dfrac{3}{5} \div \dfrac{2}{3} = \dfrac{3}{5} \times \dfrac{\square}{\square} = \dfrac{\square}{\square}$

5 $\dfrac{5}{7} \div \dfrac{3}{4} = \dfrac{5}{7} \times \dfrac{\square}{\square} = \dfrac{\square}{\square}$

6 $\dfrac{5}{8} \div \dfrac{2}{3} = \dfrac{5}{8} \times \dfrac{\square}{\square} = \dfrac{\square}{\square}$

7 $\dfrac{3}{7} \div \dfrac{4}{5} = \dfrac{3}{7} \times \dfrac{\square}{\square} = \dfrac{\square}{\square}$

8 $\dfrac{3}{7} \div \dfrac{2}{3} = \dfrac{3}{7} \times \dfrac{\square}{\square} = \dfrac{\square}{\square}$

[9~17] 나눗셈식을 곱셈식으로 나타내어 계산해 보세요.

9 $\dfrac{5}{7} \div \dfrac{7}{9}$

10 $\dfrac{7}{9} \div \dfrac{3}{4}$

11 $\dfrac{3}{10} \div \dfrac{2}{3}$

12 $\dfrac{5}{12} \div \dfrac{4}{7}$

13 $\dfrac{4}{5} \div \dfrac{3}{4}$

14 $\dfrac{7}{8} \div \dfrac{1}{5}$

15 $\dfrac{3}{5} \div \dfrac{7}{11}$

16 $\dfrac{5}{6} \div \dfrac{3}{7}$

17 $\dfrac{13}{14} \div \dfrac{5}{9}$

학습지

1 단원

기초력 학습지 06 　(분수)÷(분수)를 계산하기

진도북 019쪽

● 정답 40쪽

[1～18] 계산해 보세요.

1 $\dfrac{5}{3} \div \dfrac{3}{4}$

2 $\dfrac{9}{5} \div \dfrac{4}{7}$

3 $\dfrac{7}{3} \div \dfrac{9}{10}$

4 $\dfrac{9}{7} \div \dfrac{8}{9}$

5 $\dfrac{6}{5} \div \dfrac{5}{11}$

6 $\dfrac{3}{2} \div \dfrac{4}{7}$

7 $\dfrac{6}{5} \div \dfrac{5}{8}$

8 $\dfrac{9}{4} \div \dfrac{7}{9}$

9 $\dfrac{11}{8} \div \dfrac{4}{5}$

10 $2\dfrac{1}{4} \div \dfrac{2}{3}$

11 $3\dfrac{1}{2} \div \dfrac{1}{5}$

12 $1\dfrac{2}{3} \div \dfrac{2}{5}$

13 $1\dfrac{2}{5} \div \dfrac{1}{10}$

14 $3\dfrac{1}{9} \div \dfrac{2}{3}$

15 $2\dfrac{5}{7} \div \dfrac{7}{4}$

16 $2\dfrac{1}{3} \div \dfrac{3}{5}$

17 $1\dfrac{4}{5} \div \dfrac{2}{9}$

18 $3\dfrac{3}{4} \div \dfrac{2}{3}$

기초력 학습지 07 · 자연수의 나눗셈을 이용한 (소수)÷(소수)

● 정답 40쪽

[1~10] 소수의 나눗셈을 자연수의 나눗셈을 이용하여 계산해 보세요.

1
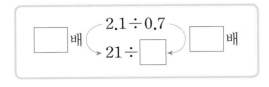

$2.1 \div 0.7 = \boxed{}$

2
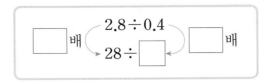

$2.8 \div 0.4 = \boxed{}$

3
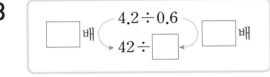

$4.2 \div 0.6 = \boxed{}$

4
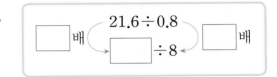

$21.6 \div 0.8 = \boxed{}$

5
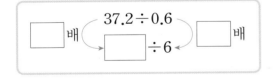

$37.2 \div 0.6 = \boxed{}$

6
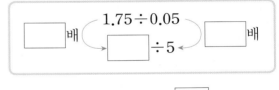

$1.75 \div 0.05 = \boxed{}$

7
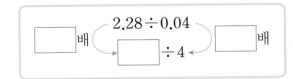

$2.28 \div 0.04 = \boxed{}$

8
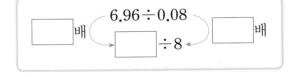

$6.96 \div 0.08 = \boxed{}$

9
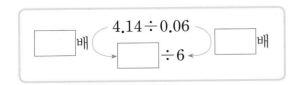

$4.14 \div 0.06 = \boxed{}$

10
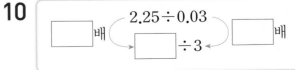

$2.25 \div 0.03 = \boxed{}$

기초력 학습지 08   자릿수가 같은 (소수)÷(소수)

진도북 035쪽

● 정답 40쪽

[1~6] □ 안에 알맞은 수를 써넣으세요.

1 $4.5 \div 0.9 = \dfrac{45}{10} \div \dfrac{\square}{10}$

$= 45 \div \square = \square$

2 $5.6 \div 0.4 = \dfrac{56}{10} \div \dfrac{\square}{10}$

$= 56 \div \square = \square$

3 $6.3 \div 2.1 = \dfrac{\square}{10} \div \dfrac{21}{10}$

$= \square \div 21 = \square$

4 $4.32 \div 0.48 = \dfrac{432}{100} \div \dfrac{\square}{100}$

$= 432 \div \square = \square$

5 $7.13 \div 0.31 = \dfrac{713}{100} \div \dfrac{\square}{100}$

$= 713 \div \square = \square$

6 $6.84 \div 0.57 = \dfrac{\square}{100} \div \dfrac{57}{100}$

$= \square \div 57 = \square$

[7~12] 계산해 보세요.

7 $0.7 \overline{)\,1.4\,}$

8 $1.2 \overline{)\,7.2\,}$

9 $0.8 \overline{)\,9.6\,}$

10 $0.3\,4 \overline{)\,3.0\,6\,}$

11 $0.1\,3 \overline{)\,3.2\,5\,}$

12 $0.2\,5 \overline{)\,1\,5.7\,5\,}$

기초력 학습지 09 자릿수가 다른 (소수)÷(소수)

진도북 037쪽

● 정답 40쪽

[1~6] □ 안에 알맞은 수를 써넣으세요.

1 $1.28 \div 0.8 = \dfrac{12.8}{10} \div \dfrac{\square}{10}$
$= 12.8 \div \square = \square$

2 $2.52 \div 1.2 = \dfrac{25.2}{10} \div \dfrac{\square}{10}$
$= 25.2 \div \square = \square$

3 $8.84 \div 3.4 = \dfrac{88.4}{10} \div \dfrac{\square}{10}$
$= 88.4 \div \square = \square$

4 $11.61 \div 2.7 = \dfrac{\square}{100} \div \dfrac{270}{100}$
$= \square \div 270 = \square$

5 $19.84 \div 6.2 = \dfrac{\square}{100} \div \dfrac{620}{100}$
$= \square \div 620 = \square$

6 $78.12 \div 9.3 = \dfrac{\square}{100} \div \dfrac{930}{100}$
$= \square \div 930 = \square$

[7~12] 계산해 보세요.

7 $0.3 \overline{)2.1\ 9}$

8 $1.6 \overline{)5.1\ 2}$

9 $2.7 \overline{)9.4\ 5}$

10 $4.1 \overline{)3\ 5.6\ 7}$

11 $7.3 \overline{)6\ 2.7\ 8}$

12 $8.5 \overline{)5\ 1.8\ 5}$

학습지

2
단원

기초력 학습지 ⑩ (자연수)÷(소수)

진도북 041쪽

●정답 40쪽

[1~6] □ 안에 알맞은 수를 써넣으세요.

1 $12 \div 0.8 = \dfrac{120}{10} \div \dfrac{\boxed{}}{10}$

$= 120 \div \boxed{} = \boxed{}$

2 $32 \div 6.4 = \dfrac{\boxed{}}{10} \div \dfrac{64}{10}$

$= \boxed{} \div 64 = \boxed{}$

3 $54 \div 3.6 = \dfrac{\boxed{}}{10} \div \dfrac{36}{10}$

$= \boxed{} \div 36 = \boxed{}$

4 $12 \div 0.75 = \dfrac{1200}{100} \div \dfrac{\boxed{}}{100}$

$= 1200 \div \boxed{} = \boxed{}$

5 $42 \div 1.68 = \dfrac{4200}{100} \div \dfrac{\boxed{}}{100}$

$= 4200 \div \boxed{} = \boxed{}$

6 $68 \div 2.72 = \dfrac{\boxed{}}{100} \div \dfrac{272}{100}$

$= \boxed{} \div 272 = \boxed{}$

[7~12] 계산해 보세요.

7 $1.4 \overline{)2\ 1}$

8 $1.5 \overline{)3\ 3}$

9 $2.4 \overline{)7\ 2}$

10 $0.2\ 5 \overline{)9}$

11 $2.2\ 8 \overline{)5\ 7}$

12 $1.9\ 5 \overline{)7\ 8}$

기초력 학습지 ⑪ 몫을 반올림하여 나타내기

진도북 043쪽

● 정답 40쪽

[1~4] 몫을 반올림하여 소수 첫째 자리까지 나타내어 보세요.

1
$$7 \overline{)3}$$

2
$$11 \overline{)6}$$

3
$$6 \overline{)2.3}$$

4
$$9 \overline{)16.1}$$

[5~8] 몫을 반올림하여 소수 둘째 자리까지 나타내어 보세요.

5
$$6 \overline{)5}$$

6
$$3 \overline{)1.4}$$

7
$$7 \overline{)24.1}$$

8
$$9 \overline{)32.9}$$

기초력 학습지 12 나누어 주고 남는 양 알아보기

진도북 043쪽

● 정답 41쪽

[1~6] 나눗셈의 몫을 자연수 부분까지 구했을 때의 몫과 나머지를 알아보려고 합니다. □ 안에 알맞은 수를 써넣으세요.

1
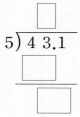

2
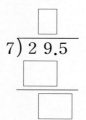

3
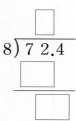

4
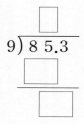

5
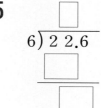

6
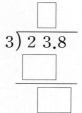

[7~12] 나눗셈의 몫을 자연수 부분까지 구했을 때의 몫과 나머지를 알아보려고 합니다. □ 안에 알맞은 수를 써넣으세요.

7 $56.5 \div 8 = $ □ ··· □

8 $16.9 \div 5 = $ □ ··· □

9 $49.1 \div 6 = $ □ ··· □

10 $63.8 \div 7 = $ □ ··· □

11 $110.6 \div 9 = $ □ ··· □

12 $142.2 \div 4 = $ □ ··· □

기초력 학습지 13 쌀은 모양을 보고 위, 앞, 옆에서 본 모양 그리기 진도북 059쪽

● 정답 41쪽

[1~6] 쌀기나무로 쌀은 모양과 이를 위에서 본 모양입니다. 앞과 옆에서 본 모양을 각각 그려 보세요.

1

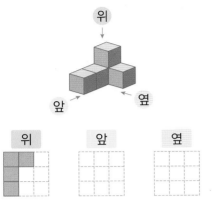

| 위 | 앞 | 옆 |

2

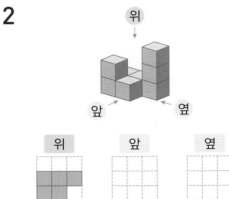

| 위 | 앞 | 옆 |

학습지

3
단원

3

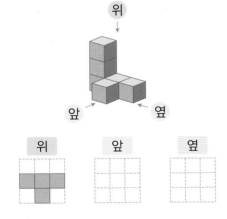

| 위 | 앞 | 옆 |

4

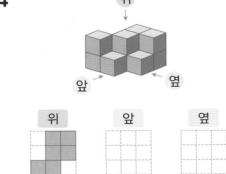

| 위 | 앞 | 옆 |

5

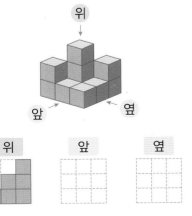

| 위 | 앞 | 옆 |

6

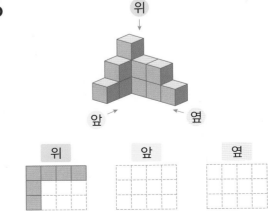

| 위 | 앞 | 옆 |

기초력 학습지 ⑭

위, 앞, 옆에서 본 모양을 보고 쌓기나무의
개수 구하기

진도북 059쪽

● 정답 41쪽

[1~8] 쌓기나무로 쌓은 모양을 위, 앞, 옆에서 본 모양입니다. 똑같은 모양으로 쌓는 데 필요한 쌓기나무의
개수를 구하세요.

1
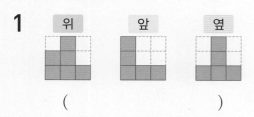
(   )

2
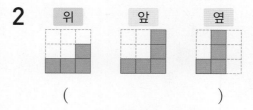
(   )

3
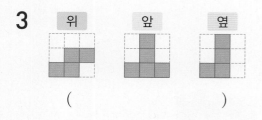
(   )

4
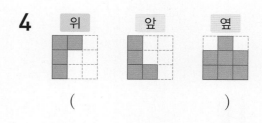
(   )

5

(   )

6
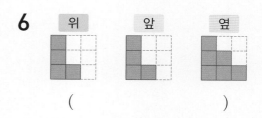
(   )

7
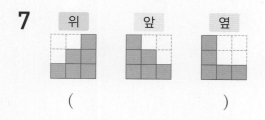
(   )

8
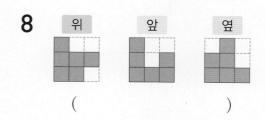
(   )

기초력 학습지 15

쌓은 모양을 보고 위에서 본 모양에 수를 써서
나타내기

진도북 063쪽

●정답 41쪽

[1~8] 쌓기나무로 쌓은 모양을 보고 위에서 본 모양에 수를 쓰세요.

1

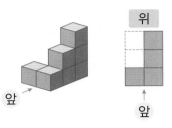

2

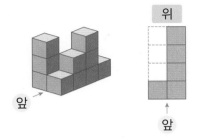

3

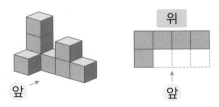

4

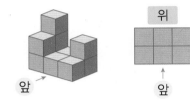

5

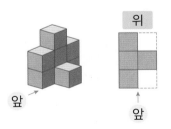

6

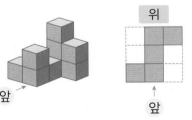

7

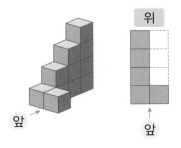

8

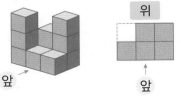

기초력 학습지 16

위에서 본 모양에 수를 쓴 것을 보고
쌓은 모양 알아보기

진도북 063쪽

● 정답 41쪽

[1~4] 쌓기나무로 쌓은 모양을 보고 위에서 본 모양에 수를 썼습니다. 앞에서 본 모양을 그려 보세요.

1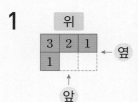

2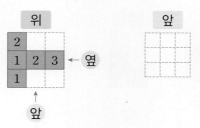

3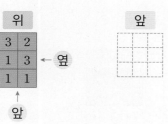

4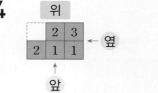

[5~8] 쌓기나무로 쌓은 모양을 보고 위에서 본 모양에 수를 썼습니다. 옆에서 본 모양을 그려 보세요.

5

6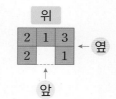

7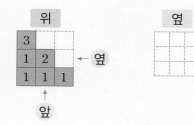

8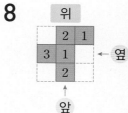

기초력 학습지 ⑰   쌓은 모양을 보고 층별로 나타낸 모양 그리기

진도북 065쪽

● 정답 41쪽

[1~4] 쌓기나무로 쌓은 모양을 보고 1층과 2층 모양을 각각 그려 보세요.

1
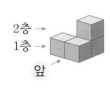
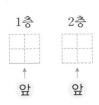

2
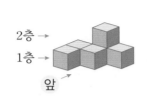

3
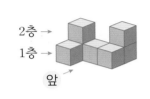
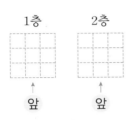

4
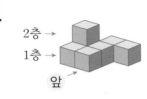

[5~8] 쌓기나무로 쌓은 모양과 1층 모양을 보고 2층과 3층 모양을 각각 그려 보세요.

5
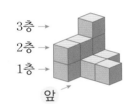
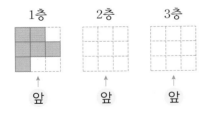

6
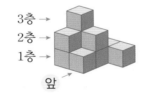
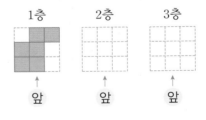

7
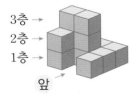
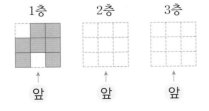

8
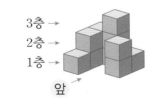
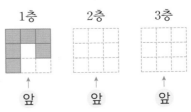

기초력 학습지 18

층별로 나타낸 모양을 보고 쌓기나무의
개수 알아보기

진도북 065쪽

● 정답 42쪽

[1~8] 쌓기나무로 쌓은 모양을 층별로 나타낸 모양입니다. 위에서 본 모양에 수를 쓰는 방법으로 나타내어
보고, 똑같은 모양으로 쌓는 데 필요한 쌓기나무의 개수를 구하세요.

1

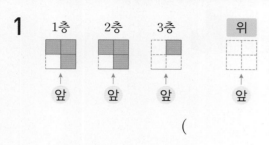

(   )

2

(   )

3

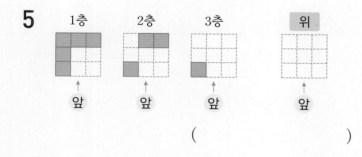

(   )

4

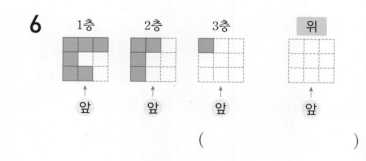

(   )

5

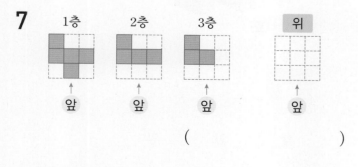

(   )

6

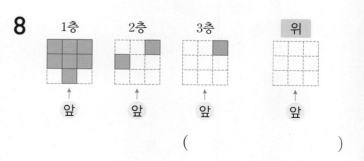

(   )

7

(   )

8

(   )

기초력 학습지 ⑲   간단한 자연수의 비로 나타내기

진도북 081쪽

● 정답 42쪽

[1~18] 간단한 자연수의 비로 나타내어 보세요.

1 $2 : 0.9$

2 $3 : 5.4$

3 $0.5 : 10$

4 $2.1 : 7$

5 $1.6 : 3$

6 $0.15 : 0.04$

7 $\dfrac{1}{7} : \dfrac{1}{3}$

8 $\dfrac{1}{4} : \dfrac{3}{8}$

9 $\dfrac{1}{2} : \dfrac{1}{3}$

10 $\dfrac{2}{5} : \dfrac{3}{4}$

11 $\dfrac{3}{4} : 1\dfrac{1}{2}$

12 $1\dfrac{1}{3} : \dfrac{1}{2}$

13 $0.2 : \dfrac{1}{4}$

14 $0.3 : \dfrac{2}{5}$

15 $0.5 : \dfrac{1}{7}$

16 $0.6 : \dfrac{5}{9}$

17 $1\dfrac{1}{4} : 2.5$

18 $2\dfrac{1}{7} : 1.5$

기초력 학습지 20 외항과 내항 / 비례식으로 나타내기

진도북 083쪽

● 정답 42쪽

[1~9] 외항에 △표, 내항에 ○표 하세요.

1 $3 : 5 = 6 : 10$

2 $2 : 7 = 8 : 28$

3 $8 : 3 = 24 : 9$

4 $4 : 9 = 12 : 27$

5 $2 : 11 = 10 : 55$

6 $1 : 4 = 6 : 24$

7 $4 : 5 = 24 : 30$

8 $7 : 4 = 35 : 20$

9 $5 : 6 = 40 : 48$

[10~15] 비율이 같은 두 비를 찾아 비례식으로 나타내어 보세요.

10 $1 : 2 \quad 3 : 5 \quad 4 : 8 \quad 8 : 15$

$\boxed{} : \boxed{} = \boxed{} : \boxed{}$

11 $2 : 5 \quad 6 : 7 \quad 12 : 14 \quad 16 : 35$

$\boxed{} : \boxed{} = \boxed{} : \boxed{}$

12 $5 : 8 \quad 7 : 3 \quad 14 : 9 \quad 15 : 24$

$\boxed{} : \boxed{} = \boxed{} : \boxed{}$

13 $2 : 9 \quad 4 : 18 \quad 9 : 5 \quad 18 : 20$

$\boxed{} : \boxed{} = \boxed{} : \boxed{}$

14 $4 : 11 \quad 8 : 7 \quad 12 : 33 \quad 16 : 21$

$\boxed{} : \boxed{} = \boxed{} : \boxed{}$

15 $6 : 1 \quad 3 : 5 \quad 12 : 4 \quad 15 : 25$

$\boxed{} : \boxed{} = \boxed{} : \boxed{}$

기초력 학습지 ㉑   비례식을 이용하여 비의 성질 나타내기

진도북 083쪽

●정답 42쪽

[1~12] 비례식을 이용하여 비의 성질을 나타내려고 합니다. □ 안에 알맞은 수를 써넣으세요.

1 $4 : 5 = 8 : \square$
(×□ 위, ×2 아래)

2 $3 : 7 = 9 : \square$
(×□ 위, ×3 아래)

3 $5 : 6 = 20 : \square$
(×□ 위, ×4 아래)

4 $15 : 7 = 75 : \square$
(×□ 위, ×□ 아래)

5 $12 : 13 = 48 : \square$
(×□ 위, ×□ 아래)

6 $20 : 11 = 100 : \square$
(×□ 위, ×□ 아래)

7 $8 : 12 = 2 : \square$
(÷□ 위, ÷4 아래)

8 $72 : 48 = 24 : \square$
(÷□ 위, ÷3 아래)

9 $60 : 15 = 4 : \square$
(÷□ 위, ÷15 아래)

10 $54 : 96 = 9 : \square$
(÷□ 위, ÷□ 아래)

11 $100 : 70 = 10 : \square$
(÷□ 위, ÷□ 아래)

12 $99 : 132 = 9 : \square$
(÷□ 위, ÷□ 아래)

기초력 학습지 22 비례식의 성질 이용하여 □ 안에 알맞은 수 써넣기

진도북 087쪽

● 정답 42쪽

[1~15] 비례식의 성질을 이용하여 □ 안에 알맞은 수를 써넣으세요.

1 $2 : 3 = 6 : \boxed{}$

2 $7 : 5 = 28 : \boxed{}$

3 $\boxed{} : 49 = 3 : 7$

4 $64 : \boxed{} = 4 : 1$

5 $5 : 8 = \boxed{} : 32$

6 $\boxed{} : 13 = 36 : 39$

7 $60 : 34 = 30 : \boxed{}$

8 $48 : 17 = 96 : \boxed{}$

9 $5 : 8 = 2.5 : \boxed{}$

10 $7 : 3.5 = 10 : \boxed{}$

11 $4.8 : 2 = \boxed{} : 5$

12 $4 : \boxed{} = 2 : 1.5$

13 $\dfrac{3}{4} : 7 = \boxed{} : 84$

14 $5 : \boxed{} = 30 : 4$

15 $1\dfrac{1}{3} : \boxed{} = 8 : 3$

기초력 학습지 ㉓   비례배분

진도북 089쪽

● 정답 42쪽

[1~4] 주어진 수를 1 : 2로 나누려고 합니다. □ 안에 알맞은 수를 써넣으세요.

1 ⬚ 9

$9 \times \dfrac{1}{\square} = \square$, $9 \times \dfrac{2}{\square} = \square$

2 ⬚ 42

$42 \times \dfrac{1}{\square} = \square$, $42 \times \dfrac{2}{\square} = \square$

3 ⬚ 75

$75 \times \dfrac{1}{\square} = \square$, $75 \times \dfrac{2}{\square} = \square$

4 ⬚ 108

$108 \times \dfrac{1}{\square} = \square$, $108 \times \dfrac{2}{\square} = \square$

[5~12] ⬚ 안의 수를 주어진 비로 비례배분한 값을 [,] 안에 써넣으세요.

5 20   3 : 2 → [,   ]

6 35   4 : 3 → [,   ]

7 45   5 : 4 → [,   ]

8 84   2 : 5 → [,   ]

9 121   6 : 5 → [,   ]

10 180   4 : 1 → [,   ]

11 200   7 : 3 → [,   ]

12 320   3 : 5 → [,   ]

기초력 학습지 24   원주 구하기

진도북 107쪽

● 정답 43쪽

[1~6] 지름을 보고 원주를 구하세요. (원주율: 3.14)

1

( )

2

( )

3

( )

4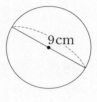

( )

5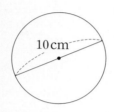

( )

6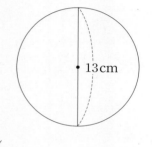

( )

[7~12] 반지름을 보고 원주를 구하세요. (원주율: 3.1)

7

( )

8

( )

9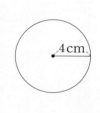

( )

10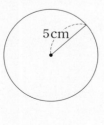

( )

11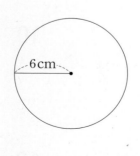

( )

12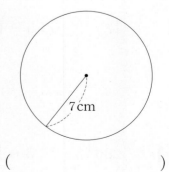

( )

기초력 학습지 ㉕   원의 지름, 반지름 구하기

진도북 107쪽

● 정답 43쪽

[1~4] 원주를 보고 지름을 구하세요. (원주율: 3.14)

1 원주: 31.4 cm

(   )

2 원주: 37.68 cm

(   )

3 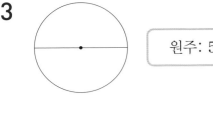 원주: 59.66 cm

(   )

4 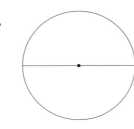 원주: 72.22 cm

(   )

[5~8] 원주를 보고 반지름을 구하세요. (원주율: 3.1)

5 원주: 24.8 cm

(   )

6 원주: 43.4 cm

(   )

7 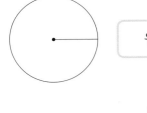 원주: 55.8 cm

(   )

8 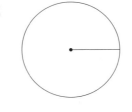 원주: 62 cm

(   )

기초력 학습지 26 원의 넓이 구하기

● 정답 43쪽

[1~6] 원의 넓이는 몇 cm²인지 구하세요. (원주율: 3.14)

1

(   )

2

(   )

3

(   )

4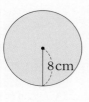

(   )

5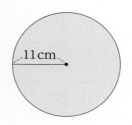

(   )

6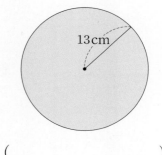

(   )

[7~12] 원의 넓이는 몇 cm²인지 구하세요. (원주율: 3.1)

7

(   )

8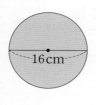

(   )

9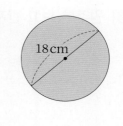

(   )

10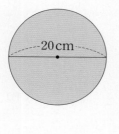

(   )

11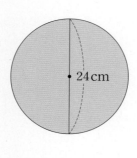

(   )

12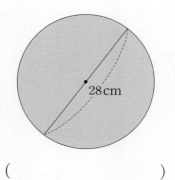

(   )

기초력 학습지 ㉗ 여러 가지 원의 넓이 구하기

진도북 115쪽

● 정답 43쪽

[1~12] 색칠한 부분의 넓이는 몇 cm^2인지 구하세요. (원주율: 3.1)

1
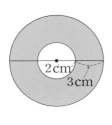
(   )

2
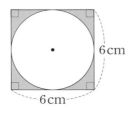
(   )

3
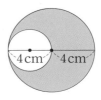
(   )

4
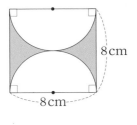
(   )

5
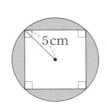
(   )

6
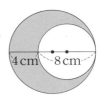
(   )

7
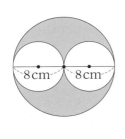
(   )

8
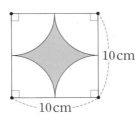
(   )

9
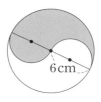
(   )

10
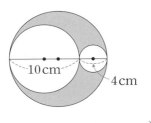
(   )

11
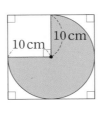
(   )

12
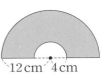
(   )

기초력 학습지 28 　원기둥

진도북 129쪽

● 정답 43쪽

[1~4] 원기둥의 밑면의 반지름과 높이를 각각 구하세요.

1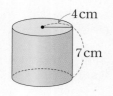

밑면의 반지름 (　　　　　　)

높이 (　　　　　　)

2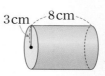

밑면의 반지름 (　　　　　　)

높이 (　　　　　　)

3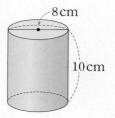

밑면의 반지름 (　　　　　　)

높이 (　　　　　　)

4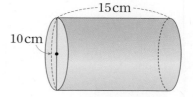

밑면의 반지름 (　　　　　　)

높이 (　　　　　　)

[5~8] 원기둥의 높이를 자로 재어 보세요.

5

(　　　　　　)

6

(　　　　　　)

7

(　　　　　　)

8

(　　　　　　)

기초력 학습지 29 원기둥의 전개도

●정답 43쪽

[1~6] 원기둥의 전개도이면 ○표, 원기둥의 전개도가 아니면 ×표 하세요.

1
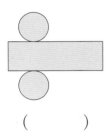
(   )

2
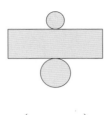
(   )

3
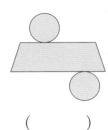
(   )

4

(   )

5
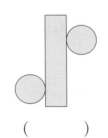
(   )

6
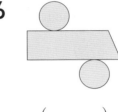
(   )

학습지

6
단원

[7~10] 원기둥과 원기둥의 전개도를 보고 □ 안에 알맞은 수를 써넣으세요. (원주율: 3.14)

7
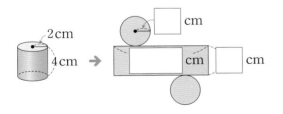

8
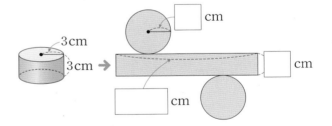

9
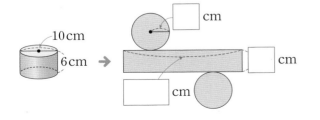

10
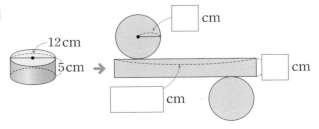

기초력 학습지 30 원뿔

진도북 135쪽

●정답 43쪽

[1~4] 원뿔에서 밑면의 반지름과 높이를 각각 구하세요.

1
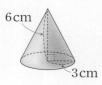

밑면의 반지름 (　　　　　　　)

높이 (　　　　　　　)

2

밑면의 반지름 (　　　　　　　)

높이 (　　　　　　　)

3
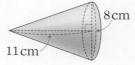

밑면의 반지름 (　　　　　　)

높이 (　　　　　　)

4
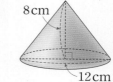

밑면의 반지름 (　　　　　　)

높이 (　　　　　　)

[5~8] 원뿔에서 모선의 길이와 높이의 차를 구하세요.

5

(　　　　　　)

6
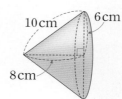

(　　　　　　)

7
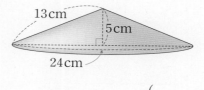

(　　　　　　)

8
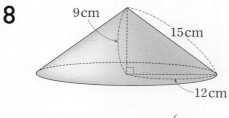

(　　　　　　)

미리 보는 수학 익힘

분모가 같은 (분수)÷(분수)(1)

● 정답 44쪽

1 그림을 보고 $\frac{3}{4} \div \frac{1}{4}$ 의 몫을 구하세요.

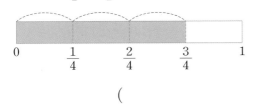

(   )

2 ☐ 안에 알맞은 수를 써넣으세요.

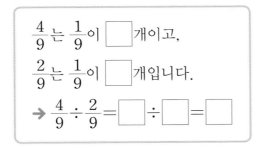

$\frac{4}{9}$ 는 $\frac{1}{9}$ 이 ☐ 개이고,

$\frac{2}{9}$ 는 $\frac{1}{9}$ 이 ☐ 개입니다.

➔ $\frac{4}{9} \div \frac{2}{9} = $ ☐ $\div$ ☐ $=$ ☐

3 계산해 보세요.

(1) $\frac{5}{8} \div \frac{1}{8}$

(2) $\frac{6}{7} \div \frac{3}{7}$

(3) $\frac{8}{9} \div \frac{2}{9}$

(4) $\frac{12}{13} \div \frac{4}{13}$

4 큰 수를 작은 수로 나눈 몫을 빈 곳에 써넣으세요.

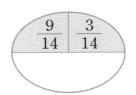

5 녹차 $\frac{10}{11}$ L를 한 병에 $\frac{2}{11}$ L씩 똑같이 나누어 담으려고 합니다. 몇 개의 병에 나누어 담을 수 있는지 구하세요.

식 _____

답 _____

6 그림에 알맞은 진분수끼리의 나눗셈식을 만들고, 답을 구하세요.

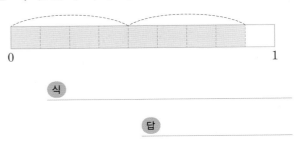

식 _____

답 _____

미리 보는 수학 익힘

분모가 같은 (분수)÷(분수)(2)

진도북 022쪽

● 정답 44쪽

1 그림을 보고 □ 안에 알맞은 수를 써넣으세요.

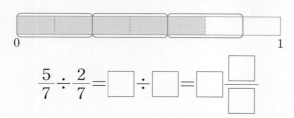

$$\frac{5}{7} \div \frac{2}{7} = \boxed{} \div \boxed{} = \boxed{} \frac{\boxed{}}{\boxed{}}$$

2 보기와 같은 방법으로 계산해 보세요.

보기

$$\frac{9}{12} \div \frac{5}{12} = 9 \div 5 = \frac{9}{5} = 1\frac{4}{5}$$

$$\frac{11}{15} \div \frac{8}{15}$$

3 관계있는 것끼리 이어 보세요.

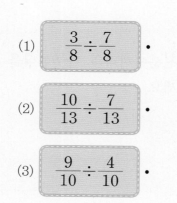

(1) $\dfrac{3}{8} \div \dfrac{7}{8}$ •

(2) $\dfrac{10}{13} \div \dfrac{7}{13}$ •

(3) $\dfrac{9}{10} \div \dfrac{4}{10}$ •

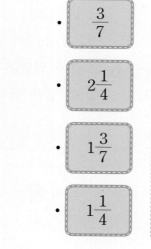

• $\dfrac{3}{7}$

• $2\dfrac{1}{4}$

• $1\dfrac{3}{7}$

• $1\dfrac{1}{4}$

4 계산 결과를 비교하여 ○ 안에 >, =, <를 알맞게 써넣으세요.

$$\frac{5}{9} \div \frac{4}{9} \bigcirc \frac{5}{11} \div \frac{4}{11}$$

5 식혜를 민채는 $\dfrac{5}{8}$ L, 동혁이는 $\dfrac{3}{8}$ L 마셨습니다. 민채가 마신 식혜의 양은 동혁이가 마신 식혜의 양의 몇 배인지 구하세요.

식

답

6 조건을 만족하는 분수의 나눗셈식을 쓰세요.

조건
• 분모가 8보다 작은 진분수의 나눗셈입니다.
• 분자끼리 나눈 식은 6÷5입니다.
• 두 분수의 분모는 같습니다.

식

미리 보는 수학 익힘

분모가 다른 (분수)÷(분수)

진도북 022쪽

● 정답 44쪽

1 그림을 보고 □ 안에 알맞은 수를 써넣으세요.

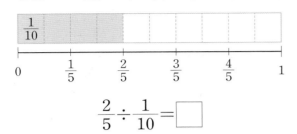

$$\frac{2}{5} \div \frac{1}{10} = \boxed{}$$

2 □ 안에 알맞은 수를 써넣으세요.

$$\frac{2}{3} \div \frac{3}{5} = \frac{\boxed{}}{15} \div \frac{\boxed{}}{15}$$

$$= \boxed{} \div \boxed{} = \frac{\boxed{}}{\boxed{}} = \boxed{}$$

3 계산해 보세요.

(1) $\dfrac{2}{5} \div \dfrac{2}{15}$

(2) $\dfrac{5}{6} \div \dfrac{3}{8}$

(3) $\dfrac{7}{8} \div \dfrac{3}{20}$

4 빈칸에 알맞은 수를 써넣으세요.

÷		
$\frac{5}{8}$	$\frac{1}{4}$	
$\frac{3}{4}$	$\frac{5}{9}$	

5 □ 안에 알맞은 수를 써넣으세요.

$$\boxed{} \times \frac{3}{14} = \frac{6}{7}$$

6 케이크 한 개 중에서 선경이는 $\frac{1}{6}$ 을 먹었고, 이수는 $\frac{4}{9}$ 를 먹었습니다. 이수가 먹은 케이크의 양은 선경이가 먹은 케이크의 양의 몇 배인지 구하세요.

식

답

수학 익힘

1 단원

미리 보는 **수학 익힘** (자연수)÷(분수)

진도북 023쪽

● 정답 45쪽

[1~2] 무게가 6 kg이고, 길이가 $\frac{2}{3}$ m인 쇠막대가 있습니다. 이 쇠막대 1 m의 무게를 구하세요.

1 다음은 쇠막대 1 m의 무게를 구하는 과정입니다. □ 안에 알맞은 수를 써넣으세요.

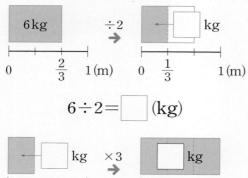

$$6 \div 2 = \boxed{} \text{ (kg)}$$

$$\boxed{} \times \boxed{} = \boxed{} \text{ (kg)}$$

2 쇠막대 1 m의 무게를 구하는 식입니다. □ 안에 알맞은 수를 써넣으세요.

$$6 \div \frac{2}{3} = (6 \div \boxed{}) \times \boxed{} = \boxed{}$$

3 계산해 보세요.

(1) $4 \div \frac{4}{5}$

(2) $12 \div \frac{6}{7}$

4 계산 결과가 큰 것부터 순서대로 기호를 쓰세요.

| ㉠ $8 \div \frac{2}{5}$ | ㉡ $9 \div \frac{3}{7}$ | ㉢ $14 \div \frac{7}{8}$ |

(   )

5 들이가 3 L인 물통에 $\frac{3}{4}$ L들이의 컵으로 물을 부으려고 합니다. 물통을 가득 채우려면 이 컵으로 몇 번 부어야 하는지 구하세요.

식 _____

답 _____

6 길이가 5 m인 천을 $\frac{5}{6}$ m씩 잘라 리본을 만들려고 합니다. 리본은 몇 개 만들 수 있는지 구하세요.

식 _____

답 _____

미리 보는 수학 익힘 　(분수)÷(분수)를 (분수)×(분수)로 나타내기　진도북 023쪽

●정답 45쪽

[1~2] 지혜는 $\dfrac{5}{7}$ km를 걸어가는 데 $\dfrac{2}{3}$ 시간이 걸립니다. 지혜가 같은 빠르기로 1시간 동안 걸을 수 있는 거리를 구하세요.

1 1시간 동안 걸을 수 있는 거리를 구하는 과정입니다. □ 안에 알맞은 수를 써넣으세요.

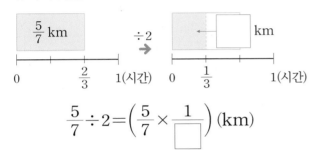

$$\frac{5}{7} \div 2 = \left(\frac{5}{7} \times \frac{1}{\square} \right) \text{(km)}$$

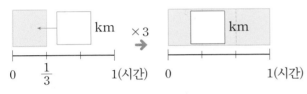

$$\frac{5}{7} \times \frac{1}{\square} \times \square = \frac{\square}{\square} = \square\frac{\square}{\square} \text{(km)}$$

2 □ 안에 알맞은 수를 써넣어 곱셈식으로 나타내어 보세요.

$$\frac{5}{7} \div \frac{2}{3} = \frac{5}{7} \times \frac{1}{\square} \times \square = \frac{5}{7} \times \frac{\square}{\square}$$

3 나눗셈식을 곱셈식으로 나타내어 계산해 보세요.

(1) $\dfrac{5}{9} \div \dfrac{3}{4}$

(2) $\dfrac{2}{3} \div \dfrac{5}{8}$

4 빈칸에 알맞은 수를 써넣으세요.

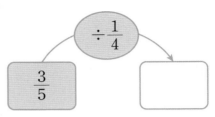

5 넓이가 $\dfrac{9}{10}$ m²인 직사각형이 있습니다. 세로가 $\dfrac{4}{7}$ m일 때 가로는 몇 m인가요?

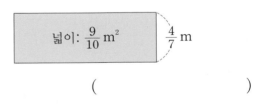

(　　　　　　　　　)

6 고무관 $\dfrac{7}{8}$ m의 무게가 $\dfrac{2}{9}$ kg입니다. 고무관 1 m의 무게를 구하세요.

식 _____

답 _____

미리 보는 수학 익힘 (분수)÷(분수)를 계산하기

● 정답 46쪽

1 $\dfrac{5}{9} \div \dfrac{8}{9}$을 두 가지 방법으로 계산하려고 합니다. □ 안에 알맞은 수를 써넣으세요.

방법 1 $\dfrac{5}{9} \div \dfrac{8}{9} = \boxed{} \div \boxed{} = \dfrac{\boxed{}}{\boxed{}}$

방법 2 $\dfrac{5}{9} \div \dfrac{8}{9} = \dfrac{5}{9} \times \dfrac{\boxed{}}{\boxed{}} = \dfrac{\boxed{}}{\boxed{}}$

2 $3\dfrac{1}{4} \div \dfrac{2}{3}$를 두 가지 방법으로 계산해 보세요.

방법 1

방법 2

3 계산 결과를 찾아 이어 보세요.

(1) $1\dfrac{2}{5} \div \dfrac{3}{4}$ •

(2) $\dfrac{4}{3} \div \dfrac{5}{6}$ •

• $1\dfrac{8}{15}$

• $1\dfrac{9}{15}$

• $1\dfrac{13}{15}$

4 도넛 한 개를 만드는 데 밀가루 $\dfrac{4}{9}$컵이 필요합니다. 밀가루 $6\dfrac{2}{3}$컵으로 만들 수 있는 도넛은 몇 개인지 구하세요.

식

답

5 휘발유 $\dfrac{3}{5}$ L로 $7\dfrac{1}{2}$ km를 가는 자동차가 있습니다. 이 자동차는 휘발유 1 L로 몇 km를 갈 수 있는지 구하세요.

식

답

6 고춧가루 $\dfrac{7}{4}$ kg의 가격이 35000원입니다. 고춧가루 1 kg의 가격은 얼마인지 구하세요.

식

답

미리 보는 수학 익힘

자연수의 나눗셈을 이용한 (소수)÷(소수)

진도북 046쪽

●정답 46쪽

1 음료수 1.2 L를 0.3 L씩 컵에 나누어 담으려고 합니다. 그림을 0.3 L씩 나누어 보고, 컵이 몇 개 필요한지 구하세요.

(   )

[2~3] 설명을 읽고 □ 안에 알맞은 수를 써넣으세요.

2

> 끈 20.5 cm를 0.5 cm씩 자르는 것은 끈 ☐ mm를 5 mm씩 자르는 것과 같습니다.

$$20.5 \div 0.5 = \boxed{} \div 5$$

$$\boxed{} \div 5 = \boxed{}$$

$$20.5 \div 0.5 = \boxed{}$$

3

> 철사 6.24 m를 0.06 m씩 자르는 것은 철사 ☐ cm를 6 cm씩 자르는 것과 같습니다.

$$6.24 \div 0.06 = \boxed{} \div 6$$

$$\boxed{} \div 6 = \boxed{}$$

$$6.24 \div 0.06 = \boxed{}$$

4 자연수의 나눗셈을 이용하여 소수의 나눗셈을 계산해 보세요.

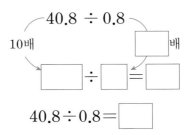

$$40.8 \div 0.8 = \boxed{}$$

5 길이가 2.84 m인 색 테이프를 0.02 m씩 잘랐습니다. 자른 색 테이프 조각은 몇 개인지 구하세요.

(   )

6 조건 을 만족하는 나눗셈식을 찾아 계산해 보세요.

> **조건**
> • 963÷3을 이용하여 풀 수 있습니다.
> • 나누는 수와 나누어지는 수를 각각 10배 한 식은 963÷3입니다.

식 _____

수학 익힘

2 단원

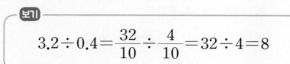

미리 보는 수학 익힘 | 자릿수가 같은 (소수)÷(소수)

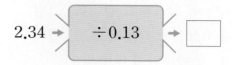

진도북 046쪽

● 정답 46쪽

1 보기와 같은 방법으로 계산해 보세요.

보기
$$3.2 \div 0.4 = \frac{32}{10} \div \frac{4}{10} = 32 \div 4 = 8$$

$5.7 \div 0.3$

2 □ 안에 알맞은 수를 써넣으세요.

(1) $3.78 \div 0.27 = 378 \div \boxed{} = \boxed{}$

(2) $7.84 \div 0.49 = \boxed{} \div 49 = \boxed{}$

3 계산해 보세요.

(1)
$$0.5\overline{)4.5}$$

(2)
$$0.8\overline{)9.6}$$

(3)
$$0.1\,8\overline{)1.2\,6}$$

(4)
$$0.5\,6\overline{)7.2\,8}$$

4 □ 안에 알맞은 수를 써넣으세요.

$2.34 \rightarrow \boxed{\div 0.13} \rightarrow \boxed{}$

5 물 15.3 L가 있습니다. 물을 물통 한 개에 0.9 L씩 담는다면 물통 몇 개가 필요한가요?

식

답

6 $3.78 \div 0.14$를 계산한 후, 알맞은 말에 ○표 하세요.

$$0.1\,4\overline{)3.7\,8}$$

➜ 나누는 수와 나누어지는 수의 소수점을 각각 (왼쪽 , 오른쪽)으로 두 자리씩 옮겨서 계산합니다.

미리 보는 **수학 익힘**

자릿수가 다른 (소수)÷(소수)

진도북 046쪽

●정답 47쪽

1 □ 안에 알맞은 수를 써넣으세요.

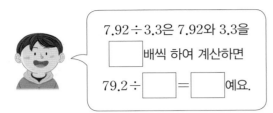

7.92÷3.3은 7.92와 3.3을 □ 배씩 하여 계산하면

79.2÷□ = □ 예요.

2 계산해 보세요.

(1)
$$1.2 \overline{)4.3\ 2}$$

(2)
$$2.7 \overline{)6.4\ 8}$$

(3)
$$3.9 \overline{)8.9\ 7}$$

(4)
$$4.6 \overline{)9.6\ 6}$$

3 빈칸에 알맞은 수를 써넣으세요.

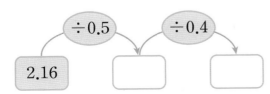

2.16 →(÷0.5)→ [ ] →(÷0.4)→ [ ]

4 계산 결과를 비교하여 ○ 안에 >, =, <를 알맞게 써넣으세요.

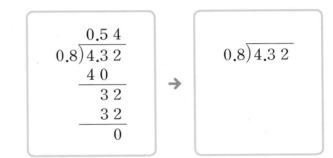

2.07÷0.9 ○ 6.45÷1.5

5 잘못 계산한 곳을 찾아 바르게 계산해 보세요.

```
        0.5 4
0.8 ) 4.3 2
        4 0
        ─────
          3 2
          3 2
        ─────
            0
```
→
```
0.8 ) 4.3 2
```

6 집에서 해수욕장까지의 거리는 8.64 km이고, 집에서 놀이공원까지의 거리는 3.6 km입니다. 집에서 해수욕장까지의 거리는 집에서 놀이공원까지의 거리의 몇 배인지 구하세요.

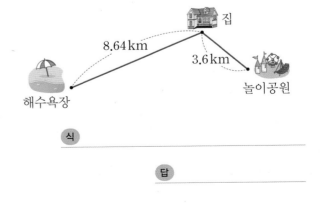

8.64 km

3.6 km

집

해수욕장

놀이공원

식 _____

답 _____

미리 보는 수학 익힘 (자연수)÷(소수)

진도북 047쪽

● 정답 47쪽

1 보기와 같은 방법으로 계산해 보세요.

보기

$$28 \div 1.4 = \frac{280}{10} \div \frac{14}{10} = 280 \div 14 = 20$$

(1) $48 \div 0.6$

(2) $14 \div 0.35$

2 □ 안에 알맞은 수를 써넣으세요.

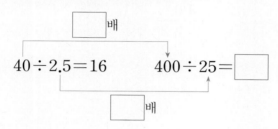

3 계산해 보세요.

(1)
$$4.8 \overline{)2\,4}$$

(2)
$$6.5 \overline{)9\,1}$$

(3)
$$0.6\,4 \overline{)1\,6}$$

(4)
$$1.2\,5 \overline{)2\,0}$$

4 □ 안에 알맞은 수를 써넣으세요.

$$3.06 \div 0.09 = \boxed{}$$

$$30.6 \div 0.09 = \boxed{}$$

$$306 \div 0.09 = \boxed{}$$

5 소수의 나눗셈을 바르게 계산한 사람의 이름을 쓰세요.

나연: $37 \div 0.5 = \frac{370}{10} \div \frac{5}{10}$
$\qquad\qquad = 370 \div 5 = 74$

영우: $60 \div 0.75 = \frac{600}{100} \div \frac{75}{100}$
$\qquad\qquad = 600 \div 75 = 8$

(   )

6 빵 1개를 만드는 데 소금 3.5 g이 필요합니다. 소금 21 g으로 빵을 몇 개 만들 수 있는지 두 가지 방법으로 구하세요.

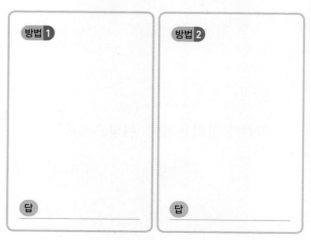

방법 1

방법 2

답 _____

답 _____

미리 보는 수학 익힘   몫을 반올림하여 나타내기

● 정답 48쪽

1 17÷7의 몫을 소수 셋째 자리까지 계산해 보고, 몫을 반올림하여 자연수로 나타내어 보세요.

(   )

2 15÷9의 몫을 반올림하여 나타내어 보세요.

(1) 15÷9의 몫을 반올림하여 자연수로 나타내어 보세요.

(   )

(2) 15÷9의 몫을 반올림하여 소수 둘째 자리까지 나타내어 보세요.

(   )

3 몫을 반올림하여 소수 첫째 자리까지 나타내어 보세요.

(1)
$$9\overline{)3.4}$$

(2)
$$3\overline{)22.6}$$

4 계산 결과를 비교하여 ○ 안에 >, =, <를 알맞게 써넣으세요.

59÷6의 몫을 반올림하여 자연수로 나타낸 수   ○   59÷6

5 번개가 친 곳에서 21 km 떨어진 곳에서는 번개가 친 지 약 1분 뒤에 천둥소리를 들을 수 있습니다. 번개가 친 곳에서 90 km 떨어진 곳에서는 번개가 친 지 몇 분 뒤에 천둥소리를 들을 수 있는지 반올림하여 소수 첫째 자리까지 나타내어 보세요.

식 _____

답 _____

6 보기와 같이 몫을 반올림하여 나타내야 하는 식을 쓰고, 몫을 반올림하여 소수 둘째 자리까지 나타내어 보세요.

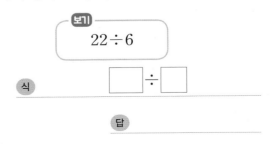

보기
22÷6

식   □ ÷ □

답 _____

미리 보는 **수학 익힘**   나누어 주고 남는 양 알아보기

진도북 048쪽

● 정답 48쪽

[1~4] 귤 20.7 kg을 한 봉지에 4 kg씩 나누어 담으려고 합니다. 나누어 담을 수 있는 봉지 수와 남는 귤은 몇 kg인지 알기 위해 다음과 같이 계산했습니다. 물음에 답하세요.

$$20.7-4-4-4-4-4=\boxed{}$$

1 ☐ 안에 알맞은 수를 구하세요.

(   )

2 계산식을 보고 몇 봉지에 나누어 담을 수 있는지 구하세요.

(   )

3 계산식을 보고 나누어 담고 남는 귤은 몇 kg인지 구하세요.

(   )

4 나누어 담을 수 있는 봉지 수와 남는 귤의 양을 알아보기 위해 다음과 같이 계산했습니다. ☐ 안에 알맞은 수를 써넣으세요.

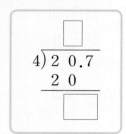

나누어 담을 수 있는 봉지 수: ☐ 봉지

남는 귤의 양: ☐ kg

5 감 19.2 kg을 한 사람당 3 kg씩 나누어 줄 때 나누어 줄 수 있는 사람 수와 남는 감은 몇 kg인지 알아보기 위해 다음과 같이 계산했습니다. 잘못 계산한 곳을 찾아 바르게 계산하고, 잘못된 이유를 쓰세요.

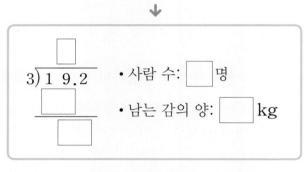

・사람 수: 6명
・남는 감의 양: 0.4 kg

↓

・사람 수: ☐ 명
・남는 감의 양: ☐ kg

이유 몫을 ☐ 까지만 계산해야 합니다.

6 끈 15.6 m를 한 사람에게 4 m씩 나누어 주려고 합니다. 몇 명에게 나누어 줄 수 있고, 남는 끈의 길이는 몇 m인지 구하세요.

사람 수 (   )

남는 끈의 길이 (   )

미리 보는 **수학 익힘** | 어느 방향에서 보았는지 알아보기

진도북 070쪽

●정답 49쪽

1 배를 타고 여러 방향에서 사진을 찍었습니다. 각 사진은 어느 배에서 찍은 것인지 찾아 번호를 쓰세요.

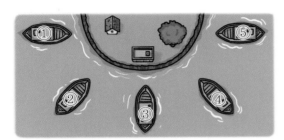

(   )

(   )

(   )

2 보기와 같이 컵을 놓았을 때 볼 수 <u>없는</u> 사진을 찾아 기호를 쓰세요.

(   )

3 현서는 공원에 있는 조형물 사진을 찍었습니다. 각 사진을 찍은 위치를 찾아 기호를 쓰세요.

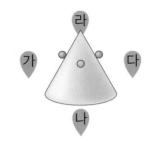

(   )

(   )

(   )

4 다음과 같이 촬영을 하고 있습니다. 각 장면을 촬영하고 있는 카메라를 찾아 ☐ 안에 번호를 써넣으세요.

☐번 카메라   ☐번 카메라   ☐번 카메라

미리 보는 **수학 익힘**

쌓은 모양과 쌓기나무의 개수 알아보기(1)

● 정답 49쪽

1 쌓기나무를 오른쪽과 같은 모 양으로 쌓았습니다. 쌓은 모양 을 위에서 본 모양을 찾아 기 호를 쓰세요.

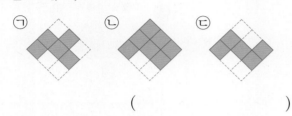

( )

2 쌓기나무로 쌓은 모양을 보고 위에서 본 모양 을 그렸습니다. 관계있는 것끼리 이어 보세요.

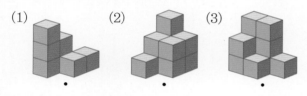

3 주어진 모양과 똑같이 쌓는 데 필요한 쌓기나 무의 개수를 구하세요.

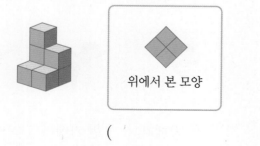

위에서 본 모양

( )

4 쌓기나무로 쌓은 모양입니다. 위에서 본 모양 을 그려 보세요.

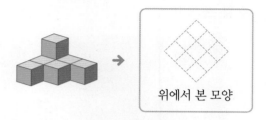

위에서 본 모양

5 오른쪽 모양을 위에서 내려다 보면 어떤 모양인지 찾아 기 호를 쓰세요.

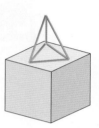

가

나

다

라

( )

6 쌓기나무를 이용하여 진열대를 만들었습니 다. 진열대를 만드는 데 사용한 쌓기나무의 개수를 구하세요.

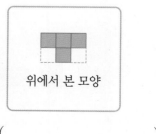

위에서 본 모양

( )

미리 보는 **수학 익힘** 쌓은 모양과 쌓기나무의 개수 알아보기(2)

진도북 071쪽

● 정답 49쪽

1 쌓기나무로 쌓은 모양과 이를 위에서 본 모양입니다. 앞과 옆에서 본 모양을 각각 그려 보세요.

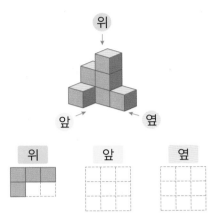

2 쌓기나무로 쌓은 모양을 위, 앞, 옆에서 본 모양입니다. 똑같은 모양으로 쌓는 데 필요한 쌓기나무의 개수를 구하세요.

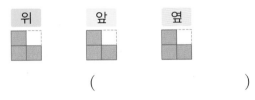

( )

3 쌓기나무 7개로 쌓은 모양을 위와 앞에서 본 모양입니다. 옆에서 본 모양을 그려 보세요.

4 쌓기나무로 쌓은 모양을 위, 앞, 옆에서 본 모양입니다. 가능한 모양을 찾아 기호를 쓰세요.

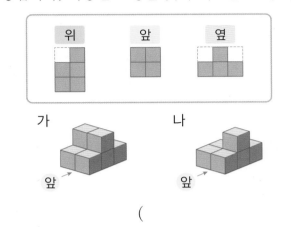

( )

5 쌓기나무를 붙여서 만든 모양을 구멍이 있는 상자 ㉠, ㉡에 넣으려고 합니다. 각 모양을 넣을 수 있는 상자를 모두 찾아 기호를 쓰세요.

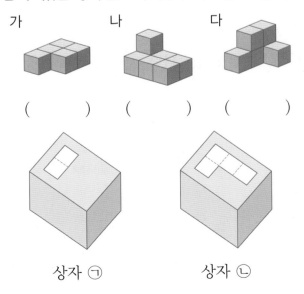

미리 보는 **수학 익힘**

쌓은 모양과 쌓기나무의 개수 알아보기(3)

● 정답 50쪽

1 쌓기나무로 쌓은 모양을 보고 위에서 본 모양에 수를 쓰세요.

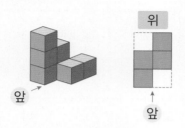

2 쌓기나무로 쌓은 모양을 보고 위에서 본 모양에 수를 썼습니다. 쌓은 모양을 앞에서 본 모양을 그려 보세요.

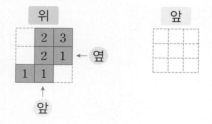

3 쌓기나무로 쌓은 모양을 보고 위에서 본 모양에 수를 썼습니다. 관계있는 것끼리 이어 보세요.

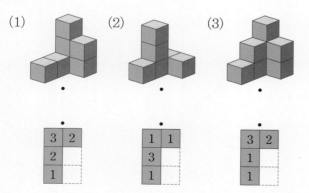

4 쌓기나무로 쌓은 모양을 위, 앞, 옆에서 본 모양입니다. 똑같은 모양으로 쌓는 데 필요한 쌓기나무의 개수를 구하세요.

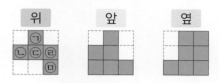

(1) ㉡, ㉣, ㉤에 쌓인 쌓기나무는 각각 몇 개인가요?

ㄴ (   )

ㄹ (   )

ㅁ (   )

(2) ㉠과 ㉢에 쌓인 쌓기나무는 몇 개인가요?

ㄱ (   )

ㄷ (   )

(3) 똑같은 모양으로 쌓는 데 필요한 쌓기나무는 몇 개인가요?

(   )

5 쌓기나무를 7개씩 사용하여 **조건** 을 만족하도록 쌓았을 때 위에서 본 모양에 수를 쓰는 방법으로 나타내어 보세요.

조건

• 가와 나의 쌓은 모양은 서로 다릅니다.

• 위에서 본 모양이 서로 같습니다.

• 앞에서 본 모양이 서로 같습니다.

• 옆에서 본 모양이 서로 같습니다.

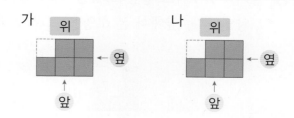

미리 보는 **수학 익힘**

쌓은 모양과 쌓기나무의 개수 알아보기(4)

진도북 071쪽

● 정답 50쪽

1 쌓기나무로 쌓은 모양을 보고 1층과 2층 모양을 각각 그려 보세요.

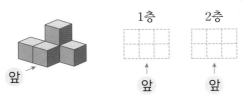

2 오른쪽 쌓기나무로 쌓은 모양과 1층 모양을 보고 2층과 3층 모양을 각각 그려 보세요.

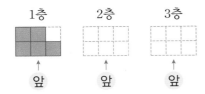

3 쌓기나무로 쌓은 모양을 층별로 나타낸 모양을 보고 쌓은 모양을 찾아 기호를 쓰세요.

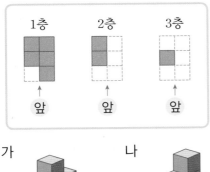

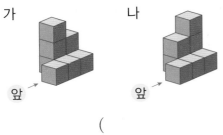

( )

4 쌓기나무로 쌓은 모양을 층별로 나타낸 모양입니다. 위에서 본 모양에 수를 쓰는 방법으로 나타내고, 똑같은 모양으로 쌓는 데 필요한 쌓기나무의 개수를 구하세요.

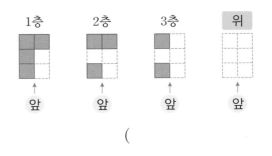

( )

5 쌓기나무로 쌓은 모양을 층별로 나타낸 모양입니다. 앞에서 본 모양을 그려 보고, 똑같은 모양으로 쌓는 데 필요한 쌓기나무의 개수를 구하세요.

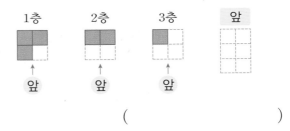

( )

6 1층 모양을 보고 그 위에 쌓을 수 있는 2층과 3층으로 알맞은 모양을 각각 찾아 기호를 쓰세요.

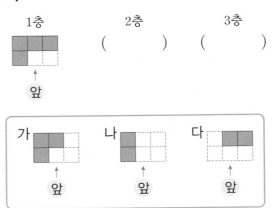

2층 ( ) 3층 ( )

미리 보는 **수학 익힘**   여러 가지 모양 만들기

진도북 072쪽

●정답 50쪽

1 쌓기나무 4개로 만든 모양입니다. 모양이 <u>다른</u> 하나를 찾아 기호를 쓰세요.

가   나   다

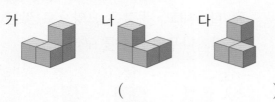

(   )

2 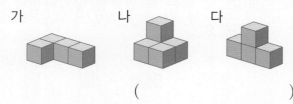 모양에 쌓기나무 1개를 붙여서 만들 수 있는 모양이 <u>아닌</u> 것을 찾아 기호를 쓰세요.

가   나   다

(   )

3 쌓기나무 5개로 만든 모양입니다. 서로 같은 모양을 찾아보세요.

가   나   다

라   마   바

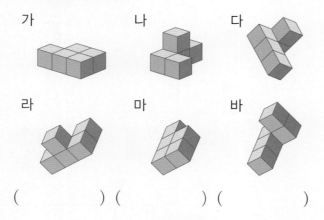

(   ) (   ) (   )

4 가, 나, 다 모양 중에서 두 가지 모양을 사용하여 새로운 모양 2개를 만들었습니다. 사용한 두 가지 모양을 찾아 기호를 쓰세요.

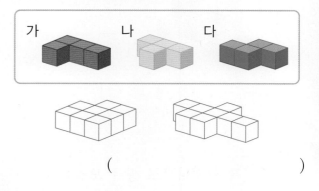

(   )

5 쌓기나무를 4개씩 붙여서 만든 두 가지 모양을 사용하여 아래의 모양 2개를 만들었습니다. 어떻게 만들었는지 구분하여 색칠해 보세요.

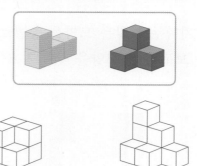

미리 보는 **수학 익힘** · 비의 성질

● 정답 51쪽

1 전항에 △표, 후항에 ○표 하세요.

| 4 : 5 | 11 : 16 |
| 7 : 12 | 10 : 3 |

2 비의 성질을 이용하여 비율이 같은 비를 찾아 이어 보세요.

(1) 5 : 7 •   • 3 : 2

(2) 1 : 2 •   • 20 : 28

(3) 24 : 16 •   • 6 : 12

3 비의 성질을 이용하여 24 : 18과 비율이 같은 비를 2개 쓰세요.

(   )

4 가 건물은 높이가 14 m이고, 나 건물은 높이가 16 m입니다. 소미의 말이 옳은지 알아보고, 그 이유를 쓰세요.

가 건물과 나 건물의 높이의 비는 7 : 8이야.

소미

답 _____

이유 □ : □ 의 전항과 후항을 각각

□ 로 나누면 7 : 8이기 때문입니다.

5 가로와 세로의 비가 4 : 3과 비율이 같은 액자를 모두 찾아 기호를 쓰세요.

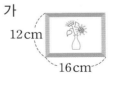

가
12cm
16cm

나
15cm
24cm

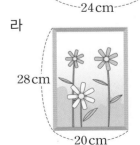

다
9cm
12cm

라
28cm
20cm

(   )

미리 보는 **수학 익힘** 　간단한 자연수의 비로 나타내기

진도북 092쪽

● 정답 51쪽

1 □ 안에 알맞은 수를 써넣어 간단한 자연수의 비로 나타내어 보세요.

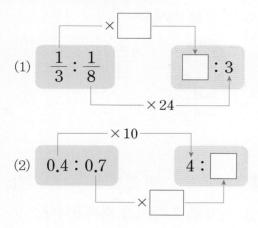

(1) $\dfrac{1}{3} : \dfrac{1}{8}$ 　×□　 □ : 3 　×24

(2) 0.4 : 0.7 　×10　 4 : □ 　×□

2 간단한 자연수의 비로 나타내어 보세요.

⑴ 0.8 : 1.5

⑵ 45 : 54

⑶ $\dfrac{3}{8} : \dfrac{1}{6}$

⑷ 0.3 : $\dfrac{5}{9}$

3 민채와 예지가 같은 책을 1시간 동안 읽었는데 민채는 전체의 $\dfrac{1}{4}$, 예지는 전체의 $\dfrac{1}{5}$을 읽었습니다. 민채와 예지가 각각 1시간 동안 읽은 책의 양을 간단한 자연수의 비로 나타내어 보세요.

(　　　　　)

4 $1\dfrac{1}{2}$: 1.4를 간단한 자연수의 비로 나타내려고 합니다. 각각의 방법으로 나타내어 보세요.

> 방법 **1** 전항을 소수로 바꾸어 나타내기
>
>
>

> 방법 **2** 후항을 분수로 바꾸어 나타내기
>
>
>

5 동욱이와 수경이는 꿀물을 만들었습니다. 두 사람이 꿀물을 만들 때 사용한 꿀양과 물양의 비를 간단한 자연수의 비로 나타내고, 두 꿀물의 진하기를 비교해 보세요.

나는 꿀 0.4L, 물 0.9L를 넣었어.

나는 꿀 $\dfrac{2}{5}$컵, 물 $\dfrac{9}{10}$컵을 넣었어.

동욱　　　　　수경

동욱 (　　　　　　　)

수경 (　　　　　　　)

비교 두 비의 □ 이 같으므로 꿀물의 진하기는 같습니다.

미리 보는 **수학 익힘**   비례식

● 정답 52쪽

1 ☐ 안에 알맞은 말을 써넣으세요.

> 비율이 같은 두 비를 기호 '='를 사용하여
> 4 : 5 = 8 : 10과 같이 나타낼 수 있으며
> 이와 같은 식을 ☐ 이라고 합니다.

2 외항에 △표, 내항에 ○표 하세요.

(1) 4 : 3 = 8 : 6

(2) 2 : 9 = 10 : 45

3 비율이 같은 두 비를 찾아 비례식으로 나타내어 보세요.

> 6 : 9   4 : 5   8 : 10   10 : 12

☐ : ☐ = ☐ : ☐

4 비례식이 적힌 표지판을 따라가면 보물이 들어 있는 상자가 나옵니다. 길을 따라 선을 긋고 보물이 들어 있는 상자에 ○표 하세요.

5 명재와 서현이가 비례식 7 : 3 = 21 : 9를 보고 말한 것입니다. 잘못 말한 사람은 누구인지 이름을 쓰세요.

두 비의 비율이 $\frac{7}{3}$로 같아.

비례식 7 : 3 = 21 : 9에서 내항은 7과 9이고, 외항은 3과 21이야.

명재   서현

(   )

미리 보는 수학 익힘   비례식의 성질

진도북 094쪽

● 정답 52쪽

1 비례식에서 외항의 곱과 내항의 곱을 구하려고 합니다. ☐ 안에 알맞은 수를 써넣으세요.

(1)
$$2 : 9 = 8 : 36$$

외항의 곱: ☐ × ☐ = ☐

내항의 곱: ☐ × ☐ = ☐

(2)
$$0.5 : 0.7 = 30 : 42$$

외항의 곱: ☐ × ☐ = ☐

내항의 곱: ☐ × ☐ = ☐

2 옳은 비례식을 모두 찾아 기호를 쓰세요.

    ㉠ 3 : 1 = 6 : 3
    ㉡ 15 : 2 = 150 : 20
    ㉢ $\dfrac{4}{11} : \dfrac{7}{11} = 5 : 4$
    ㉣ 0.2 : 1.6 = 1 : 8

(   )

3 비례식의 성질을 이용하여 ☐ 안에 알맞은 수를 써넣으세요.

(1) 2 : 9 = ☐ : 18

(2) 7 : 3 = 49 : ☐

(3) ☐ : 24 = 5 : 8

4 수 카드 중에서 4장을 골라 비례식을 만들어 보세요.

   4   3   9   8   12   1

☐ : ☐ = ☐ : ☐

5 비례식에서 ㉠ × ㉡의 값을 구하세요.

㉠ : 4 = 6 : ㉡

(   )

6 문제 를 해결하기 위해 세진이가 생각한 것입니다. 세진이의 생각이 옳은지 알아보고 그렇게 생각한 이유를 쓰세요.

문제
종이꽃 3개를 만들려면 색종이 4장이 필요합니다. 종이꽃 6개를 만들려면 색종이가 몇 장 필요한가요?

세진

종이꽃 3개를 만드는 데 필요한 색종이 수는 종이꽃 수보다 하나 더 많아. 그래서 종이꽃 6개를 만들려면 색종이 7장이 필요해.

(○ , ×)

이유 비례식으로 나타내면 3 : 4 = 6 : ☐ 인데 ☐의 값이 7이면 외항의 곱과 내항의 곱이 ☐ 때문입니다.

미리 보는 수학 익힘

비례식 활용하기

진도북 095쪽

● 정답 52쪽

1 간장과 설탕을 10 : 3의 비로 섞어 불고기 양념을 만들려고 합니다. 간장을 20컵 넣었다면 설탕은 몇 컵을 넣어야 하는지 구하세요.

풀이

답

2 복사기로 5초에 4장을 복사할 수 있습니다. 28장을 복사하려면 시간이 몇 초가 걸리는지 구하세요.

풀이

답

3 1000 mL 주스 2통은 5100원입니다. 주스 6통을 사려면 얼마가 필요한지 구하세요.

풀이

답

4 그림으로 나타낸 텃밭의 가로와 세로를 자로 재어 보고 물음에 답하세요.

(1) 그림으로 나타낸 텃밭의 가로와 세로의 비를 구하세요.

( )

(2) 실제 텃밭의 세로가 12 m라면 가로는 몇 m인지 구하세요.

( )

5 배 4개는 6000원입니다. 물음에 답하세요.

(1) 배 8개는 얼마인지 비례식을 세워서 구하세요.

비례식

답

(2) 배의 개수 또는 배의 가격을 바꾸어 새로운 문제를 만들고, 해결해 보세요.

문제

풀이

답

미리 보는 수학 익힘   비례배분

진도북 095쪽

● 정답 53쪽

1 당근 10개를 3 : 2로 비례배분하여 ○로 그려 보고, ☐ 안에 알맞은 수를 써넣으세요.

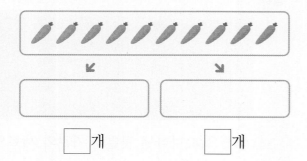

☐개   ☐개

2 8을 1 : 3으로 나누려고 합니다. ☐ 안에 알맞은 수를 써넣으세요.

$$8 \times \frac{1}{1+\boxed{}} = 8 \times \frac{\boxed{}}{\boxed{}} = \boxed{}$$

$$8 \times \frac{3}{1+\boxed{}} = 8 \times \frac{\boxed{}}{\boxed{}} = \boxed{}$$

3 104를 주어진 비로 나누어 보세요.

(1) 3 : 5 → (   ), (   )

(2) 11 : 2 → (   ), (   )

4 5000원을 민호와 은혜에게 4 : 1로 나누어 줄 때 두 사람이 각각 얼마씩 갖게 되는지 구하세요.

민호 $5000 \times \dfrac{\boxed{}}{\boxed{}} = \boxed{}$ (원)

은혜 $5000 \times \dfrac{\boxed{}}{\boxed{}} = \boxed{}$ (원)

5 운동장에 126명의 학생이 있고, 남학생 수와 여학생 수의 비는 7 : 2입니다. 운동장에 있는 여학생은 몇 명인지 알아보기 위한 다음 풀이 과정에서 <u>잘못</u> 계산한 곳을 찾아 바르게 계산해 보세요.

$$126 \times \frac{2}{7 \times 2} = 126 \times \frac{2}{14} = 18(명)$$

↓

6 가로와 세로의 비가 5 : 4이고 둘레가 36 cm인 직사각형이 있습니다. 직사각형의 가로는 몇 cm인지 구하세요.

(   )

미리 보는 수학 익힘 　원주와 지름의 관계

진도북 118쪽

● 정답 53쪽

1 □ 안에 알맞은 말을 써넣으세요.

원의 둘레를 □□□ 라고 합니다.

2 원의 지름과 원주를 나타내어 보세요.

3 설명이 맞으면 ○표, 틀리면 ✕표 하세요.

(1) 선분 ㄱㄴ은 원의 중심을 지나므로 원의 반지름입니다. （　　　）

(2) 원의 지름이 커져도 원주는 변하지 않습니다. （　　　）

(3) 원주가 작아지면 원의 지름 도 작아집니다. （　　　）

[4~5] 한 변의 길이가 1 cm인 정육각형, 지름이 2 cm인 원, 한 변의 길이가 2 cm인 정사각형을 보고 물음에 답하세요.

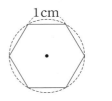

4 □ 안에 알맞은 수를 써넣으세요.

(정육각형의 둘레)=(원의 지름)×□

=□(cm)

(정사각형의 둘레)=(원의 지름)×□

=□(cm)

5 □ 안에 알맞은 수를 써넣으세요.

(원의 지름)×□<(원주)

(원주)<(원의 지름)×□

6 지름이 2 cm인 원의 원주와 가 장 비슷한 길이를 찾아 기호를 쓰세요.

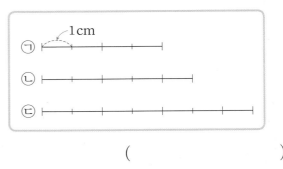

（　　　）

미리 보는 수학 익힘 원주율

진도북 118쪽

● 정답 54쪽

1 □ 안에 알맞은 말을 써넣으세요.

> 원의 지름에 대한 원주의 비율을
> □ 이라고 합니다.

2 친구들의 대화를 보고 잘못 말한 사람을 찾아 쓰세요.

> 동혁: 지름은 원을 지나는 선분 중 가장 긴 선분을 재야 해.
> 태희: 원주율은 끝없이 계속되기 때문에 3.14와 같이 어림해서 사용해.
> 수아: (원주율)=(지름)÷(원주)야.

(   )

3 지름이 4 cm인 원을 만들고 자 위에서 한 바퀴 굴렸습니다. 원주가 얼마쯤 될지 자에 표시해 보세요.

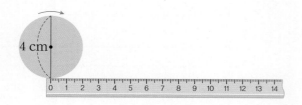

4 시계의 원주율을 반올림하여 주어진 자리까지 나타내어 보세요.

> 원주: 47.12 cm
> 지름: 15 cm

반올림하여 소수 첫째 자리까지	반올림하여 소수 둘째 자리까지

[5~6] 원 모양의 탬버린과 징이 있습니다. 물음에 답하세요.

5 (원주)÷(지름)을 계산해 보세요.

탬버린   징

지름	16 cm		지름	40 cm
원주	50.24 cm		원주	125.6 cm
원주율			원주율	

6 □ 안에 알맞은 말이나 수를 써넣으세요.

> 탬버린과 징의 원주율이 □로 같으므로
> 원의 크기가 달라도 □은 같습니다.

미리 보는 **수학 익힘**   원주와 지름 구하기

진도북 118쪽

●정답 54쪽

1 프로펠러의 길이가 8 cm인 드론이 있습니다. 프로펠러 한 개가 돌 때 생기는 원의 원주를 구하세요. (원주율: 3.14)

8 cm

( )

2 원주는 몇 cm인가요? (원주율: 3.14)

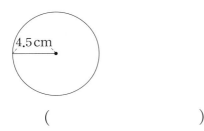

4.5 cm

( )

3 원주가 49.6 cm인 접시가 있습니다. 이 접시의 반지름은 몇 cm인가요? (원주율: 3.1)

( )

4 길이가 93 cm인 종이띠를 겹치지 않게 붙여서 원을 만들었습니다. 만들어진 원의 지름을 구하세요. (원주율: 3.1)

( )

5 지름이 50 cm인 원 모양의 바퀴자를 사용하여 집에서 우체국까지의 거리를 알아보려고 합니다. 바퀴가 100바퀴 돌았다면 집에서 우체국까지의 거리는 몇 cm인지 구하세요. (원주율: 3.14)

( )

6 민아와 다예는 훌라후프를 돌리고 있습니다. 민아의 훌라후프는 지름이 60 cm이고, 다예의 훌라후프는 원주가 217 cm입니다. 누구의 훌라후프가 더 큰가요? (원주율: 3.1)

( )

미리 보는 수학 익힘   원의 넓이 어림하기

진도북 119쪽

● 정답 54쪽

[1~3] 반지름이 15 cm인 원의 넓이는 얼마인지 어림해 보려고 합니다. 물음에 답하세요.

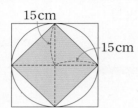 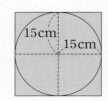

1 위 그림을 보고 ○ 안에 >, =, <를 알맞게 써넣으세요.

(원 안의 정사각형의 넓이) ◯ (원의 넓이)

(원의 넓이) ◯ (원 밖의 정사각형의 넓이)

2 □ 안에 알맞은 수를 써넣으세요.

(원 안의 정사각형의 넓이)

= □ × □ ÷ 2 = □ (cm²)

(원 밖의 정사각형의 넓이)

= □ × □ = □ (cm²)

3 원의 넓이를 어림해 보세요.

□ cm² < (원의 넓이)

(원의 넓이) < □ cm²

4 그림과 같이 지름이 10 cm인 원을 그렸습니다. 모눈의 수를 세어 원의 넓이를 어림해 보세요.

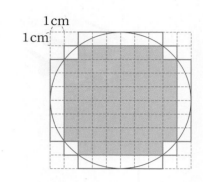

□ cm² < (원의 넓이)

(원의 넓이) < □ cm²

5 정육각형의 넓이를 이용하여 원의 넓이를 어림하려고 합니다. 물음에 답하세요.

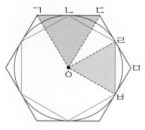

(1) 삼각형 ㄱㅇㄷ의 넓이가 40 cm²라면 원 밖에 있는 정육각형의 넓이는 몇 cm²인가요?

(   )

(2) 삼각형 ㄹㅇㅂ의 넓이가 30 cm²라면 원 안에 있는 정육각형의 넓이는 몇 cm²인가요?

(   )

(3) 원의 넓이는 몇 cm²라고 어림할 수 있나요?

(   )

미리 보는 수학 익힘 | 원의 넓이 구하는 방법

진도북 119쪽

●정답 55쪽

[1~2] 원을 한없이 잘게 잘라 이어 붙여서 직사각형을 만들었습니다. 물음에 답하세요.

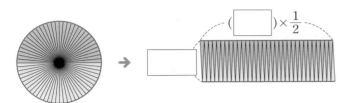

1 □ 안에 알맞은 말을 써넣으세요.

2 보기를 보고 □ 안에 알맞은 말을 골라 써넣으세요.

보기
원주   반지름   지름   원주율

(원의 넓이)

$= (\boxed{}) \times \dfrac{1}{2} \times (\boxed{})$

$= (원주율) \times (\boxed{}) \times \dfrac{1}{2} \times (\boxed{})$

$= (\boxed{}) \times (\boxed{}) \times (원주율)$

3 원의 지름을 이용하여 원의 넓이를 구하세요.
(원주율: 3.14)

지름(cm)	8	4
반지름(cm)	4	2
원의 넓이를 구하는 식		
원의 넓이(cm²)		

4 원 모양의 거울이 있습니다. 거울의 반지름이 12 cm일 때 거울의 넓이는 몇 cm²인지 구하세요. (원주율: 3.1)

(   )

5 넓이가 서로 다른 원 모양의 프라이팬이 있습니다. 보기를 보고 넓이가 큰 프라이팬부터 차례로 기호를 쓰세요. (원주율: 3)

보기
㉠ 반지름이 4 cm인 프라이팬
㉡ 지름이 14 cm인 프라이팬
㉢ 원주가 30 cm인 프라이팬
㉣ 넓이가 108 cm²인 프라이팬

(   )

6 다음 직사각형 모양의 종이를 잘라 만들 수 있는 가장 큰 원의 넓이를 구하세요.
(원주율: 3)

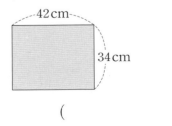

(   )

미리 보는 수학 익힘 　여러 가지 원의 넓이 구하기

진도북 120쪽

●정답 55쪽

1 색칠한 부분의 넓이는 몇 cm^2인지 구하세요.
(원주율: 3.14)

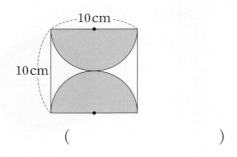

(　　　　　　)

2 미술 시간에 종이를 오려서 부채를 만들었습니다. 부채에서 색칠한 부분의 넓이를 구하세요. (원주율: 3.1)

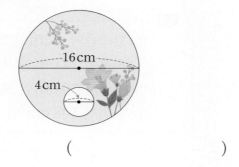

(　　　　　　)

3 색칠한 부분의 넓이는 몇 cm^2인지 구하세요.
(원주율: 3)

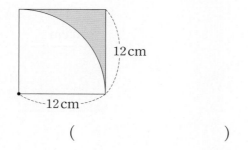

(　　　　　　)

[4~5] 우영이는 두꺼운 종이 두 장을 오려서 다음과 같이 만들었습니다. 물음에 답하세요.

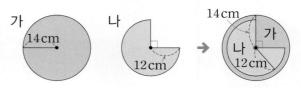

4 가의 넓이는 몇 cm^2인지 구하세요.
(원주율: 3)

(　　　　　　)

5 나의 넓이는 몇 cm^2인지 구하세요.
(원주율: 3)

(　　　　　　)

6 그림을 보고 양궁 과녁의 색깔이 차지하는 각각의 넓이를 구하세요. (원주율: 3)

노란색 넓이 (　　　　　　)
빨간색 넓이 (　　　　　　)
파란색 넓이 (　　　　　　)
흰색 넓이 (　　　　　　)

미리 보는 **수학 익힘** 원기둥

진도북 140쪽

● 정답 55쪽

1 보기 에서 □ 안에 알맞은 말을 찾아 써넣으세요.

보기
밑면   옆면   높이

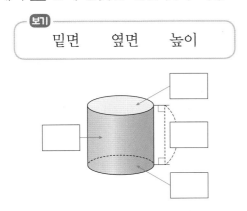

2 원기둥을 모두 찾아 기호를 쓰세요.

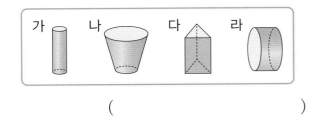

가   나   다   라

(   )

3 직사각형 모양의 종이를 한 변을 기준으로 한 바퀴 돌려 만든 입체도형의 높이는 몇 cm인가요?

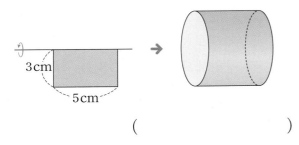

3 cm
5 cm

(   )

4 원기둥 모형을 관찰하며 나눈 대화를 보고 밑면의 지름과 높이를 구하세요.

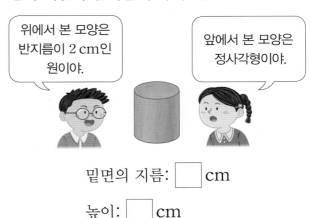

위에서 본 모양은 반지름이 2 cm인 원이야.

앞에서 본 모양은 정사각형이야.

밑면의 지름: □ cm

높이: □ cm

5 원기둥과 각기둥의 공통점 또는 차이점을 잘못 말한 사람을 찾아 이름을 쓰세요.

- 가온: 원기둥과 각기둥은 모두 밑면이 2개 씩이야.
- 시현: 원기둥과 각기둥은 모두 옆에서 본 모양이 직사각형이야.
- 민정: 원기둥과 각기둥은 모두 기둥 모양 이고 꼭짓점과 모서리가 없어.
- 상희: 원기둥의 밑면은 원이고, 각기둥의 밑면은 다각형이야.
- 경환: 원기둥에는 굽은 면이 있지만 각기 둥에는 굽은 면이 없어.

(   )

미리 보는 수학 익힘 　원기둥의 전개도

진도북 140쪽

● 정답 56쪽

1 원기둥의 전개도를 보고 물음에 답하세요.

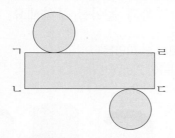

(1) 밑면의 둘레와 길이가 같은 선분을 모두 찾아 쓰세요.

(　　　　　　　　)

(2) 원기둥의 높이와 길이가 같은 선분을 모두 찾아 쓰세요.

(　　　　　　　　)

2 원기둥을 만들 수 있는 전개도에 ○표 하세요.

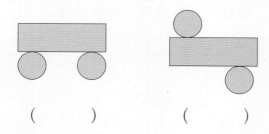

(　　) 　　　　 (　　)

3 다음 그림이 원기둥의 전개도가 <u>아닌</u> 이유를 쓰세요.

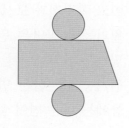

이유 옆면이 [　　　　　]이 아니기 때문입니다.

4 원기둥과 원기둥의 전개도를 보고 □ 안에 알맞은 수를 써넣으세요. (원주율: 3.14)

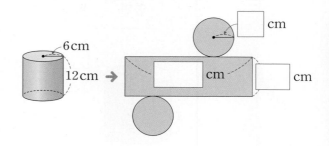

5 원기둥의 전개도를 보고 원기둥의 밑면의 반지름은 몇 cm인지 구하세요. (원주율: 3)

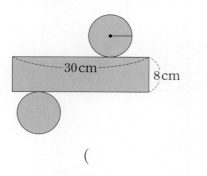

(　　　　　　　　)

6 오른쪽 원기둥을 펼쳐 전개도를 만들었을 때 옆면의 가로와 세로는 몇 cm인지 각각 구하세요. (원주율: 3.1)

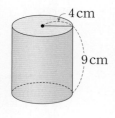

가로 (　　　　)

세로 (　　　　)

미리 보는 **수학 익힘**   원뿔

●정답 56쪽

1 원뿔을 모두 찾아 기호를 쓰세요.

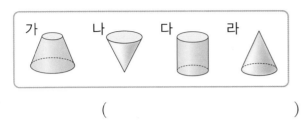

가　나　다　라

(　　　　　　　)

2 보기에서 □ 안에 알맞은 말을 찾아 써넣으세요.

보기
밑면, 원뿔의 꼭짓점, 모선, 높이, 옆면

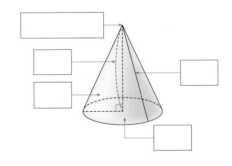

3 직각삼각형 모양의 종이를 한 변을 기준으로 한 바퀴 돌려 만든 입체도형을 보고 밑면의 지름과 높이를 구하세요.

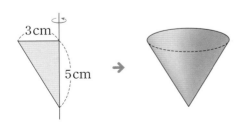

3cm
5cm

밑면의 지름: □cm, 높이: □cm

4 입체도형을 보고 알맞은 말이나 수를 써넣으세요.

도형		
밑면의 모양	사각형	
밑면의 수	1	
위에서 본 모양		원

5 모양과 크기가 같은 원뿔을 보고 나눈 대화에서 잘못 말한 사람을 찾아 이름을 쓰세요.

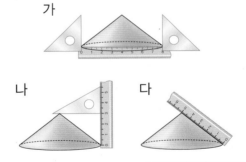

가

나　　　다

- 지윤: 가는 밑면의 지름을 재는 방법이야.
- 진한: 밑면은 반지름이 8 cm인 원이야.
- 선유: 나는 높이를 재는 방법이고 높이는 3 cm야.
- 도현: 모선은 원뿔의 꼭짓점과 밑면인 원의 둘레의 한 점을 이은 선분이므로 모선의 길이는 5 cm야.
- 준서: 다는 모선의 길이를 재는 방법이고 모선의 길이는 항상 높이보다 길어.

(　　　　　　　)

미리 보는 수학 익힘   구

진도북 142쪽

● 정답 56쪽

[1~3] 반원 모양의 종이를 지름을 기준으로 한 바퀴 돌렸습니다. 물음에 답하세요.

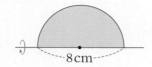

1 반원 모양의 종이를 지름을 기준으로 한 바퀴 돌려 만든 입체도형과 같은 모양인 것을 찾아 기호를 쓰세요.

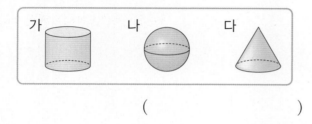

가   나   다

(   )

2 반원 모양의 종이를 지름을 기준으로 한 바퀴 돌려 만든 입체도형의 지름은 몇 cm인가요?

(   )

3 반원 모양의 종이를 한 바퀴 돌려 만든 입체도형에서 각 부분의 이름을 □ 안에 써넣으세요.

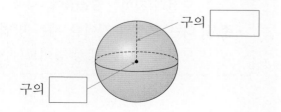

구의 □

구의 □

4 입체도형을 위, 앞, 옆에서 본 모양을 <u>보기</u>에서 골라 그려 보세요.

보기

○   □   △

입체도형	위에서 본 모양	앞에서 본 모양	옆에서 본 모양
위 ↓ 옆← 앞↗ (원기둥)			
위 ↓ 옆← 앞↗ (원뿔)			
위 ↓ 옆← 앞↗ (구)			

5 원기둥, 원뿔, 구의 공통점과 차이점에 대한 친구의 생각을 읽고 맞는지 <u>틀린지</u> 판단하고, 그렇게 생각한 이유를 쓰세요.

구와 원뿔은 뾰족한 부분이 있지만 원기둥은 뾰족한 부분이 없어.

(맞습니다 , 틀립니다).

이유 □ 는 뾰족한 부분이 없습니다.

내신과 등업을 위한
강력한 한 권!

수매씽
MATHING

중·고등 시리즈

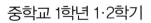

중학교 1학년 1·2학기

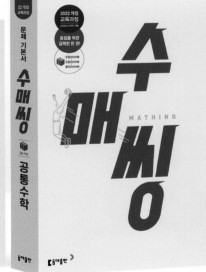

공통수학 1·2

큐브
수학
개념

매칭북   6·2

엄마 매니저의
큐브수학
STORY

🔍 초등수학 문제집 추천 ▼

개념

3년째 큐브수학 개념으로 엄마표 수학 완성!

닉네임
사*

4학년부터 개념은 큐브수학으로 시작했는데요. 설명이 쉽게 되어 있어서 접근하기가 좋더라고요. 기초개념만 제대로 잡히면 그다음 단계로 올라가는 건 어렵지 않아요. 처음부터 너무 어려우면 부담스러워 피하기도 하는데 아이가 쉽게 잘 풀어나가는게 효과가 아주 좋았어요. **기초 잡기에는 큐브수학 개념이 제일 만족스러웠어요.**

쉽고 재미있게 개념도 탄탄하게!

닉네임
그**

큐브수학 개념을 계속해서 선택한 이유는 **기초 수학을 체계적으로 풀어가면서 수학 실력을 쌓을 수 있기 때문이에요.** 무료 스마트러닝 개념 동영상 강의도 쉽고 재미나서 혼자서도 충실하게 잘 듣더라고요! 수학 익힘 문제, 더 확장된 문제들까지 다양하게 풀어 볼 수 있어서 좋았어요. 큐브수학만큼 만족도가 큰 문제집은 없는 것 같네요.

무료 동영상 강의로 빈틈 없는 홈스쿨링

닉네임
매****

엄마표 수학을 진행하고 있기 때문에 아이가 잘 따라올 수 있는 수준의 문제집을 고르려고 해요. **특히 홈스쿨링으로 예습을 할 때 가장 좋은 건 동영상 강의예요.** QR코드를 찍으면 바로 동영상을 볼 수 있고, 선생님이 제가 알려주는 것보다 더 알기 쉽게 알려주세요. 부족한 학습은 동영상을 통해 채워줄 수 있어서 정말 좋아요. 혼자서도 언제 어느 때나 강의를 들을 수 있다는 점이 최고!

큐브
수학
개념

정답 및 풀이

6·2

동아출판

정답 및 풀이

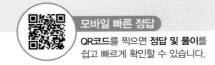
진도북 정답 및 풀이

1 분수의 나눗셈

009쪽 STEP 1 교과서 개념 잡기

1 (1)
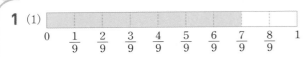

| 0 | $\frac{1}{9}$ | $\frac{2}{9}$ | $\frac{3}{9}$ | $\frac{4}{9}$ | $\frac{5}{9}$ | $\frac{6}{9}$ | $\frac{7}{9}$ | $\frac{8}{9}$ | 1 |

(2) 7번 (3) 1, 7

2 9, 3 / 3, 3

3 (1) 3, 1, 3 (2) 4, 2, 2
　 (3) 8, 4, 2 (4) 10, 5, 2

4 (1) 4 (2) 5 (3) 2 (4) 2

1
$$\frac{7}{9}-\frac{1}{9}-\frac{1}{9}-\frac{1}{9}-\frac{1}{9}-\frac{1}{9}-\frac{1}{9}-\frac{1}{9}=0$$
$$\underbrace{\qquad\qquad\qquad\qquad}_{7번}$$

→ $\frac{7}{9}$에서 $\frac{1}{9}$을 7번 덜어 낼 수 있습니다.

2 분모가 같은 (분수)÷(분수)는 분자끼리 나눈 것과 같습니다.

> **코칭Tip** $\frac{9}{10}÷\frac{3}{10}$을 덜어 내는 방법으로 계산하기
>
> $\underbrace{\frac{9}{10}-\frac{3}{10}-\frac{3}{10}-\frac{3}{10}=0}_{3번}$ → $\frac{9}{10}÷\frac{3}{10}=3$

4 (3) $\frac{6}{11}÷\frac{3}{11}=6÷3=2$

(4) $\frac{14}{15}÷\frac{7}{15}=14÷7=2$

011쪽 STEP 1 교과서 개념 잡기

1 7, 2, $\frac{7}{2}$, $3\frac{1}{2}$

2 (1) 9, $\frac{7}{9}$ (2) 8, $\frac{8}{5}$, $1\frac{3}{5}$

3 $\frac{7}{8}÷\frac{3}{8}=7÷3=\frac{7}{3}=2\frac{1}{3}$

4 (1) $1\frac{1}{2}$ (2) $1\frac{2}{3}$ (3) $\frac{4}{7}$ (4) $1\frac{4}{7}$

---

1 $\frac{7}{11}$은 $\frac{1}{11}$이 7개, $\frac{2}{11}$는 $\frac{1}{11}$이 2개이므로 7개를 2개씩 묶으면 3묶음과 $\frac{1}{2}$묶음이 됩니다.

→ $\frac{7}{11}÷\frac{2}{11}=7÷2=3\frac{1}{2}$

> **코칭Tip** 7개의 원을 2개씩 묶으면 3묶음과 $\frac{1}{2}$묶음이 됩니다.

2 $\dfrac{\triangle}{\blacksquare}÷\dfrac{\bullet}{\blacksquare}=\triangle÷\bullet=\dfrac{\triangle}{\bullet}$

3 분모가 같은 분수의 나눗셈에서 분자끼리 나누어떨어지지 않을 때에는 몫을 분수로 나타냅니다.

4 (1) $\frac{3}{5}÷\frac{2}{5}=3÷2=\frac{3}{2}=1\frac{1}{2}$

(2) $\frac{5}{7}÷\frac{3}{7}=5÷3=\frac{5}{3}=1\frac{2}{3}$

(3) $\frac{4}{9}÷\frac{7}{9}=4÷7=\frac{4}{7}$

(4) $\frac{11}{12}÷\frac{7}{12}=11÷7=\frac{11}{7}=1\frac{4}{7}$

> **코칭Tip** 분모가 같은 (분수)÷(분수)의 계산
> ① 분자끼리 나누어 계산합니다.
> ② 분자끼리 나누어떨어지지 않는 경우에는 몫을 분수로 나타냅니다. (계산 결과를 대분수로 나타내지 않아도 정답으로 인정합니다.)

013쪽 STEP 1 교과서 개념 잡기

1 3

2 $\frac{1}{5}=\frac{1×9}{5×9}=\frac{9}{45}$, $\frac{4}{9}=\frac{4×5}{9×5}=\frac{20}{45}$

→ $\frac{1}{5}÷\frac{4}{9}=\frac{9}{45}÷\frac{20}{45}=9÷20=\frac{9}{20}$

3 $\frac{3}{10}÷\frac{1}{6}=\frac{9}{30}÷\frac{5}{30}=9÷5=\frac{9}{5}=1\frac{4}{5}$

4 (1) $1\frac{3}{5}$ (2) $4\frac{2}{3}$ (3) $\frac{5}{21}$ (4) 2

---

1 $\frac{2}{3}$는 $\frac{1}{9}$이 6칸이므로 $\frac{6}{9}$입니다.

$\frac{2}{3}=\frac{6}{9}$이고 $\frac{6}{9}$에 $\frac{2}{9}$가 3번 들어갈 수 있으므로

$\frac{6}{9}$은 $\frac{2}{9}$의 3배입니다. → $\frac{2}{3}÷\frac{2}{9}=3$

2 45를 공통분모로 하여 통분한 다음 분자끼리 나누어 계산합니다.

코칭Tip 분자끼리 나누어떨어지지 않는 (분수)÷(분수)의 몫 구하기

$$\frac{\bullet}{\blacktriangle}\div\frac{\blacksquare}{\blacktriangle}=\bullet\div\blacksquare=\frac{\bullet}{\blacksquare}$$

3 30을 공통분모로 하여 통분한 다음 분자끼리 나눕니다. 몫이 가분수이면 대분수로 바꾸어 나타냅니다.

코칭Tip 분모가 다른 (진분수)÷(진분수)는 먼저 통분을 해야 합니다.

4 (1) $\frac{2}{3}\div\frac{5}{12}=\frac{8}{12}\div\frac{5}{12}=8\div5=\frac{8}{5}=1\frac{3}{5}$

(2) $\frac{7}{8}\div\frac{3}{16}=\frac{14}{16}\div\frac{3}{16}=14\div3=\frac{14}{3}=4\frac{2}{3}$

(3) $\frac{1}{7}\div\frac{3}{5}=\frac{5}{35}\div\frac{21}{35}=5\div21=\frac{5}{21}$

(4) $\frac{3}{7}\div\frac{3}{14}=\frac{6}{14}\div\frac{3}{14}=6\div3=2$

014쪽 STEP2 개념 한번더 잡기

01 5, 5 **02** 10 / 2 / 10, 2, 5

03 4

04  / $2\frac{1}{2}$

05

06 윤우

07 8, 8

08 10, 5 / 10, 5, 2

09 20, 21 / 20, 21, $\frac{20}{21}$

10 (1) 7 (2) 3

11 (1) $\frac{4}{5}\div\frac{1}{3}=\frac{12}{15}\div\frac{5}{15}=12\div5$

$\qquad=\frac{12}{5}=2\frac{2}{5}$

(2) $\frac{5}{8}\div\frac{2}{9}=\frac{45}{72}\div\frac{16}{72}=45\div16$

$\qquad=\frac{45}{16}=2\frac{13}{16}$

12 $\frac{20}{39}$

---

01 $\frac{5}{6}-\underbrace{\frac{1}{6}-\frac{1}{6}-\frac{1}{6}-\frac{1}{6}-\frac{1}{6}}_{5번}=0$

➡ $\frac{5}{6}$에서 $\frac{1}{6}$을 5번 덜어 낼 수 있습니다.

03 $\frac{16}{25}\div\frac{4}{25}=16\div4=4$

04 $\frac{5}{8}$는 $\frac{1}{8}$이 5개, $\frac{2}{8}$는 $\frac{1}{8}$이 2개이므로 5개를 2개씩 묶으면 2묶음과 $\frac{1}{2}$묶음이 됩니다.

➡ $\frac{5}{8}\div\frac{2}{8}=2\frac{1}{2}$

05 (1) $\frac{2}{9}\div\frac{3}{9}=2\div3=\frac{2}{3}$

(2) $\frac{11}{15}\div\frac{4}{15}=11\div4=\frac{11}{4}=2\frac{3}{4}$

(3) $\frac{8}{17}\div\frac{3}{17}=8\div3=\frac{8}{3}=2\frac{2}{3}$

06 $\frac{12}{19}\div\frac{7}{17}=12\div7=\frac{12}{7}=1\frac{5}{7}$

07 $\frac{4}{5}$는 $\frac{1}{10}$이 8칸이므로 $\frac{8}{10}$입니다.

➡ $\frac{4}{5}\div\frac{1}{10}=\frac{8}{10}\div\frac{1}{10}=8\div1=8$

08 $\frac{5}{6}=\frac{10}{12}$이고 $\frac{10}{12}$에 $\frac{5}{12}$가 2번 들어갈 수 있으므로 $\frac{10}{12}$은 $\frac{5}{12}$의 2배입니다.

09 28을 공통분모로 하여 통분한 다음 분자끼리 나누어 계산합니다.

10 (1) $\frac{7}{8}\div\frac{5}{40}=\frac{35}{40}\div\frac{5}{40}=35\div5=7$

통분하기 / 분자끼리 나누기

(2) $\frac{4}{9}\div\frac{4}{27}=\frac{12}{27}\div\frac{4}{27}=12\div4=3$

통분하기 / 분자끼리 나누기

11 두 분모의 곱을 공통분모로 하여 통분한 다음 분자끼리 나눕니다.

몫이 가분수이면 대분수로 바꾸어 나타냅니다.

12 $\frac{4}{13}\div\frac{3}{5}=\frac{20}{65}\div\frac{39}{65}=20\div39=\frac{20}{39}$

1 (1) 2 / 4, 2　(2) 2, 10 / 2, 5, 10
　(3) 4, 5, 10
2 (1) 3, 7, 14　(2) 2, 9, 45
3 (1) $\frac{4}{3}$, $\frac{8}{21}$　(2) $\frac{5}{2}$, $\frac{15}{22}$

1 (1) 수박 $\frac{4}{5}$ 통의 무게가 8 kg이므로 수박 $\frac{1}{5}$ 통의 무게는 $8 \div 4 = 2$ (kg)입니다.

(2) 수박 $\frac{1}{5}$ 통의 무게가 2 kg이므로 수박 1통의 무게는 $2 \times 5 = 10$ (kg)입니다.

2 (자연수)÷(분수)는 자연수를 분수의 분자로 나눈 다음 분모를 곱하여 계산합니다.

3 분수의 나눗셈을 곱셈으로 나타낼 때에는 나누는 분수의 분모와 분자를 서로 바꿉니다.

> **코칭Tip** 분수의 곱셈으로 나타내는 방법
> (1) $\frac{2}{7} \div \frac{3}{4} = \left(\frac{2}{7} \div 3\right) \times 4 = \frac{2}{7} \times \frac{1}{3} \times 4 = \frac{2}{7} \times \frac{4}{3} = \frac{8}{21}$
> (2) $\frac{3}{11} \div \frac{2}{5} = \left(\frac{3}{11} \div 2\right) \times 5 = \frac{3}{11} \times \frac{1}{2} \times 5$
> $= \frac{3}{11} \times \frac{5}{2} = \frac{15}{22}$

1 (1) 20 /

$\frac{5}{2} \div \frac{3}{8} = \frac{20}{8} \div \frac{3}{8} = 20 \div 3 = \frac{20}{3} = 6\frac{2}{3}$

(2) $\frac{5}{2} \div \frac{3}{8} = \frac{5}{2} \times \frac{8}{3} = \frac{40}{6} = \frac{20}{3} = 6\frac{2}{3}$

2 방법1 $2\frac{1}{5} \div \frac{5}{6} = \frac{11}{5} \div \frac{5}{6} = \frac{66}{30} \div \frac{25}{30}$
$= \frac{66}{25} = 2\frac{16}{25}$

방법2 $2\frac{1}{5} \div \frac{5}{6} = \frac{11}{5} \div \frac{5}{6} = \frac{11}{5} \times \frac{6}{5}$
$= \frac{66}{25} = 2\frac{16}{25}$

3 (1) $2\frac{11}{14}$　(2) $2\frac{18}{35}$　(3) $5\frac{5}{8}$　(4) $4\frac{8}{9}$

1 (1) 8을 공통분모로 하여 두 분수를 통분한 다음 계산합니다.
(2) 나누는 분수의 분모와 분자를 바꾸어 분수의 곱셈으로 계산합니다.

> **코칭Tip** 계산 결과와 나누는 수를 곱했을 때 나누어지는 수가 나오면 맞게 계산한 것입니다.
> $\frac{5}{2} \div \frac{3}{8} = \frac{20}{3} \rightarrow \frac{\overset{5}{\cancel{20}}}{\underset{1}{\cancel{3}}} \times \frac{\overset{1}{\cancel{3}}}{\underset{2}{\cancel{8}}} = \frac{5}{2}$이므로 계산이 맞습니다.

2 (대분수)÷(분수)의 계산은 대분수를 가분수로 고친 다음 두 분수를 통분하여 계산하거나 분수의 곱셈으로 나타내어 계산합니다.

3 (1) $\frac{13}{7} \div \frac{2}{3} = \frac{13}{7} \times \frac{3}{2} = \frac{39}{14} = 2\frac{11}{14}$

(2) $\frac{8}{7} \div \frac{5}{11} = \frac{8}{7} \times \frac{11}{5} = \frac{88}{35} = 2\frac{18}{35}$

(3) $2\frac{1}{4} \div \frac{2}{5} = \frac{9}{4} \div \frac{2}{5} = \frac{9}{4} \times \frac{5}{2} = \frac{45}{8} = 5\frac{5}{8}$

(4) $3\frac{2}{3} \div \frac{3}{4} = \frac{11}{3} \div \frac{3}{4} = \frac{11}{3} \times \frac{4}{3} = \frac{44}{9} = 4\frac{8}{9}$

01 ① 1　② 1, 4 / ① 3, 1　② 1, 4, 4
02 3, 4, 4　　　　　**03** 14
04 ① 2, 2　② 5, 2, 5, $\frac{5}{6}$
05 $\frac{8}{5}$, $\frac{48}{55}$
06 $\frac{4}{7} \div \frac{5}{9} = \frac{4}{7} \times \frac{9}{5} = \frac{36}{35} = 1\frac{1}{35}$
07 방법1 21, 8, $\frac{21}{8}$, $2\frac{5}{8}$

방법2 $\frac{3}{2}$, $\frac{21}{8}$, $2\frac{5}{8}$

08 (1) $2\frac{1}{6} \div \frac{4}{5} = \frac{13}{6} \div \frac{4}{5} = \frac{65}{30} \div \frac{24}{30} = \frac{65}{24}$
$= 2\frac{17}{24}$

(2) $2\frac{1}{6} \div \frac{4}{5} = \frac{13}{6} \div \frac{4}{5} = \frac{13}{6} \times \frac{5}{4} = \frac{65}{24}$
$= 2\frac{17}{24}$

진도북

1 단원

09 $\dfrac{13}{4} \div \dfrac{3}{7} = \dfrac{13}{4} \times \dfrac{7}{3} = \dfrac{91}{12} = 7\dfrac{7}{12}$

10 (1) $19\dfrac{1}{2}$ (2) $2\dfrac{3}{4}$

11 $8\dfrac{1}{6}$

12 $1\dfrac{11}{21}$에 ○표

01 $\dfrac{3}{4}$은 $\dfrac{1}{4}$의 3배이므로 상자의 $\dfrac{1}{4}$은 $3 \div 3 = \boxed{1}$ (kg)입니다. 한 상자를 가득 채울 수 있는 쌀의 양은 $\boxed{1} \times 4 = 4$ (kg)입니다.

02 $\blacktriangle \div \dfrac{\blacksquare}{\bullet} = (\blacktriangle \div \blacksquare) \times \bullet$

03 자연수를 분수의 분자로 나눈 다음 분모를 곱하여 계산합니다.
→ $12 \div \dfrac{6}{7} = (12 \div 6) \times 7 = 2 \times 7 = 14$

04 $\dfrac{2}{5}$는 $\dfrac{1}{5}$의 2배이므로 한 병의 $\dfrac{1}{5}$은 $\dfrac{1}{3} \div 2 = \dfrac{1}{3} \times \dfrac{1}{2}$입니다.
한 병을 가득 채운 식혜의 양은 $\dfrac{1}{3} \times \dfrac{1}{2} \times 5 = \dfrac{5}{6}$ (L)입니다.

05 $\dfrac{6}{11} \div \dfrac{5}{8}$를 $\dfrac{6}{11} \times \dfrac{8}{5}$로 바꾸어 계산합니다.

06 분수의 나눗셈을 곱셈으로 나타낼 때에는 나누는 분수의 분모와 분자를 서로 바꿔야 합니다.

07 방법1 12를 공통분모로 하여 두 분수를 통분합니다.
방법2 나눗셈을 곱셈으로 나타내고 분수의 분모와 분자를 바꾸어 계산합니다.

08 (대분수)÷(분수)의 계산은 대분수를 가분수로 고친 다음 두 분수를 통분하여 계산하거나 분수의 곱셈으로 나타내어 계산합니다.

09 나눗셈을 곱셈으로 나타내고 분수의 분모와 분자를 바꾸어 계산합니다.

10 (1) $\dfrac{13}{3} \div \dfrac{2}{9} = \dfrac{13}{\underset{1}{3}} \times \dfrac{\overset{3}{9}}{2} = \dfrac{39}{2} = 19\dfrac{1}{2}$

(2) $1\dfrac{5}{6} \div \dfrac{2}{3} = \dfrac{11}{6} \div \dfrac{2}{3} = \dfrac{11}{\underset{2}{6}} \times \dfrac{\overset{1}{3}}{2} = \dfrac{11}{4} = 2\dfrac{3}{4}$

11 $2\dfrac{1}{3} \div \dfrac{2}{7} = \dfrac{7}{3} \div \dfrac{2}{7} = \dfrac{7}{3} \times \dfrac{7}{2} = \dfrac{49}{6} = 8\dfrac{1}{6}$

12 $\dfrac{8}{7} \div \dfrac{3}{4} = \dfrac{8}{7} \times \dfrac{4}{3} = \dfrac{32}{21} = 1\dfrac{11}{21}$

022쪽 STEP3 수학 익힘 문제잡기

01 $\dfrac{8}{9}, \dfrac{2}{9}, 4$ **02** $\dfrac{9}{11} \div \dfrac{3}{11} = 3$ / 3개

03 $2\dfrac{1}{4}$ **04** $=$

05 $\dfrac{7}{8}, \dfrac{3}{8}$ / $\dfrac{7}{9}, \dfrac{3}{9}$

06 (위에서부터) $1\dfrac{2}{7}$, $1\dfrac{1}{20}$

07 $\dfrac{27}{28}$ **08** $8 \div \dfrac{4}{5} = 10$ / 10개

09 10, 14

10 (○)(○)(　　)

11 $\dfrac{5}{6} \div \dfrac{2}{15} = 6\dfrac{1}{4}$ / $6\dfrac{1}{4}$ cm

12 ㉢, ㉠, ㉡, ㉣

13 $3\dfrac{17}{21}$배   **14** $1\dfrac{1}{14}$ cm

15 7개   **16** (1) $5\dfrac{5}{8}$ (2) 5

17 (1) $6\dfrac{2}{5}$ (2) $9\dfrac{1}{7}$

01 • 1을 9칸으로 나눈 것 중의 8칸: $\dfrac{8}{9}$
• 1을 9칸으로 나눈 것 중의 2칸: $\dfrac{2}{9}$
→ $\dfrac{8}{9} \div \dfrac{2}{9} = 8 \div 2 = 4$

02 (필요한 컵의 수)
= (전체 매실 주스의 양)
÷ (한 컵에 담는 매실 주스의 양)
= $\dfrac{9}{11} \div \dfrac{3}{11} = 9 \div 3 = 3$(개)

03 $\dfrac{4}{13} < \dfrac{9}{13}$

→ (큰 수)÷(작은 수)

$= \dfrac{9}{13} \div \dfrac{4}{13} = 9 \div 4 = \dfrac{9}{4} = 2\dfrac{1}{4}$

04 • $\dfrac{8}{9} \div \dfrac{5}{9} = 8 \div 5 = \dfrac{8}{5} = 1\dfrac{3}{5}$

• $\dfrac{8}{17} \div \dfrac{5}{17} = 8 \div 5 = \dfrac{8}{5} = 1\dfrac{3}{5}$

코칭Tip 분모가 같은 진분수끼리의 나눗셈은 분자끼리 나눈 것과 같습니다.

→ 두 나눗셈에서 분수의 분자가 서로 같으므로 계산 결과도 같습니다.

05 • 두 분수의 분모가 같은 나눗셈에서 분자끼리 나누면 $7 \div 3$이므로 $\dfrac{7}{\blacksquare} \div \dfrac{3}{\blacksquare}$으로 나타낼 수 있습니다.

• 분모가 10보다 작은 진분수의 나눗셈이므로 ■의 값은 7보다 크고 10보다 작아야 합니다.

→ $\dfrac{7}{8} \div \dfrac{3}{8}$, $\dfrac{7}{9} \div \dfrac{3}{9}$

06 • $\dfrac{3}{4} \div \dfrac{7}{12} = \dfrac{9}{12} \div \dfrac{7}{12} = 9 \div 7 = \dfrac{9}{7} = 1\dfrac{2}{7}$

• $\dfrac{3}{4} \div \dfrac{5}{7} = \dfrac{21}{28} \div \dfrac{20}{28} = 21 \div 20 = \dfrac{21}{20} = 1\dfrac{1}{20}$

07 $\square \times \dfrac{2}{3} = \dfrac{9}{14}$

→ $\square = \dfrac{9}{14} \div \dfrac{2}{3} = \dfrac{27}{42} \div \dfrac{28}{42} = 27 \div 28 = \dfrac{27}{28}$

08 (필요한 봉지의 수)
= (전체 고구마의 양)÷(한 봉지에 담는 고구마의 양)
$= 8 \div \dfrac{4}{5} = (8 \div 4) \times 5 = 10$(개)

코칭Tip (자연수)÷(분수)는 나눗셈을 곱셈으로 바꾸고 분수의 분모와 분자를 바꾸어 계산할 수도 있습니다.

$8 \div \dfrac{4}{5} = \overset{2}{8} \times \dfrac{5}{\underset{1}{4}} = 10$

09 $4 \div \dfrac{2}{5} = (4 \div 2) \times 5 = 10$

→ $10 \div \dfrac{5}{7} = (10 \div 5) \times 7 = 14$

10 • $10 \div \dfrac{5}{7} = (10 \div 5) \times 7 = 2 \times 7 = 14$

• $9 \div \dfrac{3}{5} = (9 \div 3) \times 5 = 3 \times 5 = 15$

• $2 \div \dfrac{3}{4} = (2 \div 3) \times 4 = \dfrac{2}{3} \times 4 = \dfrac{8}{3} = 2\dfrac{2}{3}$

11 (달팽이가 1분 동안 갈 수 있는 거리)
= (간 거리)÷(걸린 시간)

$= \dfrac{5}{6} \div \dfrac{2}{15} = \dfrac{5}{6} \times \dfrac{\overset{5}{15}}{\underset{2}{2}} = \dfrac{25}{4} = 6\dfrac{1}{4}$ (cm)

12 ㉠ $\dfrac{9}{11} \div \dfrac{5}{8} = \dfrac{9}{11} \times \dfrac{8}{5} = \dfrac{72}{55} = 1\dfrac{17}{55}$

㉡ $\dfrac{6}{7} \div \dfrac{5}{13} = \dfrac{6}{7} \times \dfrac{13}{5} = \dfrac{78}{35} = 2\dfrac{8}{35}$

㉢ $\dfrac{7}{12} \div \dfrac{5}{7} = \dfrac{7}{12} \times \dfrac{7}{5} = \dfrac{49}{60}$

㉣ $\dfrac{5}{9} \div \dfrac{3}{20} = \dfrac{5}{9} \times \dfrac{20}{3} = \dfrac{100}{27} = 3\dfrac{19}{27}$

→ $\dfrac{49}{60} < 1\dfrac{17}{55} < 2\dfrac{8}{35} < 3\dfrac{19}{27}$이므로 ㉢, ㉠, ㉡, ㉣입니다.

13 ㉠ $\dfrac{5}{11} \div \dfrac{7}{11} = 5 \div 7 = \dfrac{5}{7}$

㉡ $\dfrac{1}{8} \div \dfrac{2}{3} = \dfrac{1}{8} \times \dfrac{3}{2} = \dfrac{3}{16}$

㉠÷㉡ $= \dfrac{5}{7} \div \dfrac{3}{16} = \dfrac{5}{7} \times \dfrac{16}{3} = \dfrac{80}{21} = 3\dfrac{17}{21}$

→ ㉠은 ㉡의 $3\dfrac{17}{21}$배입니다.

코칭Tip ㉠은 ㉡의 몇 배인지 구하기

→ ㉠÷㉡

14 (직사각형의 가로)
= (직사각형의 넓이)÷(직사각형의 세로)

$= \dfrac{15}{16} \div \dfrac{7}{8} = \dfrac{15}{16} \times \dfrac{\overset{1}{8}}{\underset{2}{7}}$

$= \dfrac{15}{14} = 1\dfrac{1}{14}$ (cm)

15 (만들 수 있는 도넛의 수)
= (가지고 있는 밀가루의 양)
÷ (도넛 한 개를 만드는 데 필요한 밀가루의 양)
$= 1\dfrac{1}{4} \div \dfrac{5}{28} = \dfrac{5}{4} \div \dfrac{5}{28}$

$= \dfrac{\overset{1}{5}}{\underset{1}{4}} \times \dfrac{\overset{7}{28}}{\underset{1}{5}} = 7$(개)

16 (1) $\frac{9}{4} \div \frac{2}{5} = \frac{9}{4} \times \frac{5}{2} = \frac{45}{8} = 5\frac{5}{8}$

(2) $\square < 5\frac{5}{8}$ 이므로 $\square$ 안에 들어갈 수 있는 자연수 중에서 가장 큰 수는 5입니다.

17 (1) 만들 수 있는 가장 큰 대분수는 자연수 부분에 가장 큰 수를 써야 합니다.
→ 6>5>2이므로 만들 수 있는 가장 큰 대분수는 $6\frac{2}{5}$ 입니다.

(2) $6\frac{2}{5} \div \frac{7}{10} = \frac{32}{5} \div \frac{7}{10} = \frac{32}{\overset{1}{5}} \times \frac{\overset{2}{10}}{7}$
$= \frac{64}{7} = 9\frac{1}{7}$

025쪽 서술형 잡기

※서술형 문제의 예시 답안입니다.

1 ❶ 가분수

❷ $1\frac{3}{5} \div \frac{5}{9} = \frac{8}{5} \times \frac{9}{5} = \frac{72}{25} = 2\frac{22}{25}$

2 ❶ 잘못된 이유 쓰기 ▶ 2점
❷ 바르게 계산하기 ▶ 3점

❶ 대분수를 가분수로 바꾸지 않고 계산하였습니다.

❷ $2\frac{1}{4} \div \frac{3}{7} = \frac{\overset{3}{9}}{4} \times \frac{7}{\overset{3}{1}} = \frac{21}{4} = 5\frac{1}{4}$

3 ❶ 6, $1\frac{5}{6}$

❷ $1\frac{5}{6}$, $4\frac{7}{12}$

/ $4\frac{7}{12}$

4 ❶ 어떤 수 구하기 ▶ 3점
❷ 바르게 계산한 값 구하기 ▶ 2점

❶ 어떤 수를 $\square$라 하면 $\square \times \frac{4}{7} = \frac{3}{14}$,

$\square = \frac{3}{14} \div \frac{4}{7} = \frac{3}{14} \div \frac{8}{14} = 3 \div 8 = \frac{3}{8}$입니다.

❷ (바르게 계산한 값)
$= \frac{3}{8} \div \frac{4}{7} = \frac{3}{8} \times \frac{7}{4} = \frac{21}{32}$

/ $\frac{21}{32}$

026쪽 단원 마무리

01 $1\frac{2}{3}$

02 12 / 6 / 12, 6, 2

03 8, 1 / 8, 1, 8

04 2, 9, 36

05 3, 4 / 3, 4, $\frac{4}{3}$

06 $\frac{21}{23} \div \frac{3}{23} = 21 \div 3 = 7$

07 $\frac{9}{14} \div \frac{2}{3} = \frac{9}{14} \times \frac{3}{2} = \frac{27}{28}$

08 $9\frac{1}{6}$

09 (1) • ╳ •
(2) •
(3) • ────── •

10 방법1 $\frac{14}{3} \div \frac{5}{7} = \frac{98}{21} \div \frac{15}{21} = \frac{98}{15} = 6\frac{8}{15}$

방법2 $\frac{14}{3} \div \frac{5}{7} = \frac{14}{3} \times \frac{7}{5} = \frac{98}{15} = 6\frac{8}{15}$

11 $2\frac{1}{40}$

12 >

13 3병

14 $2\frac{3}{16}$

15 ㉢, ㉡, ㉠

16 $6\frac{1}{9}$배

17 $\frac{3}{8}$배

18 $\frac{11}{24}$ m

서술형 ※서술형 문제의 예시 답안입니다.

19 ❶ 잘못된 이유 쓰기 ▶ 2점
❷ 바르게 계산하기 ▶ 3점

❶ 대분수를 가분수로 바꾸지 않고 계산하였습니다.

❷ $1\frac{1}{3} \div \frac{5}{8} = \frac{4}{3} \times \frac{8}{5} = \frac{32}{15} = 2\frac{2}{15}$

20 ❶ 어떤 수 구하기 ▶ 3점
❷ 바르게 계산한 값 구하기 ▶ 2점

❶ 어떤 수를 $\square$라 하면 $\square \times \frac{5}{9} = \frac{2}{3}$,

$\square = \frac{2}{3} \div \frac{5}{9} = \frac{6}{9} \div \frac{5}{9} = 6 \div 5 = \frac{6}{5}$입니다.

❷ (바르게 계산한 값)
$= \frac{6}{5} \div \frac{5}{9} = \frac{6}{5} \times \frac{9}{5} = \frac{54}{25} = 2\frac{4}{25}$ / $2\frac{4}{25}$

01 $\dfrac{5}{7}$는 $\dfrac{1}{7}$이 5개, $\dfrac{3}{7}$은 $\dfrac{1}{7}$이 3개이므로 5개를 3개씩 묶으면 1묶음과 $\dfrac{2}{3}$묶음이 됩니다.

→ $\dfrac{5}{7} \div \dfrac{3}{7} = 1\dfrac{2}{3}$

02 분모가 같은 (진분수)÷(진분수)는 분자끼리 나눈 것과 같습니다.

03 10을 공통분모로 하여 통분한 다음 분자끼리 나눕니다.

04 $▲ \div \dfrac{■}{●} = (▲ \div ■) \times ●$

05 분수의 나눗셈을 곱셈으로 나타낼 때에는 나누는 분수의 분모와 분자를 서로 바꾸어 줍니다.

06 분모가 같은 진분수끼리의 나눗셈은 분자끼리 나누어 계산합니다.

07 분수의 나눗셈을 곱셈으로 나타낼 때에는 나누는 분수의 분모와 분자를 서로 바꿔야 합니다.

[코칭Tip] $\dfrac{9}{14} \div \dfrac{2}{3}$를 분수의 곱셈으로 바꾸어 나타내기

→ $\dfrac{9}{14} \div \dfrac{2}{3} = \left(\dfrac{9}{14} \div 2\right) \times 3 = \dfrac{9}{14} \times \dfrac{1}{2} \times 3$

$\qquad\qquad\qquad = \dfrac{9}{14} \times \dfrac{3}{2}$

08 $\dfrac{11}{3} \div \dfrac{2}{5} = \dfrac{55}{15} \div \dfrac{6}{15} = 55 \div 6$

$\qquad\qquad = \dfrac{55}{6} = 9\dfrac{1}{6}$

[다른 풀이] $\dfrac{11}{3} \div \dfrac{2}{5} = \dfrac{11}{3} \times \dfrac{5}{2} = \dfrac{55}{6} = 9\dfrac{1}{6}$

09 (1) $\dfrac{11}{12} \div \dfrac{7}{12} = 11 \div 7 = \dfrac{11}{7} = 1\dfrac{4}{7}$

(2) $\dfrac{7}{11} \div \dfrac{5}{11} = 7 \div 5 = \dfrac{7}{5} = 1\dfrac{2}{5}$

(3) $\dfrac{13}{20} \div \dfrac{9}{20} = 13 \div 9 = \dfrac{13}{9} = 1\dfrac{4}{9}$

[코칭Tip] 분모가 같은 (분수)÷(분수)의 계산
① 분자끼리 나누어 계산합니다.
② 분자끼리 나누어떨어지지 않는 경우에는 몫을 분수로 나타냅니다.

10 (가분수)÷(분수)의 계산은 두 분수를 통분하여 계산하거나 분수의 곱셈으로 나타내어 계산합니다.

11 $1\dfrac{1}{8} \div \dfrac{5}{9} = \dfrac{9}{8} \times \dfrac{9}{5} = \dfrac{81}{40} = 2\dfrac{1}{40}$

12 • $6 \div \dfrac{2}{11} = (6 \div 2) \times 11 = 33$

• $12 \div \dfrac{4}{7} = (12 \div 4) \times 7 = 21$

→ 33 > 21이므로 $6 \div \dfrac{2}{11} > 12 \div \dfrac{4}{7}$입니다.

13 (담을 수 있는 병의 수)
= (전체 오렌지주스의 양)
$\qquad \div$ (한 병에 담는 오렌지주스의 양)
= $\dfrac{9}{10} \div \dfrac{3}{10} = 9 \div 3 = 3$(병)

14 $\square \times \dfrac{4}{5} = 1\dfrac{3}{4}$

→ $\square = 1\dfrac{3}{4} \div \dfrac{4}{5} = \dfrac{7}{4} \times \dfrac{5}{4} = \dfrac{35}{16} = 2\dfrac{3}{16}$

[코칭Tip] 곱셈과 나눗셈의 관계

$■ \times ▲ = ●$ 　$● \div ■ = ▲$
$\qquad\qquad\qquad ● \div ▲ = ■$

15 ㉠ $6 \div \dfrac{2}{7} = (6 \div 2) \times 7 = 21$

㉡ $15 \div \dfrac{3}{5} = (15 \div 3) \times 5 = 25$

㉢ $8 \div \dfrac{4}{13} = (8 \div 4) \times 13 = 26$

→ 26 > 25 > 21이므로 계산 결과가 큰 것부터 차례로 기호를 쓰면 ㉢, ㉡, ㉠입니다.

16 ㉠ $\dfrac{11}{15} \div \dfrac{2}{15} = 11 \div 2 = \dfrac{11}{2}\left(=5\dfrac{1}{2}\right)$

㉡ $\dfrac{3}{4} \div \dfrac{5}{6} = \dfrac{3}{4} \times \dfrac{6}{5} = \dfrac{9}{10}$

㉠ $\div$ ㉡ $= \dfrac{11}{2} \div \dfrac{9}{10} = \dfrac{11}{2} \times \dfrac{10}{9} = \dfrac{55}{9} = 6\dfrac{1}{9}$

→ ㉠은 ㉡의 $6\dfrac{1}{9}$배입니다.

[코칭Tip] ㉠은 ㉡의 몇 배인지 구하기 → ㉠ ÷ ㉡

17 (배의 무게) ÷ (파인애플의 무게)
= $\dfrac{1}{3} \div \dfrac{8}{9} = \dfrac{1}{3} \times \dfrac{9}{8} = \dfrac{3}{8}$(배)

18 (평행사변형의 높이)
= (평행사변형의 넓이) ÷ (평행사변형의 밑변)
= $\dfrac{1}{4} \div \dfrac{6}{11} = \dfrac{1}{4} \times \dfrac{11}{6} = \dfrac{11}{24}$(m)

2 소수의 나눗셈

033쪽 STEP 1 교과서 개념 잡기

1
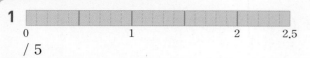
/ 5

2 (1) 486, 9 (2) 486, 9 / 486, 9, 54 (3) 54개

3 (1) 10, 10, 7 (2) 100, 100, 42

---

1 그림을 0.5씩 나누어야 하므로 전체 25칸을 5칸씩 나눕니다.
→ $2.5 \div 0.5 = 25 \div 5 = 5$

2 (1) $1\,cm = 10\,mm$이므로 $48.6\,cm = 486\,mm$, $0.9\,cm = 9\,mm$입니다.
(3) $48.6 \div 0.9 = 486 \div 9 = 54$

코칭Tip cm를 mm로 바꾸면 소수의 나눗셈을 자연수의 나눗셈으로 나타낼 수 있습니다.

$$48.6 \div 0.9$$
$$\underset{10배}{\downarrow} \quad \underset{10배}{\downarrow}$$
$$486 \div 9 = 54$$

3 (1) 나누어지는 수와 나누는 수에 각각 10을 곱하면 몫은 변하지 않습니다.
(2) 나누어지는 수와 나누는 수에 각각 100을 곱하면 몫은 변하지 않습니다.

035쪽 STEP 1 교과서 개념 잡기

1 방법1 72, 6, 72, 6, 12 방법2 12, 12

2 (위에서부터) 4, 252

3 (1) 14, 11 (2) 213, 4

4 (1)
$$0.8\overline{)4.8}$$
$$\underline{4\,8}$$
$$0$$
몫: 6

(2)
$$2.3\overline{)16.1}$$
$$\underline{16\,1}$$
$$0$$
몫: 7

(3)
$$0.35\overline{)1.75}$$
$$\underline{1\,75}$$
$$0$$
몫: 5

---

1 방법1 소수 한 자리 수를 분모가 10인 분수로 바꾼 다음 분자끼리 나눕니다.
방법2 나누어지는 수와 나누는 수를 각각 10배 하여 자연수의 나눗셈으로 바꾸어 계산합니다.

2 나누어지는 수와 나누는 수의 소수점을 각각 오른쪽으로 두 자리씩 옮겨서 계산합니다.
→ $2.52 \div 0.63 = 252 \div 63 = 4$

코칭Tip 2.52와 0.63의 소수점을 각각 오른쪽으로 두 자리씩 옮깁니다.

3 (1) 15.4와 1.4에 각각 10을 곱합니다.
→ $154 \div 14 = 11$
(2) 8.52와 2.13에 각각 100을 곱합니다.
→ $852 \div 213 = 4$

4 (1) $4.8 \div 0.8 = 48 \div 8 = 6$
(2) $16.1 \div 2.3 = 161 \div 23 = 7$
(3) $1.75 \div 0.35 = 175 \div 35 = 5$

코칭Tip 몫을 쓸 때에는 옮긴 소수점의 위치에 맞추어 소수점을 찍어야 합니다.

037쪽 STEP 1 교과서 개념 잡기

1 (1) (위에서부터) 3.5, 3.5, 100
(2) (위에서부터) 3.5, 3.5, 10

2
$$6\overline{)32.4}$$
$$\underline{3\,0}$$
$$2\,4$$
$$\underline{2\,4}$$
$$0$$
몫: 5.4

3 (1)
$$2.9\overline{)4.0\,6}$$
$$\underline{2\,9}$$
$$1\,1\,6$$
$$\underline{1\,1\,6}$$
$$0$$
몫: 1.4

(2)
$$4.3\overline{)6.4\,5}$$
$$\underline{4\,3}$$
$$2\,1\,5$$
$$\underline{2\,1\,5}$$
$$0$$
몫: 1.5

(3)
$$3.1\overline{)8.3\,7}$$
$$\underline{6\,2}$$
$$2\,1\,7$$
$$\underline{2\,1\,7}$$
$$0$$
몫: 2.7

1 (1) 나누어지는 수와 나누는 수를 똑같이 100배씩 하여 595÷170을 계산합니다.

(2) 나누어지는 수와 나누는 수를 똑같이 10배씩 하여 59.5÷17을 계산합니다.

코칭Tip (1) 1.7과 같이 소수 한 자리 수를 100배 한 경우에는 가장 마지막 수의 끝자리에 0을 적어 나타냅니다.

2 나누어지는 수와 나누는 수의 소수점을 각각 오른쪽으로 한 자리씩 옮겨서 32.4÷6을 계산합니다.

→ 3.24÷0.6=32.4÷6=5.4

코칭Tip 나누는 수 0.6이 자연수가 되도록 소수점을 오른쪽으로 옮깁니다.

3 (1) 4.06÷2.9=40.6÷29=1.4
(2) 6.45÷4.3=64.5÷43=1.5
(3) 8.37÷3.1=83.7÷31=2.7

038쪽 STEP2 개념 한번 더 잡기

01 (1) 195, 5 (2) 195 (3) 195 / 195, 39 / 39

02

2.34 ÷ 0.09

100배 ↓   100배 ↓

234 ÷ 9 = 26

/ 26

03 (1) 9 (2) 27   **04** 56, 8 / 56, 8, 7

05 34, 34

06 $5.44÷1.36=\dfrac{544}{100}÷\dfrac{136}{100}=544÷136=4$

07 3   **08** 100 / 140, 5.8

09 221, 130 / 221, 130, 1.7

10 방법1

```
        5.3
   9 ) 4 7.7
       4 5
       ───
         2 7
         2 7
       ─────
           0
```

방법2

```
          5.3
   9 0 ) 4 7 7.0
         4 5 0
         ─────
           2 7 0
           2 7 0
         ───────
               0
```

11 7.54÷2.6=75.4÷26=2.9

12 (1) 5.1 (2) 1.4   **13** 3.3

14 민서

---

01 1 cm=10 mm임을 이용하여 단위를 바꾸어 나타냅니다.

→ 19.5÷0.5=195÷5=39

02 2.34×100=234, 0.09×100=9

→ 2.34÷0.09=234÷9=26

03 나누어지는 수와 나누는 수를 똑같이 10배 또는 100배 하여도 몫은 변하지 않습니다.

05 나누어지는 수와 나누는 수를 각각 100배 하여 자연수의 나눗셈으로 바꾸어 계산합니다.

06 5.44÷1.36을 분수의 나눗셈으로 바꾸어 계산합니다. 소수 두 자리 수를 분모가 100인 분수로 바꾼 다음 분자끼리 나눕니다.

07 12.9÷4.3=129÷43=3

다른 풀이

```
            3
   4.3 ) 1 2.9
        1 2 9
      ───────
            0
```

08 8.12×100=812, 1.4×100=140

→ 8.12÷1.4=812÷140=5.8

10 방법1 나누어지는 수와 나누는 수의 소수점을 각각 오른쪽으로 한 자리씩 옮겨서 47.7÷9를 계산합니다.

방법2 나누어지는 수와 나누는 수의 소수점을 각각 오른쪽으로 두 자리씩 옮겨서 477÷90을 계산합니다.

11 나누어지는 수와 나누는 수를 똑같이 10배씩 하여 계산하면 75.4÷26=2.9입니다.

12 (1)

```
            5.1
   1.2 ) 6.1 2
        6 0
      ─────
          1 2
          1 2
        ─────
            0
```

(2)

```
            1.4
   5.3 ) 7.4 2
        5 3
      ─────
          2 1 2
          2 1 2
        ───────
              0
```

13

```
            3.3
   1.7 ) 5.6 1
        5 1
      ─────
          5 1
          5 1
        ─────
            0
```

14 • 우진: 3.04÷0.8=30.4÷8=3.8
• 민서: 5.88÷1.2=58.8÷12=4.9

→ 3.8<4.9이므로 몫이 더 큰 나눗셈을 말한 사람은 민서입니다.

041쪽 STEP1 **교과서 개념 잡기**

1 방법1 200, 25, 8 방법2
$$25\overline{)200}$$
$$\underline{200}$$
$$0$$

2 (위에서부터) 100 / 25, 25 / 100
3 (1) 120, 5 (2) 37, 20
4 (1)
$$2.6\overline{)39.0}$$
$$\underline{26}$$
$$130$$
$$\underline{130}$$
$$0$$
(2)
$$4.25\overline{)18700}$$
$$\underline{1700}$$
$$1700$$
$$\underline{1700}$$
$$0$$

1 방법1 2와 0.25를 각각 분모가 100인 분수로 바꾼 다음 분자끼리 나눕니다.
방법2 나누는 수의 소수점을 오른쪽으로 두 자리 옮기고 나누어지는 수의 오른쪽에 0을 2개 붙여서 200÷25를 계산합니다.

2 나누는 수가 자연수가 되도록 나누어지는 수와 나누는 수에 똑같이 100을 곱합니다.
$58 \times 100 = 5800$, $2.32 \times 100 = 232$
➔ $58 \div 2.32 = 5800 \div 232 = 25$

3 (1) 12와 2.4에 각각 10을 곱합니다.
➔ $12 \div 2.4 = 120 \div 24 = 5$
(2) 74와 3.7에 각각 10을 곱합니다.
➔ $74 \div 3.7 = 740 \div 37 = 20$

4 (1) $39 \div 2.6 = 390 \div 26 = 15$
(2) $187 \div 4.25 = 18700 \div 425 = 44$

043쪽 STEP1 **교과서 개념 잡기**

1 (1) 1, 7 (2) 6, 7.2 (3) 6, 7.17
2 (1) 1.4 (2) 6명 (3) 1.4 L
3
$$5\overline{)21.8}\quad / \ 4 \ / \ 1.8$$
$$\underline{20}$$
$$1.8$$

1 (1) $43 \div 6 = 7.166\cdots$ ➔ 7
(2) $43 \div 6 = 7.166\cdots$ ➔ 7.2
(3) $43 \div 6 = 7.166\cdots$ ➔ 7.17

2 13.4에서 2씩 6번 빼면 1.4가 남습니다.
┌ 나누어 줄 수 있는 사람 수: 6명
└ 남는 물의 양: 1.4 L

코칭Tip
$$2\overline{)13.4}\qquad ← 나누어 줄 수 있는 사람 수$$
$$\underline{12}$$
$$1.4 \ ← 남는 물의 양$$

3
$$5\overline{)21.8}\qquad ← 나누어 줄 수 있는 사람 수$$
$$\underline{20}$$
$$1.8 \ ← 남는 쌀의 양$$

044쪽 STEP2 **개념 한번 더 잡기**

01 (1) 420, 35 / 420, 35, 12
(2)
$$3.5\overline{)420}$$
$$\underline{35}$$
$$70$$
$$\underline{70}$$
$$0$$

02 (위에서부터) 10 / 60, 60 / 10
03 45에 ○표
04 (1) $16 \div 3.2 = \dfrac{160}{10} \div \dfrac{32}{10} = 160 \div 32 = 5$

(2) $9 \div 2.25 = \dfrac{900}{100} \div \dfrac{225}{100} = 900 \div 225 = 4$

05 52   **06** (1) 5 (2) 24
07 77 / 770 / 7700   **08** 12.17
09 (1) 3.87 / 3.9 (2) 1.62 / 1.6
10 (1) 4.24 (2) 5.29
11 (위에서부터) 2.6 / 5
12 5개, 2.6 kg
13
$$8\overline{)51.2}\qquad / \ 6 \ / \ 3.2$$
$$\underline{48}$$
$$3.2$$

01 (1) 42와 3.5를 각각 분모가 10인 분수로 바꾼 다음 분자끼리 나눕니다.

(2) 나누는 수의 소수점을 오른쪽으로 한 자리 옮기고 나누어지는 수의 오른쪽에 0을 1개 붙여서 $420 \div 35$를 계산합니다.

02 $102 \times 10 = 1020$, $1.7 \times 10 = 17$
➡ $102 \div 1.7 = 1020 \div 17 = 60$

03
$$\begin{array}{r} 45 \\ 5.6\overline{)2520.0} \\ 224 \\ \hline 280 \\ 280 \\ \hline 0 \end{array}$$

05
$$\begin{array}{r} 52 \\ 0.25\overline{)13000} \\ 125 \\ \hline 50 \\ 50 \\ \hline 0 \end{array}$$

06 (1)
$$\begin{array}{r} 5 \\ 3.2\overline{)160} \\ 160 \\ \hline 0 \end{array}$$
(2)
$$\begin{array}{r} 24 \\ 2.75\overline{)6600} \\ 550 \\ \hline 1100 \\ 1100 \\ \hline 0 \end{array}$$

07 나누는 수가 같고 나누어지는 수가 10배씩 커지면 몫도 10배씩 커집니다.
$4.62 \div 0.06 = 462 \div 6 = 77$
➡ $46.2 \div 0.06 = 770$
➡ $462 \div 0.06 = 7700$

08 소수 셋째 자리 숫자가 6이므로 올림하여 나타냅니다.
$7.3 \div 0.6 = 12.16666\cdots \rightarrow 12.17$

09 (1)
$$\begin{array}{r} 3.87 \rightarrow 3.9 \\ 7\overline{)27.10} \\ 21 \\ \hline 61 \\ 56 \\ \hline 50 \\ 49 \\ \hline 1 \end{array}$$
(2)
$$\begin{array}{r} 1.62 \rightarrow 1.6 \\ 7\overline{)11.35} \\ 7 \\ \hline 43 \\ 42 \\ \hline 15 \\ 14 \\ \hline 1 \end{array}$$

• $27.1 \div 7$의 몫의 소수 둘째 자리 숫자가 7이므로 올림하여 나타냅니다.

• $11.35 \div 7$의 몫의 소수 둘째 자리 숫자가 2이므로 버림하여 나타냅니다.

코칭Tip 몫을 반올림하여 소수 첫째 자리까지 나타내려면 몫을 소수 둘째 자리까지 계산합니다.

10 (1) $29.7 \div 7 = 4.242\cdots \rightarrow 4.24$
(2) $47.6 \div 9 = 5.288\cdots \rightarrow 5.29$

11 17.6에서 3을 5번 빼면 2.6이 남습니다.

12 • 17.6에서 3을 5번 뺄 수 있으므로 나누어 담을 수 있는 상자는 5개입니다.
• 17.6에서 3을 5번 빼면 2.6이 남으므로 남는 오렌지의 무게는 $2.6\,\text{kg}$입니다.

13
$$\begin{array}{r} 6 \quad \leftarrow \text{나누어 줄 수 있는 사람 수} \\ 8\overline{)51.2} \\ 48 \\ \hline 3.2 \quad \leftarrow \text{남는 끈의 길이} \end{array}$$

046쪽 STEP3 수학 익힘 문제 잡기

01 ㉠   **02** =
03 21   **04** 7.8, 0.3, 26 / 26개
05 1.05, 1.5
06 1.6, 3.4, 3.6에 색칠
07 1.4배   **08** 14
09 **방법1** $30 \div 1.5 = \dfrac{300}{10} \div \dfrac{15}{10} = 300 \div 15 = 20$

따라서 설탕 30 g으로 머랭 쿠키 20개를 만들 수 있습니다.

방법2
$$\begin{array}{r} 20 \\ 1.5\overline{)3000} \\ 300 \\ \hline 0 \end{array}$$

따라서 설탕 30 g으로 머랭 쿠키 20개를 만들 수 있습니다.

10 5배 / 4배   **11** 2, 3, 6 / 295
12 <
13 $25 \div 1.7 = 14.7\cdots$ / 15분
14 6   **15** 현지
16 8개, 3.3 g
17 (1) 15400원   (2) 17100원   (3) 가 요구르트

01 ⓒ $33.2 \div 0.4 = 332 \div 4 = 83$

02 $36.5 \div 0.5$의 몫은 나누어지는 수와 나누는 수를 똑같이 10배 한 $365 \div 5$의 몫과 같습니다.

03 $0.15 < 3.15$
→ (큰 수)÷(작은 수)$= 3.15 \div 0.15$
$= 315 \div 15 = 21$

04 (필요한 통의 수)
$=$(전체 팝콘의 무게)÷(한 통에 담는 팝콘의 무게)
$= 7.8 \div 0.3 = 26$(개)

05

```
        1.0 5              1.5
1.2) 1.2 6 0        0.7) 1.0 5
     1 2                  7
     ───                  ───
       6 0                3 5
       6 0                3 5
     ───                  ───
         0                  0
```

06 • $1.44 \div 0.4 = 3.6$
• $8.64 \div 5.4 = 1.6$
• $2.72 \div 0.8 = 3.4$

07 (기차역~캠핑장)÷(기차역~집)
$= 7.14 \div 5.1 = 1.4$(배)

08 $\square \times 2.5 = 35$
→ $\square = 35 \div 2.5 = 14$

09 방법① 30과 1.5를 분모가 10인 분수로 바꾼 다음 분자끼리 나눕니다.
방법② 나누는 수의 소수점을 오른쪽으로 한 자리 옮기고 나누어지는 수의 오른쪽에 0을 1개 붙여서 $300 \div 15$를 계산합니다.

10 8월 1일에 기록한 길이를 7월 1일에 기록한 길이로 나누어 구합니다.
• 줄기: $27 \div 5.4 = 5$(배)
• 잎: $11 \div 2.75 = 4$(배)

11 나누어지는 수가 작을수록, 나누는 수가 클수록 나눗셈의 몫이 작습니다.
$2 < 3 < 6$이므로 나누어지는 수에 높은 자리부터 작은 수를 차례로 넣으면 $236 \div 0.8 = 295$입니다.

12 • $7 \div 11 = 0.636\cdots$
• $7 \div 11 = 0.636\cdots$ → 0.64
→ $0.636\cdots < 0.64$

13 (25 km를 날아가는 데 걸리는 시간)
$= 25 \div$(1분에 날아가는 거리)
$= 25 \div 1.7 = 14.7\cdots$
→ 15분
코칭Tip 몫을 반올림하여 자연수로 나타내려면 소수 첫째 자리까지 계산합니다.

14 $17.2 \div 6 = 2.86666\cdots$이므로 몫의 소수 둘째 자리 숫자부터 6이 반복되는 규칙입니다.
따라서 소수 10째 자리 숫자는 6입니다.

15 몫을 자연수까지만 계산하고 남는 양을 구해야 합니다. → 바르게 계산한 사람: 현지

16

```
        8    ← 만들 수 있는 쿠키 수
5) 4 3.3
   4 0
   ───
     3.3   ← 남는 버터의 양
```

17 ⑴ (가 요구르트 1 kg의 가격)$= 6160 \div 0.4$
$= 15400$(원)
⑵ (나 요구르트 1 kg의 가격)$= 5130 \div 0.3$
$= 17100$(원)
⑶ $15400 < 17100$이므로 같은 양을 살 때 가 요구르트가 나 요구르트보다 더 저렴합니다.
코칭Tip 요구르트의 양이 kg 단위로 나타나 있으므로 요구르트의 가격을 요구르트의 양으로 나누면 1 kg당 요구르트의 가격을 알 수 있습니다.

049쪽 서술형 잡기   ※서술형 문제의 예시 답안입니다.

1 ❶

```
        2 3
0.9) 2 0.7
     1 8
     ───
       2 7
       2 7
     ───
         0
```

❷ 몫, 위치

2 ❶ 바르게 계산하기 ▶ 3점
❷ 잘못된 이유 쓰기 ▶ 2점

❶
```
        5.1
1.4 )7.1 4
      7 0
      1 4
      1 4
        0
```

❷ 소수점을 옮겨서 계산하는 경우 몫의 소수점은 옮긴 소수점의 위치에 맞추어 찍어야 합니다.

3 ❶ 1.6

　❷ 1.6, 5, 5 / 5 m

4
❶ 평행사변형의 넓이 구하는 식 쓰기 ▶ 2점
❷ 평행사변형의 높이 구하기 ▶ 3점

❶ 높이를 □ cm라 하면 5.4×□=32.4입니다.
❷ □=32.4÷5.4=6이므로 평행사변형의 높이는 6 cm입니다. / 6 cm

050쪽 단원 마무리

01 100, 100, 58　　02 468, 26

03 495, 9 / 495, 9, 55

04
```
        1.2
7.3 )8.7 6
      7 3
      1 4 6
      1 4 6
          0
```

05 $35÷2.5=\dfrac{350}{10}÷\dfrac{25}{10}=350÷25=14$

06 25　　07
```
      1.3 8  / 1.4
6 )8.3 0
    6
    2 3
    1 8
      5 0
      4 8
        2
```

08
```
      9    / 9, 4.4
7 )6 7.4
    6 3
    4.4
```
09 27

10 17 / 170 / 1700　　11 2.4

12 1.7　　　　　13 <

14
```
        4
3 )1 2.9
    1 2
    0.9
```
/ 4명 / 0.9 kg

15 3.84÷0.32=12 / 12개

16 1, 3, 2　　17 7

18 13개, 1.5 m

19
❶ 바르게 계산하기 ▶ 3점
❷ 잘못된 이유 쓰기 ▶ 2점

❶
```
        4.2
0.6 )2.5 2
      2 4
      1 2
      1 2
        0
```

❷ 소수점을 옮겨서 계산하는 경우 몫의 소수점은 옮긴 소수점의 위치에 맞추어 찍어야 합니다.

20
❶ 직사각형의 넓이 구하는 식 쓰기 ▶ 2점
❷ 직사각형의 세로 구하기 ▶ 3점

❶ 세로를 □ cm라 하면 2.7×□=9.18입니다.
❷ □=9.18÷2.7=3.4이므로 직사각형의 세로는 3.4 cm입니다.
/ 3.4 cm

01 2.32×100=232, 0.04×100=4
→ 2.32÷0.04=232÷4=58

02 46.8과 1.8에 각각 10을 곱하면
46.8÷1.8=468÷18=26입니다.

03 소수 한 자리 수를 분모가 10인 분수로 바꾼 다음 분자끼리 나눕니다.

04 나누어지는 수와 나누는 수의 소수점을 각각 오른쪽으로 한 자리씩 옮겨서 계산합니다.
옮긴 소수점의 위치에 맞추어 몫의 소수점을 찍습니다.

05 나누는 수가 소수 한 자리 수이므로 분모가 10인 분수의 나눗셈으로 바꾸어 계산합니다.

진도북

2 단원

06

$$
\begin{array}{r}
2\,5 \\
2.2\,\overline{)\,5\,5\,.0\,} \\
4\,4 \\
\hline
1\,1\,0 \\
1\,1\,0 \\
\hline
0
\end{array}
$$

나누는 수가 자연수가 되도록 소수점을 오른쪽으로 한 자리 옮기고, 나누어지는 수의 오른쪽에 0을 1개 붙여 계산합니다.

07 $8.3 \div 6 = 1.38\cdots$ → 1.4

08 67.4에서 7을 9번 뺄 수 있고 4.4가 남습니다.
$67.4 - 7 - 7 - 7 - 7 - 7 - 7 - 7 - 7 - 7 = 4.4$
　　　　　　　　9번
→ $67.4 \div 7 = 9 \cdots 4.4$

09 $3.78 \div 0.14 = 378 \div 14 = 27$

10 나누어지는 수가 같고 나누는 수가 $\dfrac{1}{10}$배가 되면 몫은 10배가 됩니다.

11 $3.3 < 7.92$ → $7.92 \div 3.3 = 2.4$

12 $15.6 \div 9 = 1.73\cdots$ → 1.7

13 · $9.25 \div 0.37 = 25$　· $98.8 \div 3.8 = 26$
→ $25 < 26$

14 $12.9 \div 3 = 4 \cdots 0.9$
　　　　　　　↳ 남는 귤의 양
　　　　　↳ 나누어 줄 수 있는 사람 수

15 (필요한 물통의 수)
= (전체 물의 양) ÷ (물통 한 개에 담는 물의 양)
= $3.84 \div 0.32 = 12$(개)

16 · $18 \div 0.4 = 45$　· $54 \div 2.7 = 20$
· $70 \div 2.8 = 25$
→ $45 > 25 > 20$이므로 차례로 1, 3, 2를 씁니다.

17 $5.2 \div 11 = 0.4727272\cdots$이므로
몫의 소수 둘째 자리 숫자부터 7과 2가 반복되는 규칙입니다.
따라서 소수 12째 자리 숫자는 7입니다.

코칭Tip $5.2 \div 11 = 0.47272\cdots$에서 몫의 소수 ■째 자리 숫자 구하기
· ■가 짝수일 때: 7　· ■가 1이 아닌 홀수일 때: 2

18 $27.5 \div 2 = 13 \cdots 1.5$
　　　　　　　↳ 남는 색 테이프의 길이
　　　　　↳ 포장할 수 있는 상자 수

3 공간과 입체

057쪽 STEP 1 교과서 개념 잡기

1 ③, ②, ①
2 (1) '없습니다'에 ○표　(2) 14
3 (1) 7개　(2) 6개

1 · 첫 번째: 왼쪽에서부터 나무, 의자, 조형물이 보이므로 ③번 오리 배에서 찍은 사진입니다.
· 두 번째: 왼쪽에 가장 높은 건물의 일부가 보이고 편의점, 나무가 보이므로 ②번 오리 배에서 찍은 사진입니다.
· 세 번째: 왼쪽에서부터 가장 높은 건물, 편의점이 보이므로 ①번 오리 배에서 찍은 사진입니다.

2 쌓은 모양에서 보이는 위의 면과 위에서 본 모양이 같으므로 뒤에 숨겨진 쌓기나무가 없습니다.
→ (필요한 쌓기나무의 개수) = 6 + 5 + 3 = 14(개)

코칭Tip 위에서 본 모양이 없으면 뒤에 숨겨진 쌓기나무의 개수에 따라 쌓은 모양을 여러 가지로 만들 수 있습니다.

예

3 (1) 1층: 4개, 2층: 3개
→ (필요한 쌓기나무의 개수) = 4 + 3 = 7(개)
(2) 1층: 3개, 2층: 2개, 3층: 1개
→ (필요한 쌓기나무의 개수) = 3 + 2 + 1 = 6(개)

코칭Tip 쌓기나무로 쌓은 모양에서 보이는 위의 면과 위에서 본 모양이 같으므로 뒤에 숨겨진 쌓기나무가 없습니다.

059쪽 STEP 1 교과서 개념 잡기

1 (　　　) (　○　)
2
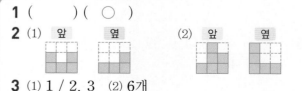
3 (1) 1 / 2, 3　(2) 6개

1 왼쪽 그림은 앞에서 본 모양이 주어진 것과 다릅니다.

→ 앞

2 각 줄의 가장 높은 층의 모양과 같게 그립니다.
(1) • 앞에서 본 모양: 왼쪽에서부터 2층, 1층, 2층
   • 옆에서 본 모양: 왼쪽에서부터 1층, 1층, 2층
(2) • 앞에서 본 모양: 왼쪽에서부터 1층, 3층, 2층
   • 옆에서 본 모양: 왼쪽에서부터 3층, 1층, 1층

3 (2) (필요한 쌓기나무의 개수)=1+2+3=6(개)

코칭Tip 위, 앞, 옆에서 본 모양을 보고 쌓은 모양을 알아보면 오른쪽과 같습니다.

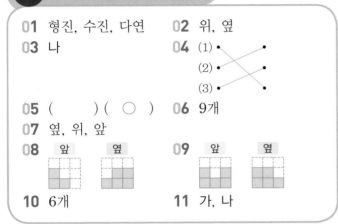

060쪽 STEP2 개념 한번 더 잡기

01 형진, 수진, 다연   **02** 위, 옆
03 나   **04** (1)• (2)• (3)•
05 (   ) (○)   **06** 9개
07 옆, 위, 앞
08 앞 옆   **09** 앞 옆
10 6개   **11** 가, 나

01 • 첫 번째 그림: 동상의 칼이 뒤쪽에 보이기 때문에 형진이가 본 모습입니다.
• 두 번째 그림: 동상의 칼이 앞쪽에 보이기 때문에 수진이가 본 모습입니다.
• 세 번째 그림: 동상의 앞모습이 보이기 때문에 다연이가 본 모습입니다.

02 • 가: 문이 보이지 않고 지붕만 보이므로 위에서 본 모습입니다.
• 나: 문과 지붕의 모습이 보이므로 옆에서 본 모습입니다.

03 가: 뒤쪽에 숨겨진 쌓기나무가 1개인 경우입니다.
나: 앞에서 보면 ⬚ 와 같이 주어진 모양에 없는 쌓기나무가 있으므로 같은 모양이 될 수 없습니다.

---

04 (1)
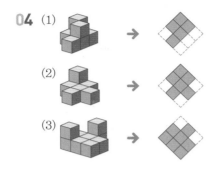
(2)

(3)

05 1층이 위에서부터 3개, 2개, 1개 연결되어 있는 모양입니다.

06 1층: 5개, 2층: 3개, 3층: 1개
→ (필요한 쌓기나무의 개수)=5+3+1=9(개)

코칭Tip 쌓기나무로 쌓은 모양에서 보이는 위의 면과 위에서 본 모양이 같으므로 숨겨진 쌓기나무가 없습니다.

07 • 위에서 본 모양: 1층에 쌓은 모양과 같습니다.
• 앞에서 본 모양: 가장 높은 층은 왼쪽에서부터 1층, 3층, 1층
• 옆에서 본 모양: 가장 높은 층은 왼쪽에서부터 1층, 3층

08 각 줄의 가장 높은 층의 모양과 같게 그립니다.
• 앞에서 본 모양: 왼쪽에서부터 2층, 1층
• 옆에서 본 모양: 왼쪽에서부터 1층, 2층, 2층

09 보이는 부분의 쌓기나무가 8개이므로 뒤에 보이지 않는 쌓기나무가 없습니다.
• 앞에서 본 모양: 가장 높은 층은 왼쪽에서부터 2층, 1층, 2층
• 옆에서 본 모양: 가장 높은 층은 왼쪽에서부터 2층, 2층, 1층

10 △○○ • 앞에서 본 모양을 보면 쌓기나무가 ○ 부분은 각각 1개입니다.
• 옆에서 본 모양을 보면 △ 부분은 각각 2개입니다.
→ (필요한 쌓기나무의 개수)=1+1+2+2
                    =6(개)

코칭Tip 위, 앞, 옆에서 본 모양을 보고 쌓은 모양을 알아보면 오른쪽과 같습니다.

11 다: 옆에서 본 모양이 다릅니다.

→

코칭Tip 앞 또는 옆에서 본 모양은 각 줄의 가장 높은 층의 모양이므로 그 줄에서 한 자리만 2층이어도 됩니다.

063쪽 STEP 1 교과서 개념 잡기

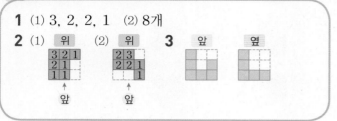

1 (1) 3, 2, 2, 1   (2) 8개

2 (1) 위   (2) 위   **3** 앞   옆

1 (1) 각 자리에 쌓여 있는 쌓기나무의 개수를 세어 표에 써넣습니다.
  (2) (필요한 쌓기나무의 개수)
     $=3+2+2+1=8$(개)

2 각 자리에 쌓여 있는 쌓기나무의 개수를 세어 수를 써넣습니다.

3 • 앞에서 보았을 때 각 줄에서 가장 큰 수만큼 그립니다.
     → 3, 1, 2
  • 옆에서 보았을 때 각 줄에서 가장 큰 수만큼 그립니다.
     → 3, 1, 1

065쪽 STEP 1 교과서 개념 잡기

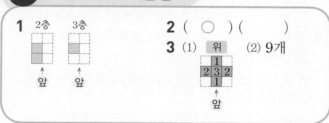

1 2층   3층

2 (○) (   )

3 (1) 위   (2) 9개

1 • 1층: 쌓기나무 4개가 놓인 모양입니다.
  • 2층: ㉡과 ㉣에 쌓기나무가 1개씩 있습니다.
  • 3층: ㉡에 쌓기나무가 1개 있습니다.

  코칭Tip 잘못된 자리에 층별 모양을 그리지 않도록 주의합니다.

2 오른쪽 쌓기나무는 3층 모양이 ▨ 입니다.

3 (1) 1층 쌓기나무 모양에서 ○ 부분은 쌓기나무가 3층까지, △ 부분은 2층까지 쌓여 있고 나머지 부분은 1층만 있습니다.
  (2) (필요한 쌓기나무의 개수)
     $=1+2+3+2+1=9$(개)

067쪽 STEP 1 교과서 개념 잡기

1 (1) 가, 마, 사   (2) 나, 다, 라, 바, 아

2 (1) (   ) (   ) (○)
  (2) (   ) (   ) (○)

3 (1)   (2)

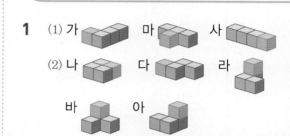

1 (1) 가   마   사
  (2) 나   다   라
     바   아

2 뒤집거나 돌렸을 때 같은 모양인 것을 찾습니다.

3 ▨ 모양이 들어갈 수 있는 곳을 먼저 찾고 ▨ 모양이 들어갈 수 있는지 확인합니다.

068쪽 STEP 2 개념 한번 더 잡기

01 9개   **02** 나

03 앞   옆

04 (1) 2 / 1   (2) 2 / 3   (3) 8개

05 (1) 6, 5, 2   (2) 13개

06 2층   3층

07 위   / 10개

08 (○) (○) (   )

09 가, 다, 라, 마

10 (1)
  (2)
  (3)

11 (1)   (2)

01 (필요한 쌓기나무의 개수)
　　＝3＋2＋1＋2＋1＝9(개)

02 가: 쌓은 모양을 보고 위에서 본 모양에 수를 쓰면

2	3	2
2		1

입니다.

코칭Tip 위에서 본 모양에 수를 쓴 것에서 사용한 쌓기나무는
2＋3＋2＋1＋1＝9(개)입니다.

03 • 앞에서 보았을 때 각 줄에서 가장 큰 수 ➡ 3, 3, 2
　　• 옆에서 보았을 때 각 줄에서 가장 큰 수 ➡ 3, 3, 2

코칭Tip 앞에서 본 모양과 옆에서 본 모양이 같습니다.

04 (1)

앞	2층	1층	3층
위	ⓛ: 2개	ⓒ: 1개	⊙ 또는 ⓔ: 3개

(2)

옆	3층	2층
위	ⓔ: 3개	⊙: 2개

(3) (필요한 쌓기나무의 개수)
　　＝2＋2＋1＋3＝8(개)

05 (2) (필요한 쌓기나무의 개수)＝6＋5＋2＝13(개)

코칭Tip 각 층에 사용된 쌓기나무의 개수는 층별로 나타낸 모양
에서 색칠된 칸 수와 같습니다.

06
　• 1층: 쌓기나무 5개가 놓인 모양입니다.
　• 2층: ⊙, ⓛ, ⓜ에 쌓기나무가 1개씩 있습
　　니다.
　• 3층: ⓛ에 쌓기나무가 1개 있습니다.

07 • ⊙: 3층 ➡ 3개　• ⓛ, ⓒ: 1층 ➡ 1개
　• ⓔ: 2층 ➡ 2개　• ⓜ: 3층 ➡ 3개
　➡ (필요한 쌓기나무의 개수)
　　　＝3＋1＋1＋2＋3＝10(개)

코칭Tip 위에서 본 모양과 1층 모양은 서로 같으므로 1층 모양을
그리고 각 자리에 쌓은 쌓기나무의 개수를 써서 나타냅니다.

08 뒤집거나 돌렸을 때 같은 모양이 되는 것을 찾습니다.

09 가　　다　　라　　마

10 뒤집거나 돌렸을 때 같은 모양인 것을 찾습니다.

11 두 가지 모양을 뒤집거나 돌려서 각 모양의 어떤 부
　분에 들어가면 되는지 알아봅니다.

채점Tip (1) 다음 그림과 같이 색칠할 수도 있습니다.

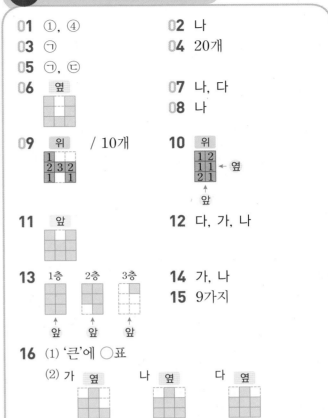

070쪽 STEP3 수학 익힘 문제 잡기

01 ①, ④	**02** 나
03 ⊙	**04** 20개
05 ⊙, ⓒ	
06 옆	**07** 나, 다
	08 나
09 위 / 10개	**10** 위
11 앞	**12** 다, 가, 나
13 1층 2층 3층	**14** 가, 나
	15 9가지
16 (1) '큰'에 ○표	

(2) 가 옆　　나 옆　　다 옆

(3) 가

---

01 • 왼쪽 그림: 노래를 부르는 사람이 앞쪽에 보이기
　　때문에 ①번 카메라로 촬영하고 있는 모습입니다.
　• 오른쪽 그림: 기타를 치는 사람과 노래를 부르는
　　사람의 뒷모습이 보이므로 ④번 카메라로 촬영하
　　고 있는 모습입니다.

02 나는 어느 방향에서도 찍을 수 없습니다.

03 ⊙ 사각뿔의 밑면을 이루는 빨대가 마름모 모양으로
　보이고 각뿔의 꼭짓점에서 만나는 빨대 4개가 밑면
　의 가운데에서 만나는 모습입니다.

04 쌓은 모양에서 보이는 위의 면과 위에서 본 모양이
　같으므로 보이지 않는 쌓기나무는 없습니다.
　1층: 12개, 2층: 6개, 3층: 2개
　➡ (사용한 쌓기나무의 개수)＝12＋6＋2＝20(개)

05 ⓛ을 앞에서 보면 빨간색 쌓기나무가 보
　이므로 위에서 본 모양이 될 수 없습니다.

06 위 • 앞에서 본 모양을 보면 ㉡, ㉣에 쌓기나무가 3개씩 있고, ㉠, ㉢, ㉤에 1개씩 있습니다.
• 옆에서 보았을 때 각 줄에서 가장 높이 쌓인 곳의 모양을 그립니다.
→ 옆에서 본 모양: 3층, 1층, 3층

07 위, 앞, 옆에서 본 모양 중 하나가 ⊔ 모양에 들어가면 됩니다.
• 나: 위에서 본 모양이 구멍의 모양과 같습니다.
• 다: 옆에서 본 모양이 구멍의 모양과 같습니다.

08 나는 앞에서 본 모양이 ▨ 이므로 가능하지 않습니다.

09 위 • 앞에서 본 모양을 보면 ㉢에 쌓기나무가 3개 있습니다.
• 옆에서 본 모양을 보면 ㉠, ㉤, ㉥에 쌓기나무가 1개씩 있습니다. 다시 앞에서 본 모양을 보면 남은 ㉡, ㉣에 쌓기나무가 2개씩 있습니다.
→ (필요한 쌓기나무의 개수)
＝1＋2＋3＋2＋1＋1＝10(개)

10 가를 위, 앞, 옆에서 본 모양은 오른쪽과 같습니다.
쌓기나무를 8개씩 사용하였으므로 위에서 본 모양의 각 자리에 쌓기나무 1개씩을 쌓으면 쌓기나무 2개가 남습니다.
가와 쌓은 모양은 다르면서 앞, 옆에서 본 모양이 각각 같으려면 ㉡, ㉤에 쌓기나무가 2개씩 쌓여야 합니다.

11 위에서 본 모양에 수를 쓰는 방법으로 나타내면 오른쪽과 같습니다. 앞에서 보았을 때 각 줄에서 가장 큰 수만큼 그립니다.
위
1 / 3 2 3 / 1
→ 3, 2, 3

12 2층에 가를 놓으면 3층에 나를 놓을 수 있지만 2층에 나를 놓으면 3층에 가를 놓을 수 없습니다.

13 • 1층의 모양은 위에서 본 모양과 같게 색칠합니다.
• 2층의 모양은 2 이상의 수가 적힌 칸에 색칠합니다.
• 3층의 모양은 3이 적힌 칸에 색칠합니다.

코칭 Tip 2층의 모양을 2가 적힌 칸에만 색칠하지 않도록 주의합니다.

---

14 가 ↘   ↙ 나
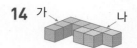

15 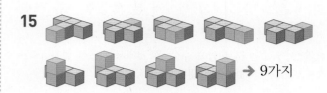 → 9가지

16 쌓기나무를 옆에서 본 모양은 각 줄에서 가장 큰 수만큼 그린 것과 같으므로 옆에서 본 모양이 다른 하나는 가입니다.

1 ❶ 5, 2, 1 ❷ 5, 2, 1, 8 / 8개

2 ❶ 층별 쌓기나무의 개수 구하기 ▶ 3점
❷ 필요한 쌓기나무의 개수 구하기 ▶ 2점

❶ 1층이 5개, 2층이 3개, 3층이 2개입니다.
❷ 주어진 모양과 똑같이 쌓는 데 필요한 쌓기나무는 5＋3＋2＝10(개)입니다.
/ 10개

3 ❶ 나, 라, 다, 마 ❷ 4 / 4가지

4 ❶ 뒤집거나 돌려서 같은 모양인 것 찾기 ▶ 3점
❷ 서로 다른 모양은 모두 몇 가지인지 구하기 ▶ 2점

❶ 뒤집거나 돌려서 같은 모양인 것은 가와 다, 나와 마입니다.
❷ 서로 다른 모양은 모두 4가지입니다.
/ 4가지

01 위, 옆

02
위에서 본 모양

03 8개

04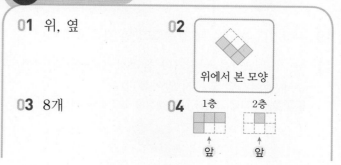
1층   2층
앞   앞

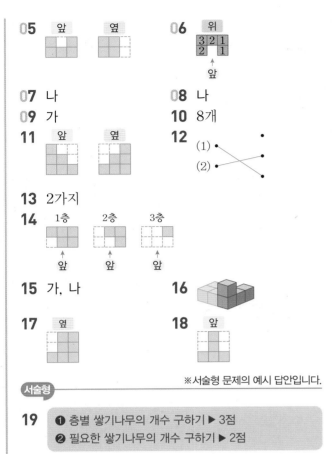

05 앞 옆

06 위
3 2 1
2   1
↑
앞

07 나
08 나
09 가
10 8개

11 앞 옆

12
(1) •   •
(2) •   •

13 2가지

14 1층   2층   3층
↑   ↑   ↑
앞   앞   앞

15 가, 나
16

17 옆
18 앞

※서술형 문제의 예시 답안입니다.

서술형

19 ① 층별 쌓기나무의 개수 구하기 ▶ 3점
   ② 필요한 쌓기나무의 개수 구하기 ▶ 2점

   ① 1층이 6개, 2층이 3개, 3층이 2개입니다.
   ② 주어진 모양과 똑같이 쌓는 데 필요한 쌓기
   나무는 6＋3＋2＝11(개)입니다.
   / 11개

20 ① 뒤집거나 돌려서 같은 모양인 것 찾기 ▶ 3점
   ② 서로 다른 모양은 모두 몇 가지인지 구하기 ▶ 2점

   ① 뒤집거나 돌려서 같은 모양인 것은 나와 라입
   니다.
   ② 서로 다른 모양은 모두 5가지입니다.
   / 5가지

01 • 가: 주전자의 뚜껑이 보이기 때문에 위에서 본 모
   습입니다.
   • 나: 주전자의 입구가 왼쪽에 보이고 손잡이가 오른
   쪽에 보이므로 옆에서 본 모습입니다.

02 1층이 위에서부터 1개, 1개, 2개가 연결되어 있는
   모양입니다.

03 (필요한 쌓기나무의 개수)
   ＝2＋1＋2＋1＋1＋1＝8(개)

04 • 1층: 쌓기나무 4개가 놓인 모양을 그립니다.
   • 2층: 쌓기나무 1개가 놓인 모양을 자리에 맞게 그
   립니다.

05 각 줄의 가장 높은 층의 모양과 같게 그립니다.
   • 앞에서 본 모양: 왼쪽에서부터 2층, 1층, 2층
   • 옆에서 본 모양: 왼쪽에서부터 2층, 2층

06 각 자리에 쌓여 있는 쌓기나무의 개수를 세어 위에서
   본 모양에 수를 써넣습니다.

07 가 다

08 층별로 나타낸 모양을 보고 각 층의 어느 자리에 쌓기
   나무가 쌓여 있는지 확인하여 쌓은 모양을 찾습니다.

09 나: 옆에서 본 모양이 다릅니다. →

10 (필요한 쌓기나무의 개수)＝4＋3＋1＝8(개)
              1층 2층 3층

11 • 앞에서 보았을 때 각 줄에서 가장 큰 수
   → 3, 2, 1
   • 옆에서 보았을 때 각 줄에서 가장 큰 수
   → 1, 2, 3

12 뒤집거나 돌렸을 때 같은 모양인 것을 찾습니다.

13 → 2가지

14 • 1층의 모양은 위에서 본 모양과 같게 색칠합니다.
   • 2층의 모양은 2 이상의 수가 적힌 칸에 색칠합니다.
   • 3층의 모양은 3이 적힌 칸에 색칠합니다.

15 다: 앞에서 보면 [   ]와 같이 주어진 모양에 없

   는 쌓기나무가 있으므로 같은 모양이 될 수 없습니다.

16 두 가지 모양을 뒤집거나 돌려서 각 모양의 어떤 부
   분에 들어가면 되는지 알아봅니다.

17 위에서 본 모양에 수를 쓰는 방법으로 나타내   위
   면 오른쪽과 같습니다. 옆에서 보았을 때 각   3
   줄에서 가장 큰 수만큼 그립니다. → 1, 3, 3   2 3 2
                                              1

18 모양으로 쌓은 것입니다.

4 비례식과 비례배분

1 (1) 8, 3 (2) 1, 2
2 (1) 2, 2 / 2, 같습니다
  (2) 4, 4 / 4, 같습니다
3 (1) (위에서부터) 260, 100
  (2) (위에서부터) 260, 20, 13 / 20, 1

1 비에서 기호 ' : ' 앞에 있는 수를 전항, 뒤에 있는 수를 후항이라고 합니다.

2 (1) 4 : 5의 비율은 $\dfrac{4}{5}$, 8 : 10의 비율은 $\dfrac{8}{10}=\dfrac{4}{5}$이 므로 전항과 후항에 각각 2를 곱하여도 비율은 같습니다.

  (2) 12 : 20의 비율은 $\dfrac{12}{20}=\dfrac{3}{5}$, 3 : 5의 비율은 $\dfrac{3}{5}$ 이므로 전항과 후항을 각각 4로 나누어도 비율은 같습니다.

3 (1) 소수 두 자리 수를 자연수로 만들어야 하므로 전항과 후항에 각각 100을 곱합니다.
  2.6 : 0.13 ➔ $(2.6 \times 100) : (0.13 \times 100)$
    ➔ 260 : 13
  (2) 각 항을 260과 13의 공약수로 나눕니다.
  260 : 13 ➔ $(260 \div 13) : (13 \div 13)$ ➔ 20 : 1

1 (1) 2, 14, 2 / '같습니다'에 ○표 (2) 9, 14
2 12 : 7 = 36 : 21 / 12, 21, 7, 36
  (외항, 내항 표시)
3 (1) (위에서부터) 15, 3 / 12, 15
  (2) (위에서부터) 1, 2, 6 / 1, 2

1 2 : 9와 14 : 63은 비율이 $\dfrac{2}{9}$로 같으므로 비례식으로 나타낼 수 있습니다.

2 비례식 12 : 7 = 36 : 21에서 바깥쪽에 있는 12와 21을 외항, 안쪽에 있는 7과 36을 내항이라고 합니다.

---

3 (1) 4 : 5 = (4 × 3) : (5 × 3) = 12 : 15
  (2) 6 : 12 = (6 ÷ 6) : (12 ÷ 6) = 1 : 2

01 19, 31
02 (1) 5, 30 / 곱하여도 (2) 3, 14 / 나누어도
03 예 18 : 10, 72 : 40
04 10 / 5, 8   **05** 28 / 21, 20
06 (1)

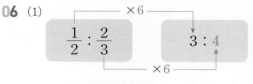

  (2)

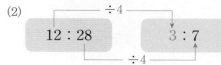

07 (1) $\dfrac{3}{5}$: 0.3 ➔ 0.6 : 0.3
    ➔ $(0.6 \times 10) : (0.3 \times 10)$
    ➔ 6 : 3 ➔ 2 : 1
  (2) $\dfrac{3}{5}$: 0.3 ➔ $\dfrac{3}{5} : \dfrac{3}{10}$
    ➔ $\left(\dfrac{3}{5} \times 10\right) : \left(\dfrac{3}{10} \times 10\right)$
    ➔ 6 : 3 ➔ 2 : 1
08 (1) 예 2 : 5 (2) 예 8 : 3
09 (○) ( )
10 (1) 5, 24 / 8, 15 (2) 6, 77 / 11, 42
11 ( )   **12** ㉡
  (○)
  ( )

01 • 전항 ➔ 기호 ':' 앞에 있는 항 ➔ 19
  • 후항 ➔ 기호 ':' 뒤에 있는 항 ➔ 31

02 (1) 2 : 6의 전항과 후항에 5를 곱하여도 비율은 같습니다.
  (2) 24 : 42의 전항과 후항을 3으로 나누어도 비율은 같습니다.

03 • 36 : 20의 전항과 후항에 2를 곱합니다.
    ➔ $36 \times 2 = 72$, $20 \times 2 = 40$
  • 36 : 20의 전항과 후항을 4로 나눕니다.
    ➔ $36 \div 2 = 18$, $20 \div 2 = 10$

04 비의 전항과 후항에 10을 곱하여 간단한 자연수의 비로 나타냅니다.

05 비의 전항과 후항에 분모 4와 7의 공배수인 28을 곱하여 간단한 자연수의 비로 나타냅니다.

06 (1) 비의 전항과 후항에 2와 3의 최소공배수인 6을 곱합니다.
　(2) 비의 전항과 후항을 12와 28의 최대공약수인 4로 나눕니다.

07 (1) 분수를 소수로 바꾼 다음 각 항에 10을 곱합니다.
　(2) 소수를 분수로 바꾼 다음 각 항에 분모 5와 10의 공배수인 10을 곱합니다.

08 (1) $0.6 : 1.5$ ➜ $(0.6 \times 10) : (1.5 \times 10)$
　　　　　➜ $6 : 15$ ➜ $(6 \div 3) : (15 \div 3)$
　　　　　➜ $2 : 5$

　(2) $\dfrac{4}{7} : \dfrac{3}{14}$ ➜ $\left(\dfrac{4}{7} \times 14\right) : \left(\dfrac{3}{14} \times 14\right)$ ➜ $8 : 3$

09 $\dfrac{1}{4} = \dfrac{25}{100} = 0.25$

　$0.5 : \dfrac{1}{4}$ ➜ $0.5 : 0.25$

　　　　➜ $(0.5 \times 100) : (0.25 \times 100)$ ➜ $50 : 25$

　　　　➜ $(50 \div 25) : (25 \div 25)$ ➜ $2 : 1$

　다른 풀이 $0.5 : \dfrac{1}{4}$ ➜ $\dfrac{1}{2} : \dfrac{1}{4}$ ➜ $\left(\dfrac{1}{2} \times 4\right) : \left(\dfrac{1}{4} \times 4\right)$
　　　　　➜ $2 : 1$

10 (1) 외항 · 내항 $5 : 8 = 15 : 24$　(2) 외항 · 내항 $6 : 11 = 42 : 77$

11 비율이 같은 두 비로 이루어진 식을 찾습니다.
　• $3 : 7$ ➜ $\dfrac{3}{7}$, $9 : 5$ ➜ $\dfrac{9}{5}$ (×)
　• $3 : 4$ ➜ $\dfrac{3}{4}$, $9 : 12$ ➜ $\dfrac{9}{12} = \dfrac{3}{4}$ (○)
　• $7 : 9$ ➜ $\dfrac{7}{9}$, $10 : 18$ ➜ $\dfrac{10}{18} = \dfrac{5}{9}$ (×)

12 $5 : 4$ ➜ $\dfrac{5}{4}$이고 ㉠ $8 : 10$ ➜ $\dfrac{8}{10}\left(= \dfrac{4}{5}\right)$,
　㉡ $15 : 12$ ➜ $\dfrac{15}{12}\left(= \dfrac{5}{4}\right)$,
　㉢ $20 : 15$ ➜ $\dfrac{20}{15}\left(= \dfrac{4}{3}\right)$입니다.
　따라서 $5 : 4 = 15 : 12$로 나타낼 수 있습니다.

---

1 (1) 14, 84 / 12, 84　(2) '같습니다'에 ○표

2 (1) $5 \times 32 = 160$
　　　$5 : 8 = 20 : 32$
　　　$8 \times 20 = 160$
　　　(○)

　(2) $12 \times 5 = 60$
　　　$12 : 8 = 6 : 5$
　　　$8 \times 6 = 48$
　　　(×)

3 (1) 450　(2) 450, 3600, 48　(3) 48분

1 (2) 외항의 곱과 내항의 곱이 84로 같습니다.

2 (1) 외항의 곱이 $5 \times 32 = 160$, 내항의 곱이 $8 \times 20 = 160$으로 같습니다.
　➜ 비례식입니다.
　(2) 외항의 곱이 $12 \times 5 = 60$, 내항의 곱이 $8 \times 6 = 48$로 다릅니다.
　➜ 비례식이 아닙니다.

3 (1) (충전해야 하는 시간) : (달릴 수 있는 거리)
　➜ $8 : 75 = ■ : 450$
　(3) $■ = 48$이므로 전기 자동차가 450 km를 달리려면 48분 동안 충전해야 합니다.

---

1 찬원, 12개
　영서, 15개

2 • $35 \times \dfrac{3}{3+4} = 35 \times \dfrac{3}{7} = 15$
　• $35 \times \dfrac{4}{3+4} = 35 \times \dfrac{4}{7} = 20$

3 (1) $\dfrac{5}{5+3} = \dfrac{5}{8}$ / $\dfrac{3}{5+3} = \dfrac{3}{8}$
　(2) $40 \times \dfrac{5}{8} = 25$(개) / $40 \times \dfrac{3}{8} = 15$(개)

1 찬원이는 4의 배수, 영서는 5의 배수만큼 갖도록 도 넛 27개를 나누어야 합니다.

2 전체의 $\frac{3}{3+4}=\frac{3}{7}$, $\frac{4}{3+4}=\frac{4}{7}$가 되도록 35를 비례배분합니다.

3 • 연재 ➡ $40 \times \frac{5}{5+3} = 40 \times \frac{5}{8} = 25$(개)

　　• 서현 ➡ $40 \times \frac{3}{5+3} = 40 \times \frac{3}{8} = 15$(개)

090쪽 STEP2 개념 한번 더 잡기

01 7, 4, 28 / 2, 14, 28
02 ㉠, ㉢　　　　**03** 16 / 16, 112, 28
04 180 / 180, 360, 120
05 210 / 90 g
06 예 $16 : 400 = 8 : \blacksquare$ / 200 L
07 8, 10
08 • $50 \times \frac{3}{3+7} = 50 \times \frac{3}{10} = 15$

　　• $50 \times \frac{7}{3+7} = 50 \times \frac{7}{10} = 35$

09 ⑴ 16, 40　⑵ 27, 18
10 $7000 \times \frac{5}{7} = 5000$(원) /

　　$7000 \times \frac{2}{7} = 2000$(원)

11 12명 / 9명　　　　**12** 10, 45

01
```
        외항
 ┌─────────┐
7 : 2 = 14 : 4      (외항의 곱) = 7 × 4 = 28
     └────┘         (내항의 곱) = 2 × 14 = 28
      내항
```
코칭Tip 외항의 곱과 내항의 곱이 28로 같습니다.

02 외항의 곱과 내항의 곱이 같은 것을 찾습니다.
　㉠ $0.1 \times 15 = 1.5$, $0.5 \times 3 = 1.5$
　➡ 비례식입니다.
　㉡ $40 \times 6 = 240$, $16 \times 10 = 160$
　➡ 비례식이 아닙니다.
　㉢ $\frac{1}{3} \times 3 = 1$, $\frac{1}{5} \times 5 = 1$
　➡ 비례식입니다.

---

03 (외항의 곱)＝(내항의 곱)임을 이용합니다.

04 3 : 2＝(가로) : (세로)로 비례식을 세운 다음 비례식의 성질을 이용하여 세로를 구합니다.

05 $7 : 3 = 210 : \blacksquare$
　$7 \times \blacksquare = 3 \times 210$, $7 \times \blacksquare = 630$, $\blacksquare = 90$
　➡ 부침 가루를 210 g 넣을 때 필요한 튀김 가루는 90 g입니다.

06 $16 : 400 = 8 : \blacksquare$
　$16 \times \blacksquare = 400 \times 8$, $16 \times \blacksquare = 3200$, $\blacksquare = 200$
　➡ 소금 8 kg을 얻는데 필요한 바닷물은 200 L입니다.
　다른 풀이 $16 : 8 = 400 : \blacksquare$
　$16 \times \blacksquare = 8 \times 400$, $16 \times \blacksquare = 3200$, $\blacksquare = 200$
　➡ 소금 8 kg을 얻는데 필요한 바닷물은 200 L입니다.

07 18개를 4개, 5개씩 두 번 나누어 가지면 선호가 8개, 혜진이가 10개 가지게 됩니다.
　다른 풀이 • 선호 ➡ $18 \times \frac{4}{4+5} = 18 \times \frac{4}{9} = 8$(개)

　　• 혜진 ➡ $18 \times \frac{5}{4+5} = 18 \times \frac{5}{9} = 10$(개)

08 ●를 ■ : ▲로 비례배분하려면 다음과 같이 식을 세워 계산합니다.

　$● \times \dfrac{■}{■+▲}$, $● \times \dfrac{▲}{■+▲}$

　코칭Tip 비례배분한 수의 합은 전체의 수와 같습니다.
　➡ $15 + 35 = 50$

09 ⑴ $56 \times \dfrac{2}{2+5} = 56 \times \dfrac{2}{7} = \boxed{16}$

　　$56 \times \dfrac{5}{2+5} = 56 \times \dfrac{5}{7} = \boxed{40}$

　⑵ $45 \times \dfrac{3}{3+2} = 45 \times \dfrac{3}{5} = \boxed{27}$

　　$45 \times \dfrac{2}{3+2} = 45 \times \dfrac{2}{5} = \boxed{18}$

10 (지후가 가진 돈) : (소라가 가진 돈)＝5 : 2
　➡ (지후가 가진 돈)＝$7000 \times \dfrac{5}{5+2}$

　　　　　$= 7000 \times \dfrac{5}{7} = 5000$(원)

　(소라가 가진 돈)＝$7000 \times \dfrac{2}{5+2}$

　　　　　$= 7000 \times \dfrac{2}{7} = 2000$(원)

11 ・남학생 → $21 \times \dfrac{4}{4+3} = 21 \times \dfrac{4}{7} = 12$(명)

・여학생 → $21 \times \dfrac{3}{4+3} = 21 \times \dfrac{3}{7} = 9$(명)

12 $55 \times \dfrac{2}{2+9} = 55 \times \dfrac{2}{11} = \boxed{10}$

$55 \times \dfrac{9}{2+9} = 55 \times \dfrac{9}{11} = \boxed{45}$

092쪽 STEP3 수학 익힘 문제 잡기

01 (   ) (○) (   )

02 ㉢, ㉣   **03** 나, 라

04 32 cm   **05**
(1) •———•
(2) •———•
(교차)

06 방법❶ 예 $1.2 : 1\dfrac{1}{4} \rightarrow 1.2 : 1.25$

$\rightarrow (1.2 \times 100) : (1.25 \times 100)$

$\rightarrow 120 : 125 \rightarrow 24 : 25$

방법❷ 예 $1.2 : 1\dfrac{1}{4} \rightarrow \dfrac{12}{10} : \dfrac{5}{4}$

$\rightarrow \left(\dfrac{12}{10} \times 20\right) : \left(\dfrac{5}{4} \times 20\right)$

$\rightarrow 24 : 25$

07 예 $9 : 5$

08 예 $2 : 7$, 예 $2 : 7$ /
'같으므로', '같습니다'에 ○표

09 예 $3 : 4$ **10** 예 $4 : 11$

11 예 $8 : 5 = 40 : 25$ **12** 민규

13

2:3=4:6
30:12=5:2
27:9=15:9
5:1=1:5
16:9=4:3
12:14=6:7
20:25=5:4
3:5=5:7

14 3, 4, 12   **15** ㉡, ㉢

16 4 / 3   **17** ㉡

18 예 $7 : 3 = 21 : 9$ **19** 45분

20 (1) 예 $5 : 2$ (2) 60 cm

21 28장

---

22 (1) 5 cm   (2) 1 km

23 32개 / 20개

24 14시간

25 ㅈ, ㅓ, ㅇ / ㄷ, ㅏ, ㅂ / 정답

26 방법❶ $36 \times \dfrac{5}{9} = 20$(송이)

방법❷ 9, 36 / 9, 180, 20 / 20

27 28 cm / 20 cm

28 (1) 54 cm   (2) 9 cm   (3) 45 cm

---

01 ・$8 : \underset{\text{후항}}{3}$ ・$3 : \underset{\text{후항}}{7}$ ・$5 : \underset{\text{후항}}{3}$

따라서 후항이 다른 하나는 $3 : 7$입니다.

02 비 $48 : 36$의 전항과 후항을 0이 아닌 같은 수로 나
누어 비율이 같은 비를 만듭니다.

・$48 : 36 \rightarrow (48 \div 2) : (36 \div 2) \rightarrow 24 : 18$

・$48 : 36 \rightarrow (48 \div 3) : (36 \div 3) \rightarrow 16 : 12$

・$48 : 36 \rightarrow (48 \div 4) : (36 \div 4) \rightarrow 12 : 9$

・$48 : 36 \rightarrow (48 \div 6) : (36 \div 6) \rightarrow 8 : 6$

・$48 : 36 \rightarrow (48 \div 12) : (36 \div 12) \rightarrow 4 : 3$

03

가	나	다	라
$4 : 2$	$4 : 3$	$2 : 3$	$8 : 6 \rightarrow (8 \div 2) : (6 \div 2)$ $\rightarrow 4 : 3$

04 $3 \times 16 = 48$이므로 전항과 후항에 각각 16을 곱합니다.

(가로) : (세로) $\rightarrow 3 : 2 \rightarrow (3 \times 16) : (2 \times 16)$

$\rightarrow 48 : 32$

따라서 세로는 32 cm로 해야 합니다.

05 (1) $\dfrac{4}{9} : \dfrac{2}{5} \rightarrow \left(\dfrac{4}{9} \times 45\right) : \left(\dfrac{2}{5} \times 45\right)$

$\rightarrow 20 : 18 \rightarrow (20 \div 2) : (18 \div 2)$

$\rightarrow 10 : 9$

(2) $2.5 : 1\dfrac{2}{3} \rightarrow \left(\dfrac{25}{10} \times 30\right) : \left(\dfrac{5}{3} \times 30\right)$

$\rightarrow 75 : 50 \rightarrow (75 \div 25) : (50 \div 25)$

$\rightarrow 3 : 2$

06 방법❶ 후항을 소수 1.25로 바꿔서 전항과 후항에 각
각 100을 곱한 후 5로 나누어 $24 : 25$로 나타낼 수
있습니다.

방법❷ 전항을 분수 $\dfrac{12}{10}$로 바꿔서 전항과 후항에 각
각 20을 곱하여 $24 : 25$로 나타낼 수 있습니다.

07 $\dfrac{3}{5} : \dfrac{1}{3}$의 각 항에 분모 5와 3의 최소공배수인 15를 곱합니다.

$$\dfrac{3}{5} : \dfrac{1}{3} \rightarrow \left(\dfrac{3}{5} \times 15\right) : \left(\dfrac{1}{3} \times 15\right) \rightarrow 9 : 5$$

08 • 아라 $\rightarrow$ (꿀) : (물) $\rightarrow 0.2 : 0.7 \rightarrow 2 : 7$

• 주현 $\rightarrow$ (꿀) : (물) $\rightarrow \dfrac{1}{5} : \dfrac{7}{10} \rightarrow \dfrac{2}{10} : \dfrac{7}{10} \rightarrow 2 : 7$

09 (높이) : (밑변의 길이) $\rightarrow 3\dfrac{3}{4} : 5 \rightarrow \dfrac{15}{4} : 5$

$$\rightarrow 15 : 20 \rightarrow 3 : 4$$

10 (비가 오지 않은 날수)$=30-8=22$(일)

(비가 온 날수) : (비가 오지 않은 날수)

$$\rightarrow 8 : 22 \rightarrow 4 : 11$$

11 비율이 같은 두 비를 찾습니다.

$8 : 5 \rightarrow \dfrac{8}{5}$, $54 : 16 \rightarrow \dfrac{54}{16} = \dfrac{27}{8}$,

$40 : 25 \rightarrow \dfrac{40}{25} = \dfrac{8}{5}$, $11 : 6 \rightarrow \dfrac{11}{6}$

$8 : 5 = 40 : 25$ 또는 $40 : 25 = 8 : 5$로 나타냅니다.

12 • 현서: $4 : 9 \rightarrow \dfrac{4}{9}$이고, $12 : 27 \rightarrow \dfrac{12}{27} = \dfrac{4}{9}$이므로 비례식입니다.

• 민규: 내항은 9와 12이고, 외항은 4와 27입니다.

13 두 비의 비율이 같은 것을 찾아 선을 긋습니다.

14 구하는 비례식을 $1 : ㉠ = ㉡ : ㉢$이라 하면

• 비율이 $\dfrac{1}{3}$이므로 $1 : ㉠$에서 $\dfrac{1}{㉠} = \dfrac{1}{3}$, $㉠$은 3입니다.

• 외항의 곱이 12이므로 $㉢$은 12입니다.

• $\dfrac{㉡}{12} = \dfrac{1}{3}$에서 $㉡$은 4입니다.

$$\rightarrow 1 : 3 = 4 : 12$$

15 ㉠ (외항의 곱)$=3.3 \times 3 = \boxed{9.9}$

(내항의 곱)$=0.9 \times 10 = \boxed{9}$ ($\times$)

㉡ (외항의 곱)$=6 \times 4 = \boxed{24}$

(내항의 곱)$=1 \times 24 = \boxed{24}$ ($\bigcirc$)

㉢ (외항의 곱)$=100 \times \dfrac{1}{5} = \boxed{20}$

(내항의 곱)$=2 \times 10 = \boxed{20}$ ($\bigcirc$)

㉣ (외항의 곱)$=32 \times 2 = \boxed{64}$

(내항의 곱)$=8 \times 9 = \boxed{72}$ ($\times$)

16 (외항의 곱)$=$(내항의 곱)$=36$

• $9 \times ㉠ = 36$, $㉠ = 4$

• $12 \times ㉡ = 36$, $㉡ = 3$

17 ㉠ $\dfrac{5}{8} \times \square = \dfrac{2}{3} \times 15$, $\dfrac{5}{8} \times \square = 10$, $\square = 16$

㉡ $54 \times 2 = \square \times 3$, $\square \times 3 = 108$, $\square = 36$

㉢ $7 \times 16 = 4 \times \square$, $4 \times \square = 112$, $\square = 28$

$\rightarrow$ ㉡ $36 >$ ㉢ $28 >$ ㉠ 16

18 두 수의 곱이 같은 카드를 찾아서 외항과 내항에 각각 놓아 비례식을 만듭니다.

$7 \times 9 = \boxed{63}$, $3 \times 21 = \boxed{63}$

$\rightarrow 7 : 3 = 21 : 9$, $7 : 21 = 3 : 9$ 등

19 물을 받아야 하는 시간을 $\square$분이라 하여 비례식을 세웁니다.

$3 : 12 = \square : 180$

$\rightarrow 3 : 180 = 12 \times \square$, $12 \times \square = 540$, $\square = 45$

20 (1) $20 : 8 \rightarrow (20 \div 4) : (8 \div 4)$

$$\rightarrow 5 : 2$$

(2) 산 액자의 가로를 $\square$ cm라 하여 비례식을 세웁니다.

$5 : 2 = \square : 24$

$\rightarrow 5 \times 24 = 2 \times \square$, $2 \times \square = 120$, $\square = 60$

21 희수가 가지고 있는 전체 색종이를 $\square$장이라 하여 비례식을 세웁니다.

$100 : 25 = \square : 7$

$\rightarrow 100 \times 7 = 25 \times \square$, $25 \times \square = 700$, $\square = 28$

코칭 Tip 파란색 색종이가 25 %일 때 전체 색종이는 100 %입니다.

22 (1) 자로 재어 보면 학교에서 집까지는 3 cm, 집에서 공원까지는 2 cm입니다.

$\rightarrow$ (학교~집)$+$(집~공원)$=3+2=5$ (cm)

(2) 학교에서 집을 지나 공원까지 가는 실제 거리를 $\square$ cm라 하여 비례식을 세웁니다.

$1 : 20000 = 5 : \square$

$\rightarrow \square = 20000 \times 5 = 100000$ (cm)

$\rightarrow 100000$ cm $= 1$ km

23 (분홍색 구슬 수)$=52 \times \dfrac{8}{8+5} = 52 \times \dfrac{8}{13} = 32$(개)

(하늘색 구슬 수)$=52 \times \dfrac{5}{8+5} = 52 \times \dfrac{5}{13} = 20$(개)

24 하루는 24시간이고, 낮과 밤의 길이의 비가 5 : 7이므로 밤의 길이는 $24 \times \frac{7}{5+7} = 24 \times \frac{7}{12} = 14$(시간)입니다.

25 • 15를 2 : 3으로 비례배분 → [6(ㅈ), 9(ㅂ)]
• 24를 1 : 5로 비례배분 → [4(ㅏ), 20(ㄷ)]
• 39를 4 : 9로 비례배분 → [12(ㅇ), 27(ㅕ)]

26 방법1 36송이를 5 : 4로 나누어 둥근 꽃병에 꽂은 장미 수를 구하면
$36 \times \frac{5}{5+4} = 36 \times \frac{5}{9} = 20$(송이)입니다.
방법2 (전체 장미 수) : (둥근 꽃병에 꽂은 장미 수)
$= (5+4) : 5$
$9 : 5 = 36 : \blacksquare$ ➔ $9 \times \blacksquare = 180$, $\blacksquare = 20$

27 (가로)+(세로)$= 96 \div 2 = 48$ (cm)
(가로)$= 48 \times \frac{7}{7+5} = 48 \times \frac{7}{12} = 28$ (cm)
(세로)$= 48 \times \frac{5}{7+5} = 48 \times \frac{5}{12} = 20$ (cm)

28 (1) (긴 도막의 길이)$= 63 \times \frac{6}{1+6} = 63 \times \frac{6}{7}$
$= 54$ (cm)
(2) (짧은 도막의 길이)$= 63 \times \frac{1}{1+6} = 63 \times \frac{1}{7}$
$= 9$ (cm)
(3) 긴 도막은 짧은 도막보다 $54 - 9 = 45$ (cm) 더 깁니다.

097쪽 **서술형 잡기**   ※서술형 문제의 예시 답안입니다.

1 ❶ 8000 ❷ 8000, 10, 10
/ 10권

2 ❶ 비례식 세우기 ▶ 2점
❷ 초콜릿을 몇 개 살 수 있는지 구하기 ▶ 3점

❶ 살 수 있는 초콜릿의 수를 ■개라 하면
$5 : 6000 = \blacksquare : 30000$입니다.
❷ $5 \times 30000 = 6000 \times \blacksquare$, $\blacksquare = 25$이므로 초콜릿을 25개 살 수 있습니다.
/ 25개

---

3 ❶ 5, 3
❷ $\frac{5}{8}$, 15, $\frac{3}{8}$, 9
/ 15만 원, 9만 원

4 ❶ 지아네 가족과 민경이네 가족 수의 비 구하기 ▶ 2점
❷ 배추를 몇 포기씩 나누어 가져야 하는지 구하기 ▶ 3점

❶ 지아네 가족과 민경이네 가족 수의 비는 4 : 5입니다.
❷ (지아네 가족이 나누어 가지는 배추의 수)
$= 54 \times \frac{4}{4+5} = 54 \times \frac{4}{9} = 24$(포기)
(민경이네 가족이 나누어 가지는 배추의 수)
$= 54 \times \frac{5}{4+5} = 54 \times \frac{5}{9} = 30$(포기)
/ 24포기, 30포기

098쪽 **단원 마무리**

01 2에 △표, 3에 ○표 **02** (위에서부터) 11, 10
03 비례식   **04** 4, 12 / 3, 16
05 5, 14, 70 / 7, 10, 70
06 8
07 • $28 \times \frac{3}{3+1} = 28 \times \frac{3}{4} = 21$
• $28 \times \frac{1}{3+1} = 28 \times \frac{1}{4} = 7$
08 30 / 35장
09 8, 18   **10** 예 14 : 13
11 9 : 15에 ○표 / 9, 15
12 예 2 : 5, 8 : 20
13 예 7 : 2   **14** ㉡
15 예 5 : 4   **16** 450 mL
17 4, 5, 20   **18** 12 cm

※서술형 문제의 예시 답안입니다.

서술형

19 ❶ 비례식 세우기 ▶ 2점
❷ 연필을 몇 자루 살 수 있는지 구하기 ▶ 3점

❶ 살 수 있는 연필의 수를 ■자루라 하면
$4 : 3600 = \blacksquare : 45000$입니다.
❷ $4 \times 45000 = 3600 \times \blacksquare$, $\blacksquare = 50$이므로 연필을 50자루 살 수 있습니다.
/ 50자루

20 ❶ 재호네 가족과 윤서네 가족 수의 비 구하기 ▶ 2점
❷ 고구마를 몇 kg씩 나누어 가져야 하는지 구하기 ▶ 3점

❶ 재호네 가족과 윤서네 가족 수의 비는 3 : 4 입니다.
❷ (재호네 가족이 나누어 가지는 고구마의 무게)
$$=21 \times \frac{3}{3+4}=21 \times \frac{3}{7}=9 \,(\text{kg})$$
(윤서네 가족이 나누어 가지는 고구마의 무게)
$$=21 \times \frac{4}{3+4}=21 \times \frac{4}{7}=12 \,(\text{kg})$$
/ 9 kg, 12 kg

01 비 2 : 3에서 기호 ' : ' 앞에 있는 2를 전항, 뒤에 있는 3을 후항이라고 합니다.

02 전항과 후항에 각각 10을 곱합니다.
$$1.1 : 0.9 \rightarrow (1.1 \times 10) : (0.9 \times 10) \rightarrow 11 : 9$$

04
외항
$$4 : 3 = 16 : 12$$
내항

05
외항
$$5 : 7 = 10 : 14$$
내항
(외항의 곱)$=5 \times 14=70$
(내항의 곱)$=7 \times 10=70$

06 비례식의 성질을 이용합니다.
$$4 : 27 = \square : 54$$
$$\rightarrow 4 \times 54 = 27 \times \square, \ 27 \times \square = 216, \ \square = 8$$

다른 풀이 비의 성질을 이용합니다.
$$4 : 27 = \square : 54 \rightarrow \square = 4 \times 2 = 8$$
($\times 2$)

07 ●를 ■ : ▲로 비례배분하려면 다음과 같이 식을 세워 계산합니다.
$$● \times \frac{■}{■ + ▲}, \ ● \times \frac{▲}{■ + ▲}$$

08 $6 : 7 = 30 : ■$
$$6 \times ■ = 7 \times 30, \ 6 \times ■ = 210, \ ■ = 35$$
➡ 30초 동안 복사할 수 있는 종이는 35장입니다.

09 $26 \times \dfrac{4}{4+9} = 26 \times \dfrac{4}{13} = 8$
$26 \times \dfrac{9}{4+9} = 26 \times \dfrac{9}{13} = 18$

10 $1\dfrac{2}{5} : 1.3 \rightarrow \dfrac{7}{5} : \dfrac{13}{10}$
$$\rightarrow \left(\dfrac{7}{5} \times 10\right) : \left(\dfrac{13}{10} \times 10\right)$$
$$\rightarrow 14 : 13$$

11 $3 : 5 \rightarrow \boxed{\dfrac{3}{5}}, \ 3 : 8 \rightarrow \dfrac{3}{8},$
$$9 : 15 \rightarrow \dfrac{9}{15} = \boxed{\dfrac{3}{5}}, \ 9 : 10 \rightarrow \dfrac{9}{10}$$
따라서 3 : 5와 비율이 같은 비는 9 : 15이므로
3 : 5 = 9 : 15입니다.

12 • $4 : 10 \rightarrow (4 \div 2) : (10 \div 2) \rightarrow 2 : 5$
• $4 : 10 \rightarrow (4 \times 2) : (10 \times 2) \rightarrow 8 : 20$

13 $1.4 : 0.4 \rightarrow (1.4 \times 10) : (0.4 \times 10)$
$$\rightarrow 14 : 4 \rightarrow (14 \div 2) : (4 \div 2)$$
$$\rightarrow 7 : 2$$

14 ㉠ $4 \times 18 = \square \times 12, \ \square \times 12 = 72, \ \square = 6$
㉡ $7 \times \square = 4 \times 17.5, \ 7 \times \square = 70, \ \square = 10$
㉢ $2\dfrac{1}{2} \times 70 = \square \times 35, \ \square \times 35 = 175, \ \square = 5$
→ ㉡ 10 > ㉠ 6 > ㉢ 5

15 (안경을 쓰지 않은 학생 수) = 27 - 15 = 12(명)
(안경을 쓴 학생 수) : (안경을 쓰지 않은 학생 수)
➡ 15 : 12 ➡ 5 : 4

16 주스 500 mL에 들어 있는 오렌지 원액의 양을 □ mL라 하여 비례식을 세웁니다.
$100 : 90 = 500 : \square$
$\rightarrow 100 \times \square = 90 \times 500, \ 100 \times \square = 45000,$
$\square = 450$

17 구하는 비례식을 $1 : ㉠ = ㉡ : ㉢$이라 하면
• 비율이 $\dfrac{1}{4}$이므로 $1 : ㉠$에서 $\dfrac{1}{㉠} = \dfrac{1}{4}$, ㉠ = 4입니다.
• 외항은 1과 20이므로 ㉢ = 20입니다.
• $\dfrac{㉡}{20} = \dfrac{1}{4}$에서 ㉡ = 5입니다.
➡ $1 : 4 = 5 : 20$

18 (가로) + (세로) = 84 ÷ 2 = 42 (cm)
(세로) $= 42 \times \dfrac{2}{5+2} = 42 \times \dfrac{2}{7} = 12$ (cm)

코칭Tip (가로) $= 42 \times \dfrac{5}{5+2} = 42 \times \dfrac{5}{7} = 30$ (cm)

5 원의 넓이

105쪽 STEP 1 교과서 개념 잡기

1

2 <, <

3 (1) '길어집니다'에 ◯표   (2) 3.14, 3.14, 3.14
   (3) 3.14배

---

1 • 원주: 원의 둘레 → 빨간색
   • 원의 지름: 원의 중심을 지나도록 원 위의 두 점을
     이은 선분 → 파란색

2 • 정육각형은 원의 반지름과 길이가 같은 변이 6개입
     니다.

   (정육각형의 둘레)
   =(원의 반지름)×6
   =(원의 지름)×3

   원이 정육각형 밖에 있으므로
   (정육각형의 둘레)<(원주)입니다.
   • 정사각형은 원의 지름과 길이가 같은 변이 4개입니다.

   (정사각형의 둘레)=(원의 지름)×4
   원이 정사각형 안에 있으므로
   (원주)<(정사각형의 둘레)입니다.

3 (1) 각 물건의 원주와 지름을 보면 원의 지름이 길어
     질수록 원주도 길어집니다.
   (2) • 단추: 3.14÷1=3.14
     • 접시: 47.1÷15=3.14
     • 병뚜껑: 12.56÷4=3.14

   코칭Tip 원주와 지름이 달라도 (원주)÷(지름)은 일정합니다.

107쪽 STEP 1 교과서 개념 잡기

1 (1) 8, 3.14, 25.12   (2) 3, 3.14, 18.84
2 30, 10
3 15, 25

---

1 (원주율)=(원주)÷(지름)
   → (원주)=(지름)×(원주율)
       =(반지름)×2×(원주율)

2 (지름)=(원주)÷(원주율)=30÷3=10 (cm)

3 • 가: (지름)=(원주)÷(원주율)
         =47.1÷3.14=15 (cm)
   • 나: (지름)=(원주)÷(원주율)
         =78.5÷3.14=25 (cm)

108쪽 STEP 2 개념 한 번 더 잡기

01

02 (1) (×)   (2) (◯)
03 6, 6 / 4, 8 / 6, 8
04 원주율 / 원주, 지름
05 3.14, 3.14, 3.14 / '일정합니다'에 ◯표
06 =
07 (1) 65.1 cm   (2) 43.4 cm
08 (1) 12   (2) 22
09 7.2 cm   **10** 8 cm
11 12.56 m   **12** 11 cm

---

01 • 원주: 원의 둘레
   • 원의 지름: 원의 중심을 지나도록 원 위의 두 점을
     이은 선분

02 (1) 원의 지름이 길어지면 원주도 길어집니다.
   (2) 원주가 짧아지면 지름도 짧아집니다.

04 원주율은 원의 지름에 대한 원주의 비율이므로
   (원주)÷(지름)입니다.

05 가: 6.28÷2=3.14   나: 15.7÷5=3.14
   다: 25.12÷8=3.14
   → 원주율은 원의 크기와 관계없이 일정합니다.

06 • (원주율)=62.8÷20=3.14
   • (원주율)=78.5÷25=3.14
   → 원주율은 원의 지름에 대한 원주의 비율로 항상
     일정합니다.

07 (1) (원주)＝(지름)×(원주율)
＝21×3.1＝65.1 (cm)
(2) (원주)＝(반지름)×2×(원주율)
＝7×2×3.1＝43.4 (cm)

08 (1) (지름)＝(원주)÷(원주율)
＝37.68÷3.14＝12 (cm)
(2) (지름)＝(원주)÷(원주율)
＝69.08÷3.14＝22 (cm)

09 (원주)＝2.4×3＝7.2 (cm)

10 (반지름)＝(원주)÷(원주율)÷2
＝50.24÷3.14÷2＝8 (cm)

11 그린 원의 반지름은 2 m입니다.
(원주)＝(반지름)×2×(원주율)
＝2×2×3.14＝12.56 (m)

12 원주가 34.1 cm이므로
(지름)＝34.1÷3.1＝11 (cm)입니다.

111쪽 STEP1 교과서 개념 잡기

1 (1) 10, 10, 50 (2) 10, 10, 100 (3) 50, 100
2 (1) 88칸 / 132칸 (2) 88, 132

1 (3) (원 안에 있는 정사각형의 넓이)＜(원의 넓이)
(원의 넓이)＜(원 밖에 있는 정사각형의 넓이)
→ 50 m²＜(원의 넓이), (원의 넓이)＜100 m²

2 보라색 모눈: 22×4＝88(개) → 88 cm²
빨간색 선 안쪽 모눈: 33×4＝132(개) → 132 cm²
→ 88 cm²＜(원의 넓이), (원의 넓이)＜132 cm²

113쪽 STEP1 교과서 개념 잡기

1
(원주)×½
원의 반지름
/ 원주 / 지름 / 반지름, 반지름
2 4, 4, 3 / 48
3 (1) 198.4 cm² (2) 375.1 cm²

---

1 원을 한없이 잘게 잘라서 이어 붙이면 직사각형이 됩니다.
(직사각형의 가로)＝(원주)×½
(직사각형의 세로)＝(반지름)

2 (원의 넓이)＝(반지름)×(반지름)×(원주율)
＝4×4×3＝48 (cm²)

3 (1) (원의 넓이)＝8×8×3.1＝198.4 (cm²)
(2) (반지름)＝22÷11＝2 (cm),
→ (원의 넓이)＝11×11×3.1＝375.1 (cm²)

115쪽 STEP1 교과서 개념 잡기

1 (1) 2, 2, 3, 12 (2) 4, 4, 3, 12 / 48, 12, 36
2 4 / 4, 4, 3.1, 49.6
3 (1) 81 cm² (2) 100 cm²

1 (1) 장미를 심은 꽃밭은 반지름이 2 m인 원입니다.
→ (장미를 심은 꽃밭의 넓이)
＝(반지름)×(반지름)×(원주율)
＝2×2×3＝12 (m²)
(2) 해바라기를 심은 꽃밭은 반지름이 4 m인 원에서 장미를 심은 꽃밭을 뺀 모양입니다.
→ (해바라기를 심은 꽃밭의 넓이)
＝4×4×3－(장미를 심은 꽃밭의 넓이)
＝48－12＝36 (m²)

2 색칠한 부분은 모양이 4개이므로 반지름이 4 cm인 원의 넓이와 같습니다.

3 (1) (색칠한 부분의 넓이)
＝(큰 원의 넓이)－(작은 원의 넓이)
＝6×6×3－3×3×3
＝108－27＝81 (cm²)
(2) (색칠한 부분의 넓이)
＝(한 변의 길이가 20 cm인 정사각형의 넓이)
－(반지름이 10 cm인 원의 넓이)
＝20×20－10×10×3
＝400－300＝100 (cm²)

01 40, 40, 800 / 40, 40, 1600 / 800, 1600
02 32, 60, 예 46
03 원주 / 지름 / 반지름, 반지름
04 (위에서부터) 15.7, 5
05

지름 (cm)	반지름 (cm)	원의 넓이 구하는 식	원의 넓이 (cm²)
16	8	$8 \times 8 \times 3$	192
4	2	$2 \times 2 \times 3$	12
30	15	$15 \times 15 \times 3$	675

06 $4960 \, cm^2$ **07** 3.1, 12.4, 27.9
08 $3.1 \, cm^2$ / $9.3 \, cm^2$ / $15.5 \, cm^2$
09 4 / 196, 147 / 49   **10** $216 \, cm^2$
11 $131.88 \, cm^2$

01 (원 안에 있는 정사각형의 넓이)
$= 40 \times 40 \div 2 = 800 \, (cm^2)$
(원 밖에 있는 정사각형의 넓이)
$= 40 \times 40 = 1600 \, (cm^2)$
→ 원의 넓이는 $800 \, cm^2$보다 넓고, $1600 \, cm^2$보다 좁습니다.

02 • 원 안에 있는 보라색 모눈의 수:
$8 \times 4 = 32$(칸) → $32 \, cm^2$
• 원 밖에 있는 빨간색 선 안쪽 모눈의 수:
$15 \times 4 = 60$(칸) → $60 \, cm^2$
→ 원의 넓이는 $32 \, cm^2$보다 넓고, $60 \, cm^2$보다 좁습니다.

03 (원주) = (지름) × (원주율)
(지름) = (반지름) × 2

04 (직사각형의 가로) = (원주) × $\frac{1}{2}$
$= 5 \times 2 \times 3.14 \times \frac{1}{2} = 15.7 \, (cm)$
(직사각형의 세로) = (반지름) = 5 cm

05 (반지름) = (지름) ÷ 2
(원의 넓이) = (반지름) × (반지름) × (원주율)

06 (자전거 표지판의 반지름) = 80 ÷ 2 = 40 (cm)
(자전거 표지판의 넓이)
= (반지름) × (반지름) × (원주율)
$= 40 \times 40 \times 3.1 = 4960 \, (cm^2)$

07 • 반지름이 1 cm인 원: $1 \times 1 \times 3.1 = 3.1 \, (cm^2)$
• 반지름이 2 cm인 원: $2 \times 2 \times 3.1 = 12.4 \, (cm^2)$
• 반지름이 3 cm인 원: $3 \times 3 \times 3.1 = 27.9 \, (cm^2)$

08 (노란색) = (반지름이 1 cm인 원의 넓이)
$= 3.1 \, cm^2$
(빨간색) = (반지름이 2 cm인 원의 넓이)
− (반지름이 1 cm인 원의 넓이)
$= 12.4 - 3.1 = 9.3 \, (cm^2)$
(파란색) = (반지름이 3 cm인 원의 넓이)
− (반지름이 2 cm인 원의 넓이)
$= 27.9 - 12.4 = 15.5 \, (cm^2)$

09 (색칠한 부분의 넓이)
= (정사각형의 넓이)
− (반지름이 14 cm인 원의 넓이) × $\frac{1}{4}$
$= 14 \times 14 - (14 \times 14 \times 3) \times \frac{1}{4}$
$= 196 - 147 = 49 \, (cm^2)$

10 (색칠한 부분의 넓이)
= (큰 원의 넓이) − (작은 원의 넓이) × 2
$= 12 \times 12 \times 3 - (6 \times 6 \times 3) \times 2$
$= 432 - 108 \times 2$
$= 432 - 216 = 216 \, (cm^2)$

11 (한지의 넓이)
= (큰 반원의 넓이) − (작은 반원의 넓이)
$= 10 \times 10 \times 3.14 \div 2 - 4 \times 4 \times 3.14 \div 2$
$= 157 - 25.12 = 131.88 \, (cm^2)$

01 3 / 4 / 예 14   **02** 3.14배
03 은주, 민희   **04** 84 m
05 ㉠   **06** 68.2 cm / 80.6 cm
07 26 cm   **08** 50그루
09 36, 48   **10** $0.26 \, cm^2$
11 4배   **12** 2, 1, 3
13 $432 \, cm^2$ **14** $334.8 \, cm^2$
15 $706.5 \, m^2$ **16** 588, 588 / =
17 (1) 31 m / 37.2 m   (2) 6.2 m

진도북

5 단원

01 (원의 지름)×3<(원주), (원주)<(원의 지름)×4
→ 12<(원주), (원주)<16이므로 원주는 12 cm보다 길고, 16 cm보다 짧습니다.

02 원판이 한 바퀴 굴러간 거리는 원판의 원주와 같습니다.
→ 원판의 원주는 지름의 $6.28÷2=3.14$(배)입니다.

03 • 은주: 원주율은 3.141592…와 같이 끝없이 계속됩니다.
• 현우: 원주는 지름의 약 3배입니다.
• 민희: (원주율)=(원주)÷(지름)

04 (기차가 달린 거리)=(원 모양 철로의 원주)×4
$=7×3×4=84$ (m)

05 ㉠ (지름)=(원주)÷(원주율)
$=55.8÷3.1=18$ (cm)
㉡ (지름)=17 cm
→ 18>17이므로 원의 지름이 더 긴 것은 ㉠입니다.

06 • (작은 원의 반지름)=$13−2=11$ (cm)
(작은 원의 원주)=$11×2×3.1=68.2$ (cm)
• (큰 원의 원주)=$13×2×3.1=80.6$ (cm)

07 상자 밑면의 한 변의 길이는 접시의 지름과 같거나 접시의 지름보다 길어야 합니다.
(접시의 지름)=$80.6÷3.1=26$ (cm)
→ 상자 밑면의 한 변의 길이는 적어도 26 cm이어야 합니다.

08 (심을 수 있는 나무의 수)=(운동장의 둘레)÷3
$=50×3÷3=50$(그루)

코칭Tip (원 모양 둘레에 심을 수 있는 나무의 수)=(간격의 수)

09 (원 안에 있는 정육각형의 넓이)
=(삼각형 ㄹㅇㅂ의 넓이)×6
$=6×6=36$ (cm²)
(원 밖에 있는 정육각형의 넓이)
=(삼각형 ㄱㅇㄷ의 넓이)×6=$8×6=48$ (cm²)
→ 원의 넓이는 36 cm²보다 넓고, 48 cm²보다 좁습니다.

10 (팔각형의 넓이)
=(큰 사각형의 넓이)−(작은 삼각형의 넓이)×4
$=6×6−(2×2÷2)×4=36−8=28$ (cm²)
(원의 넓이)=$3×3×3.14=28.26$ (cm²)
→ (원의 넓이)−(팔각형의 넓이)=$28.26−28$
$=0.26$ (cm²)

11 (원 가의 넓이)=$6×6×3.1=111.6$ (cm²)
(원 나의 넓이)=$3×3×3.1=27.9$ (cm²)
→ 원 가의 넓이는 원 나의 넓이의
$111.6÷27.9=4$(배)입니다.

12 • 첫 번째: (반지름)=$30÷2=15$ (cm)
→ (원의 넓이)=$15×15×3.1=697.5$ (cm²)
• 두 번째: (반지름)=$124÷3.1÷2=20$ (cm)
→ (원의 넓이)=$20×20×3.1=1240$ (cm²)
따라서 넓이를 비교하면
1240 cm²>697.5 cm²>251.1 cm²입니다.

13 원의 지름이 직사각형의 짧은 변의 길이와 같을 때 가장 큰 원이 됩니다.
(가장 큰 원의 반지름)=$24÷2=12$ (cm)
(가장 큰 원의 넓이)=$12×12×3=432$ (cm²)

14 (색칠한 부분의 넓이)
=(반지름이 12 cm인 반원의 넓이)
+(반지름이 6 cm인 반원의 넓이)×2
$=12×12×3.1÷2+(6×6×3.1÷2)×2$
$=223.2+55.8×2$
$=223.2+111.6=334.8$ (cm²)

15 (연못의 반지름)=(반원의 반지름)÷2
$=(60÷2)÷2=15$ (m)
(연못의 넓이)=$15×15×3.14=706.5$ (m²)

16 (왼쪽 도형의 색칠한 부분의 넓이)
$=28×28×3×\dfrac{1}{4}=588$ (cm²)
(오른쪽 도형의 색칠한 부분의 넓이)
$=14×14×3=588$ (cm²)
→ 두 도형의 색칠한 부분의 넓이는 같습니다.

17 (1) • 1번 경주로의 곡선 구간은 지름이 10 m인 원의 원주입니다.
(1번 경주로의 곡선 구간)=$10×3.1=31$ (m)
• 2번 경주로의 곡선 구간은 지름이
$10+1+1=12$ (m)인 원의 원주입니다.
(2번 경주로의 곡선 구간)
$=12×3.1=37.2$ (m)
(2) 공정한 경기를 하려면 달리는 거리가 같아야 합니다. 직선 구간의 거리는 같으므로 2번 경주로에서 달리는 사람은 곡선 구간의 길이의 차만큼 더 앞에서 출발해야 합니다.
→ $37.2−31=6.2$ (m)

1 ❶ 8, 8, 3, 12
❷ 12, 8, 20
/ 20 cm

2 | ❶ 곡선 부분의 길이 구하기 ▶ 3점 |
| ❷ 도형의 둘레 구하기 ▶ 2점 |

❶ 곡선 부분의 길이는 지름이 6 cm인 원의 원주의 반이므로 $6 \times 3 \div 2 = 9$ (cm)입니다.
❷ (도형의 둘레)$=9+6=15$ (cm)
/ 15 cm

3 ❶ 5, 5, 25, 3, 3, 27
❷ '원'에 ◯표, 27, 25, 2
/ 원 모양, 2 cm²

4 | ❶ 두 거울의 넓이 각각 구하기 ▶ 3점 |
| ❷ 어느 거울의 넓이가 몇 cm² 더 넓은지 구하기 ▶ 2점 |

❶ (직사각형 모양 거울의 넓이)$=24 \times 12$
$=288$ (cm²)
(원 모양 거울의 넓이)$=10 \times 10 \times 3.14$
$=314$ (cm²)
❷ 원 모양 거울의 넓이가 $314-288=26$ (cm²) 더 넓습니다.
/ 원 모양, 26 cm²

01 원주율
02 <, <
03 124 cm
04 7
05 3, 4
06 3.14 / 3.14
07 198.4 cm²
08 (1) (◯) (2) (×)
09 60, 88
10 3, 3.1, 3.14
11 $11 \times 11 \times 3.1 = 375.1$ / 375.1 cm²

12 >
13 170.5 m²
14 942 cm
15 ㄷ, ㄱ, ㄴ
16 32 cm
17 36 cm²
18 75.95 cm²

19 | ❶ 곡선 부분의 길이 구하기 ▶ 3점 |
| ❷ 도형의 둘레 구하기 ▶ 2점 |

❶ 곡선 부분의 길이는 지름이 10 cm인 원의 원주의 반이므로 $10 \times 3 \div 2 = 15$ (cm)입니다.
❷ (도형의 둘레)$=15+10=25$ (cm)
/ 25 cm

20 | ❶ 두 피자의 넓이 각각 구하기 ▶ 3점 |
| ❷ 어느 피자의 넓이가 몇 cm² 더 넓은지 구하기 ▶ 2점 |

❶ (직사각형 모양 피자의 넓이)
$=30 \times 25 = 750$ (cm²)
(원 모양 피자의 넓이)
$=15 \times 15 \times 3.14$
$=706.5$ (cm²)
❷ 직사각형 모양 피자의 넓이가
$750-706.5=43.5$ (cm²) 더 넓습니다.
/ 직사각형 모양, 43.5 cm²

01 (원주율)$=$(원주)$\div$(지름)

02 원의 넓이는 원 안의 정사각형의 넓이보다 넓고, 원 밖의 정사각형의 넓이보다 좁습니다.

03 (원주)$=$(지름)$\times$(원주율)
$=40 \times 3.1 = 124$ (cm)

04 (지름)$=$(원주)$\div$(원주율)
$=21.98 \div 3.14 = 7$ (cm)

05 (정육각형의 둘레)<(원주)
➔ (원의 지름)$\times 3$<(원주)
(원주)<(정사각형의 둘레)
➔ (원주)<(원의 지름)$\times 4$

06 $9.42 \div 3 = 3.14$, $18.84 \div 6 = 3.14$

07 (원의 넓이)$=$(반지름)$\times$(반지름)$\times$(원주율)
$=8 \times 8 \times 3.1 = 198.4$ (cm²)

08 (2) 원주는 지름의 약 3배입니다.

진도북

5
단원

09 • 원 안에 있는 주황색 모눈의 수:

$5 \times 4 = 60$(칸) → 60 cm^2

• 원 밖에 있는 초록색 선 안쪽 모눈의 수:

$22 \times 4 = 88$(칸) → 88 cm^2

→ 원의 넓이는 60 cm^2보다 넓고, 88 cm^2보다 좁습니다.

10 • 반올림하여 일의 자리까지:

$3.14159\cdots$ → 3

• 반올림하여 소수 첫째 자리까지:

$3.14159\cdots$ → 3.1

• 반올림하여 소수 둘째 자리까지:

$3.14159\cdots$ → 3.14

11 (원의 넓이)=(반지름)×(반지름)×(원주율)

$= 11 \times 11 \times 3.1 = 375.1 \text{ (cm}^2)$

12 (반지름이 7 cm인 원의 지름)$= 7 \times 2 = 14 \text{ (cm)}$

(원주가 24 cm인 원의 지름)$= 24 \div 3 = 8 \text{ (cm)}$

→ $14 > 8$이므로 더 큰 원은 반지름이 7 cm인 원입니다.

13 (큰 원의 반지름)$= 3 + 5 = 8 \text{ (m)}$

(꽃밭의 넓이)$= (8 \times 8 \times 3.1) - (3 \times 3 \times 3.1)$

$= 198.4 - 27.9 = 170.5 \text{ (m}^2)$

14 (굴렁쇠가 굴러간 거리)

$=$ (굴렁쇠의 원주)$\times 6$

$= 50 \times 3.14 \times 6 = 942 \text{ (cm)}$

15 ㉠ (반지름)$= 13 \text{ cm}$

㉡ (반지름)$= 28 \div 2 = 14 \text{ (cm)}$

㉢ (반지름)$= 72 \div 3 \div 2 = 12 \text{ (cm)}$

→ ㉢ 12 cm < ㉠ 13 cm < ㉡ 14 cm

16 (로봇 청소기의 지름)$= 99.2 \div 3.1 = 32 \text{ (cm)}$

→ 상자 밑면의 한 변의 길이는 적어도 32 cm이어야 합니다.

17 (색칠한 부분의 넓이)

$=$ (반지름이 4 cm인 원의 넓이)$\times \dfrac{3}{4}$

$= 4 \times 4 \times 3 \times \dfrac{3}{4} = 36 \text{ (cm}^2)$

18 (빨간색 부분의 넓이)

$=$ (반지름이 7 cm인 반원의 넓이)

$= 7 \times 7 \times 3.1 \div 2 = 75.95 \text{ (cm}^2)$

---

6 원기둥, 원뿔, 구

129쪽 STEP 1 교과서 개념 잡기

1 (○) ( ) ( ) (○)

2

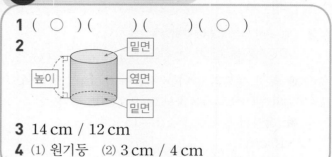

3 14 cm / 12 cm

4 (1) 원기둥 (2) 3 cm / 4 cm

1 위와 아래에 있는 두 면이 서로 평행하고 합동인 원으로 이루어진 기둥 모양의 입체도형을 찾습니다.

2 • 밑면: 서로 평행하고 합동인 두 면

• 옆면: 두 밑면과 만나는 면

• 높이: 두 밑면에 수직인 선분의 길이

3 높이: 두 밑면에 수직인 선분의 길이 → 12 cm

4 (2) (원기둥의 밑면의 반지름)=(직사각형의 가로)

$= 3 \text{ cm}$

(원기둥의 높이)=(직사각형의 세로)$= 4 \text{ cm}$

코칭Tip 원기둥의 밑면의 지름은 반지름의 2배입니다.

→ (밑면의 지름)$= 3 \times 2 = 6 \text{ (cm)}$

131쪽 STEP 1 교과서 개념 잡기

1 (1) 원, 2 (2) 직사각형, 1

2 (1) 9 (2) 12, 37.68

3 다

1 원기둥의 전개도에서 밑면은 원 모양으로 2개이고, 옆면은 직사각형 모양으로 1개입니다.

2 (1) (옆면의 세로)=(원기둥의 높이)

(옆면의 가로)=(밑면의 둘레)

(2) (밑면의 지름)$= 5 \times 2 = 10 \text{ (cm)}$

(옆면의 가로)=(밑면의 둘레)

$=$ (밑면의 지름)$\times$(원주율)

$= 12 \times 3.14 = 37.68 \text{ (cm)}$

3 원기둥의 전개도는 밑면인 두 원이 서로 합동이고 옆면이 직사각형이어야 합니다.

　가, 나: 옆면의 모양이 직사각형이 아니므로 원기둥을 만들 수 없습니다.

　코칭Tip 전개도를 접어서 원기둥을 만들려면 접었을 때 겹치거나 비는 부분이 없어야 합니다.

132쪽 STEP2 개념 한번더 잡기

01 다, 라, 바

02 (1) (2)

03 8 cm / 20 cm　　**04** (　　) (○)

05 10 cm / 7 cm

06 (1) (○)　(2) (○)

07 나, 라

08 (1) 선분 ㄱㄹ, 선분 ㄴㄷ

　　(2) 선분 ㄱㄴ, 선분 ㄹㄷ

09 직사각형　　　　　**10** 5 cm / 18.6 cm

11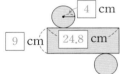

12 예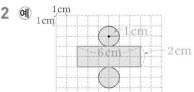

---

01 · 가: 밑면이 1개이고, 기둥 모양이 아니므로 원기둥이 아닙니다.

　· 나: 평평한 두 면이 서로 평행하지 않으므로 원기둥이 아닙니다.

　· 마: 밑면이 서로 평행하고 합동이지만 원이 아니므로 원기둥이 아닙니다.

02 밑면: 서로 평행하고 합동인 두 면

03 · (밑면의 반지름)=(밑면의 지름)÷2

　　　　　　　 =16÷2=8 (cm)

　· 원기둥의 높이는 두 밑면에 수직인 선분의 길이이므로 20 cm입니다.

---

04 원기둥을 위에서 본 모양은 원이고, 옆에서 본 모양은 직사각형입니다.

05 만든 입체도형은 원기둥입니다.

　(원기둥의 밑면의 지름)=(직사각형의 세로)×2

　　　　　　　　　　　　 =5×2=10 (cm)

　(원기둥의 높이)=(직사각형의 가로)=7 cm

06 (2) 두 밑면과 만나는 면을 옆면이라 하고, 옆면은 굽은 면입니다.

07 · 나: 두 밑면이 서로 마주 보고 있지 않습니다.

　· 라: 두 밑면이 서로 합동이 아닙니다.

08 (1) 밑면의 둘레는 전개도에서 옆면의 가로의 길이와 같습니다.

　(2) 원기둥의 높이는 전개도에서 옆면의 세로의 길이와 같습니다.

09 원기둥의 전개도는 옆면의 모양이 직사각형입니다.

10 · 원기둥의 높이: 전개도에서 옆면의 세로의 길이

　　　　　　　　　 ➔ 5 cm

　· 밑면의 둘레: 전개도에서 옆면의 가로의 길이

　　　　　　　　 ➔ 18.6 cm

11 (밑면의 반지름)=4 cm

　(옆면의 세로)=(원기둥의 높이)=9 cm

　(옆면의 가로)=(밑면의 둘레)

　　　　　　　 =4×2×3.1=24.8 (cm)

12 직사각형 모양의 옆면을 그려 전개도를 완성합니다.

　(옆면의 세로)=2 cm

　(옆면의 가로)=1×2×3=6 (cm)

135쪽 STEP1 교과서 개념 잡기

1 (　　) (○) (○) (　　)

2 10 cm / 13 cm

3 나

4 (1) 원뿔　(2) 5 cm / 4 cm

---

1 평평한 면이 원이고 옆을 둘러싼 면이 굽은 면인 뿔 모양의 입체도형을 모두 찾습니다.

2 원뿔에서 모선은 원뿔의 꼭짓점과 밑면인 원의 둘레의 한 점을 이은 선분이므로 13 cm입니다.

3 ・가: 원뿔의 모선의 길이를 재는 그림입니다.
   ・다: 원뿔의 밑면의 지름을 재는 그림입니다.

4 (2) 직각삼각형의 높이를 기준으로 돌렸으므로
   (원뿔의 밑면의 반지름)
   =(직각삼각형의 밑변의 길이)=5 cm
   (원뿔의 높이)=(직각삼각형의 높이)=4 cm

137쪽 STEP1 교과서 개념 잡기

1 (1) 구 (2) 원 / 원
2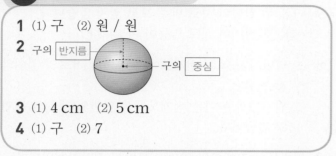
 구의 반지름
 구의 중심

3 (1) 4 cm (2) 5 cm
4 (1) 구 (2) 7

1 (2) 구는 어느 방향에서 보아도 똑같은 원 모양입니다.

2 ・구의 중심: 구에서 가장 안쪽에 있는 점
   ・구의 반지름: 구의 중심에서 구의 겉면의 한 점을
      이은 선분

3 구의 반지름은 구의 중심에서 구의 겉면의 한 점을
   이은 선분입니다.

4 (2) (구의 지름)=(반원의 지름)=7 cm

138쪽 STEP2 개념 한번 더 잡기

01 나, 라, 마
02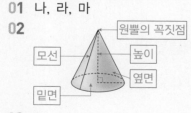
 원뿔의 꼭짓점
 모선 높이
 옆면
 밑면

03 6
04 8 cm / 15 cm / 17 cm
05 24 cm / 9 cm
06 주형   **07** 2개
08 ㉢ / (예)
 ㉠ ㉡ ㉢ ㉣

---

09 5 cm
10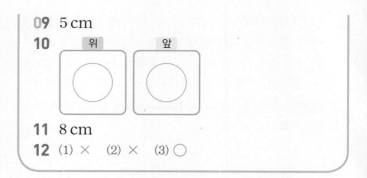
 위   앞

11 8 cm
12 (1) × (2) × (3) ○

01 ・가: 평평한 면이 원이 아니고, 옆을 둘러싼 면도 굽
      은 면이 아니므로 원뿔이 아닙니다.
   ・다, 바: 뾰족한 부분이 없으므로 원뿔이 아닙니다.
   → 원뿔을 모두 찾아 쓰면 나, 라, 마입니다.

03 자의 눈금을 읽으면 밑면의 지름은 6 cm입니다.

04 ・밑면의 지름이 16 cm이므로 반지름은
      16÷2=8 (cm)입니다.
   ・높이는 원뿔의 꼭짓점에서 밑면에 수직인 선분의
      길이이므로 15 cm입니다.
   ・모선은 원뿔의 꼭짓점과 밑면인 원의 둘레의 한 점
      을 이은 선분이므로 17 cm입니다.

05 만든 입체도형은 원뿔이고, 직각삼각형의 높이를 기
   준으로 돌렸습니다.
   (원뿔의 밑면의 지름)
   =(직각삼각형의 밑변의 길이)×2
   =12×2=24 (cm)
   (원뿔의 높이)=(직각삼각형의 높이)
                 =9 cm

06 주형: 원뿔의 꼭짓점에서 밑면에 수직인 선분의 길이
   는 높이입니다.

07 어느 방향에서 보아도 원 모양인 입체도형을 찾으면
   모두 2개입니다.

08 구의 중심은 구에서 가장 안쪽에 있는 점입니다.
   구의 중심에서 구의 겉면의 한 점을 이어 구의 반지
   름을 표시합니다.

09 (구의 지름)=10 cm
   (구의 반지름)=(구의 지름)÷2=10÷2=5 (cm)

10 구는 어느 방향에서 보아도 항상 원 모양입니다.

11 (구의 반지름)=(반원의 반지름)
                  =16÷2=8 (cm)

12 (1) 원기둥에는 꼭짓점이 없습니다. → (×)

(2) 구는 어느 방향에서 보아도 항상 원 모양입니다.
→ (×)

(3) 원기둥의 옆면과 구의 전체 면은 굽은 면입니다.
→ (○)

140쪽 STEP 3 수학 익힘 문제 잡기

01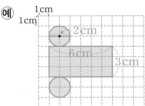

02 다윤

03 10 cm

04 ㉡

05 43.4 cm / 15 cm

06 2

07 예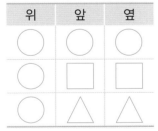

08 141.3 cm²

09 (위에서부터) 원 / 1, 1 / 오각형, 원

10 36 cm

11 영우

12 4 cm

13 ㉡

14
위	앞	옆
○	○	○
○	□	□
○	△	△

15 (1) 42 cm (2) 147 cm²

16 (1) 62 cm (2) 86 cm (3) 148 cm

---

01 만들어지는 입체도형은 원기둥입니다.
직사각형의 가로의 길이는 원기둥의 밑면의 반지름, 직사각형의 세로의 길이는 원기둥의 높이가 되도록 원기둥의 겨냥도를 완성합니다.

02 원기둥은 서로 평행하고 합동인 두 밑면으로 이루어져 있습니다. 주어진 입체도형은 밑면이 서로 평행하지만 합동이 아니기 때문에 원기둥이 아닙니다.

---

03 앞에서 본 모양이 정사각형이므로 원기둥의 높이는 밑면의 지름과 같습니다.
→ (높이)=5×2=10 (cm)

04 ㉡ 원기둥에는 꼭짓점과 모서리가 없습니다.

> **코칭Tip** 모서리는 면과 면이 만나는 선분인데 원기둥과 원뿔은 밑면이 원이고 옆면이 굽은 면이므로 모서리가 없습니다.

05 (옆면의 가로)=(밑면의 둘레)=7×2×3.1
=43.4 (cm)
(옆면의 세로)=(원기둥의 높이)=15 cm

06 (옆면의 가로)=(밑면의 반지름)×2×(원주율)
→ (밑면의 반지름)=(옆면의 가로)÷(원주율)÷2
=12÷3÷2=2 (cm)

07 밑면의 지름과 옆면의 가로, 세로의 길이에 맞게 원기둥의 전개도를 그립니다.
(밑면의 지름)=2 cm
(옆면의 가로)=2×3=6 (cm)
(옆면의 세로)=3 cm

08 • (옆면의 가로)=(밑면의 둘레)
=5×3.14=15.7 (cm)
• (옆면의 세로)=(원기둥의 높이)=9 cm
→ (옆면의 넓이)=(옆면의 가로)×(옆면의 세로)
=15.7×9=141.3 (cm²)

09 각뿔과 원뿔을 위에서 본 모양은 각각 밑면의 모양과 같습니다.

> **코칭Tip** 각뿔과 원뿔 비교하기
> • 공통점: 각뿔과 원뿔은 모두 밑면이 1개입니다.
> • 차이점: 각뿔은 밑면이 다각형이고, 원뿔은 밑면이 원입니다.

10 모선의 길이는 모두 같으므로
(변 ㄱㄴ)=(변 ㄱㄷ)=10 cm입니다.
→ (삼각형 ㄱㄴㄷ의 둘레)=10+16+10
=36 (cm)

11 영우: 원뿔의 모선의 길이는 항상 높이보다 깁니다.

> **코칭Tip** • 가: 높이를 재는 그림 → 6 cm
> • 나: 모선의 길이를 재는 그림 → 7 cm

12 • 원기둥 가의 높이: 8 cm
• 원뿔 나의 높이: 12 cm
→ (높이의 차)=12-8=4 (cm)

13 ㉡ 구의 반지름은 12÷2=6 (cm)입니다.

14 • 구: 위에서 본 모양 → 원
　　　앞과 옆에서 본 모양 → 원
　　• 원기둥: 위에서 본 모양 → 원
　　　　앞과 옆에서 본 모양 → 직사각형
　　• 원뿔: 위에서 본 모양 → 원
　　　　앞과 옆에서 본 모양 → 이등변삼각형

15 반원 모양의 종이를 지름을 기준으로 한 바퀴 돌리면 구가 만들어집니다.
　(1) 구를 위에서 본 모양은 원입니다.
　　→ (위에서 본 모양의 둘레)$=7 \times 2 \times 3$
　　　　　　　　　　　　　　$=42$ (cm)
　(2) 구를 앞에서 본 모양은 원입니다.
　　→ (앞에서 본 모양의 넓이)$=7 \times 7 \times 3$
　　　　　　　　　　　　　　$=147$ (cm^2)

16 (1) (밑면의 둘레)$=5 \times 2 \times 3.1 = 31$ (cm)
　　→ (두 밑면의 둘레의 합)$=31+31=62$ (cm)
　(2) (옆면의 가로)$=$(밑면의 둘레)
　　　　　　　　$=5 \times 2 \times 3.1 = 31$ (cm)
　　(옆면의 세로)$=$(원기둥의 높이)$=12$ cm
　　→ (옆면의 둘레)$=(31+12) \times 2 = 86$ (cm)
　(3) (전개도의 둘레)
　　　$=62+86=148$ (cm)

※서술형 문제의 예시 답안입니다.

1 ❶ 평행, 합동　❷ 옆면, 직사각형

2 | ❶ 원기둥과 원뿔의 공통점 쓰기 ▶ 2점 |
| ❷ 원기둥과 원뿔의 차이점 쓰기 ▶ 3점 |

❶ 위에서 본 모양이 원입니다.
❷ 원뿔에는 꼭짓점이 있고, 원기둥에는 꼭짓점이 없습니다.

3 ❶ 16, 8　❷ 8, 8, 96 / 96 cm^2

4 | ❶ 돌리기 전 평면도형 알아보기 ▶ 2점 |
| ❷ 돌리기 전 평면도형의 넓이 구하기 ▶ 3점 |

❶ 돌리기 전 평면도형은 가로가
$12 \div 2 = 6$ (cm), 세로가 15 cm인 직사각형입니다.
❷ (돌리기 전 평면도형의 넓이)
　　$=6 \times 15 = 90$ (cm^2) / 90 cm^2

---

01 원뿔　　　　　　　　**02** 나, 라, 바
03 가, 마
04 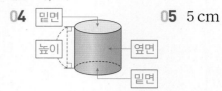　　　　**05** 5 cm
06 (　　) (　　) (○)
07 다　　　　　　　　**08** 7 cm
09 밑면의 지름　　　　**10** 진우
11 32 cm / 30 cm / 34 cm
12 42 cm　　　　　　　**13** ㉢
14 4 cm
15
16 ㉠
17
위	앞	옆
○	□	□

18 9 cm

※서술형 문제의 예시 답안입니다.

19 | ❶ 원뿔과 구의 공통점 쓰기 ▶ 2점 |
| ❷ 원뿔과 구의 차이점 쓰기 ▶ 3점 |

❶ 굽은 면이 있습니다.
❷ 앞에서 본 모양이 원뿔은 이등변삼각형이고, 구는 원입니다.

20 | ❶ 돌리기 전 평면도형 알아보기 ▶ 2점 |
| ❷ 돌리기 전 평면도형의 넓이 구하기 ▶ 3점 |

❶ 돌리기 전 평면도형은 밑변의 길이가
$24 \div 2 = 12$ (cm), 높이가 16 cm인 직각삼각형입니다.
❷ (돌리기 전 평면도형의 넓이)
　　$=12 \times 16 \div 2 = 96$ (cm^2) / 96 cm^2

01 평평한 면이 원이고 옆을 둘러싼 면이 굽은 면인 뿔 모양의 입체도형 → 원뿔

02 위와 아래에 있는 두 면이 서로 평행하고 합동인 원으로 이루어진 기둥 모양의 입체도형을 찾습니다.
→ 나, 라, 바

03 평평한 면이 원이고 옆을 둘러싼 면이 굽은 면인 뿔 모양의 입체도형을 찾습니다. → 가, 마

05 원기둥의 높이는 두 밑면에 수직인 선분의 길이이므로 5 cm입니다.

06 원기둥의 전개도는 옆면이 직사각형이고, 합동인 두 밑면이 옆면을 사이에 두고 마주 보고 있어야 합니다.

07 반원 모양의 종이를 지름을 기준으로 한 바퀴 돌리면 구가 만들어집니다.

08 만들어진 구의 반지름은 반원의 반지름과 같습니다.
→ $14 \div 2 = 7$ (cm)

09 원뿔의 밑면의 지름을 재는 그림입니다. 두 삼각자와 자가 직각으로 만나는 곳의 눈금을 읽습니다.

10 다영: 원기둥에는 꼭짓점이 없습니다.

11 (밑면의 지름)$= 16 \times 2 = 32$ (cm)

12 선분 ㄱㄹ의 길이는 밑면인 원의 둘레와 같습니다.
→ (선분 ㄱㄹ)$= 7 \times 2 \times 3 = 42$ (cm)

13 ㉠ 구의 중심은 1개입니다.
㉡ 구의 반지름은 $10 \div 2 = 5$ (cm)입니다.

14 • 원뿔 가의 높이: 19 cm
• 원뿔 나의 높이: 23 cm
→ (두 원뿔 가와 나의 높이의 차)
$= 23 - 19 = 4$ (cm)

15 (밑면의 반지름)$= 2$ cm
(옆면의 세로)$=$(원기둥의 높이)$= 6$ cm
(옆면의 가로)$=$(밑면의 둘레)$= 2 \times 2 \times 3.1$
$= 12.4$ (cm)

16 ㉠ 원기둥은 밑면이 2개이고 원뿔은 밑면이 1개입니다.

17 • 위에서 본 모양: 원
• 앞과 옆에서 본 모양: 직사각형

18 (옆면의 가로)$=$(밑면의 반지름)$\times 2 \times$(원주율)
→ (밑면의 반지름)$=$(옆면의 가로)$\div$(원주율)$\div 2$
$= 54 \div 3 \div 2 = 9$ (cm)

01 6, 2, 6, 2, 3   **02** 5, 3, $\dfrac{5}{3}$, $1\dfrac{2}{3}$

03 $\dfrac{48}{55}$ **04** ㉡

05 10명

06

$3.06 \div 0.09$ / 34
100배   100배
$306 \div 9 = 34$

07 676, 13   **08** 1.7

09 <   **10** 6

11 11개   **12**

	위	
	3	1
1	2	

↑
앞

13 가   **14** 다

15 나, 가, 다   **16** 22, 35

17 9, 25 / 5, 45   **18**
(1) •   •
        ✕
(2) •   •

19 28, 21   **20** 16 cm

21 ㉢   **22** 34.1 cm

23 198.4 cm²

24 112 cm², 113.04 cm²

25 50 cm²   **26** 다, 라

27 (위에서부터) 5, 31   **28** 13 cm

29 8 cm   **30** 7 cm

01 분모가 같은 (진분수)÷(진분수)는 분자끼리 나눈 것과 같습니다.
→ $\dfrac{6}{7} \div \dfrac{2}{7} = 6 \div 2 = 3$

02 분모가 같은 (진분수)÷(진분수)에서 분자끼리 나누어 떨어지지 않는 경우 몫을 분수로 나타냅니다.

03 $\dfrac{8}{11} \div \dfrac{5}{6} = \dfrac{48}{66} \div \dfrac{55}{66} = \dfrac{48}{55}$

04 ㉠ $1\dfrac{2}{5} \div \dfrac{3}{11} = \dfrac{7}{5} \times \dfrac{11}{3} = \dfrac{77}{15} = 5\dfrac{2}{15}$ (✕)
㉡ $\dfrac{8}{7} \div \dfrac{5}{4} = \dfrac{8}{7} \times \dfrac{4}{5} = \dfrac{32}{35}$ (○)

05 (마실 수 있는 사람 수)
= (전체 오렌지주스의 양)
÷ (한 명이 마시는 오렌지주스의 양)
= $4 \div \frac{2}{5} = (4 \div 2) \times 5 = 10$ (명)

06 $3.06 \times 100 = 306$, $0.09 \times 100 = 9$
➔ $3.06 \div 0.09 = 306 \div 9 = 34$

07 6.76과 0.52에 각각 100을 곱하면 $676 \div 52 = 13$
입니다.

08 나누어지는 수와 나누는 수의 소수점을 똑같이 옮겨
계산합니다.

09 · $11.2 \div 0.8 = 14$
· $34 \div 1.7 = 20$
➔ $14 < 20$이므로 $11.2 \div 0.8 < 34 \div 1.7$입니다.

10 $13.7 \div 3 = 4.5666 \cdots$
몫의 소수 둘째 자리부터 숫자 6이 반복되는 규칙입
니다.
따라서 소수 9째 자리 숫자는 6입니다.

11 1층이 5개, 2층이 4개, 3층이 2개이므로 필요한 쌓
기나무는 $5 + 4 + 2 = 11$(개)입니다.

12 각 자리에 쌓여 있는 쌓기나무의 개수를 세어 위에서
본 모양에 수를 써넣습니다.

13 · 나: 앞에서 본 모양이 다릅니다.
· 다: 옆에서 본 모양이 다릅니다.

14 다는 주어진 모양에 쌓기나무 2개를 더 붙여야 합니다.

가   나   다

15 2층에 가를 놓으면 3층에 다를 놓을 수 있지만
2층에 다를 놓으면 3층에 가를 놓을 수 없습니다.

16 · 전항 ➔ 기호 ':' 앞에 있는 항 ➔ 22
· 후항 ➔ 기호 ':' 뒤에 있는 항 ➔ 35

17
$$\overset{\overbrace{}^{\text{외항}}}{9 : 5 = 45 : 25}$$
내항

18 (1) $6 : \frac{1}{2}$ ➔ $(6 \times 2) : \left(\frac{1}{2} \times 2\right)$ ➔ $12 : 1$
(2) $32 : 16$ ➔ $(32 \div 16) : (16 \div 16)$ ➔ $2 : 1$

19 (외항의 곱) = (내항의 곱) = 84
· $3 \times ㉠ = 84$ ➔ $㉠ = 28$
· $4 \times ㉡ = 84$ ➔ $㉡ = 21$

20 (가로) + (세로) = $72 \div 2 = 36$ (cm)
(직사각형의 가로) = $36 \times \frac{4}{4+5} = 36 \times \frac{4}{9} = 16$ (cm)

21 ㉢ 원의 지름에 관계없이 원주율은 변하지 않습니다.

22 (원주) = (지름) × (원주율)
= $11 \times 3.1 = 34.1$ (cm)

23 (원의 넓이) = (반지름) × (반지름) × (원주율)
= $8 \times 8 \times 3.1 = 198.4$ (cm^2)

24 (팔각형의 넓이)
= (큰 사각형의 넓이) − (작은 삼각형의 넓이) × 4
= $12 \times 12 - (4 \times 4 \div 2) \times 4$
= $144 - 32 = 112$ (cm^2)
(원의 넓이) = $6 \times 6 \times 3.14 = 113.04$ (cm^2)

25
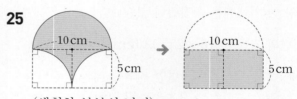

(색칠한 부분의 넓이)
= (가로가 10 cm, 세로가 5 cm인 직사각형의 넓이)
= $10 \times 5 = 50$ (cm^2)

26 위와 아래에 있는 면이 서로 평행하고 합동인 원으로
이루어진 입체도형을 찾습니다.

27 (밑면의 반지름) = 5 cm
(옆면의 가로) = (밑면의 둘레) = $5 \times 2 \times 3.1$
= 31 (cm)

28 원뿔의 꼭짓점과 밑면인 원의 둘레의 한 점을 이은
선분을 찾습니다.

29 반원 모양의 종이를 지름을 기준으로 한 바퀴 돌리면
구가 만들어집니다. 만들어진 구의 반지름은 반원의
반지름과 같습니다.
(구의 반지름) = $16 \div 2 = 8$ (cm)

30 (옆면의 가로) = (밑면의 반지름) × 2 × (원주율)
➔ (밑면의 반지름) = (옆면의 가로) ÷ (원주율) ÷ 2
= $42 \div 3 \div 2 = 7$ (cm)

기초력 학습지

1 분수의 나눗셈

01쪽 | **01** | 분모가 같은 (분수)÷(분수)(1)

1 2		**2** 3		**3** 4	
4 5		**5** 7		**6** 9	
7 6		**8** 8		**9** 10	
10 2		**11** 2		**12** 2	
13 5		**14** 5		**15** 2	
16 4		**17** 3		**18** 3	

02쪽 | **02** | 분모가 같은 (분수)÷(분수)(2)

1 $2, 3, \dfrac{2}{3}$ **2** $3, 5, \dfrac{3}{5}$

3 $5, 13, \dfrac{5}{13}$ **4** $7, 12, \dfrac{7}{12}$

5 $5, 4, \dfrac{5}{4}, 1\dfrac{1}{4}$ **6** $9, 7, \dfrac{9}{7}, 1\dfrac{2}{7}$

7 $\dfrac{5}{7}$ **8** $\dfrac{2}{5}$ **9** $\dfrac{7}{11}$

10 $\dfrac{9}{10}$ **11** $\dfrac{4}{13}$ **12** $2\dfrac{2}{5}$

13 $1\dfrac{2}{11}$ **14** $2\dfrac{1}{8}$ **15** $1\dfrac{2}{17}$

03쪽 | **03** | 분모가 다른 (분수)÷(분수)

1 2 **2** 6 **3** 6

4 4 **5** 3 **6** 2

7 2 **8** 3 **9** 2

10 $\dfrac{5}{6}$ **11** $\dfrac{3}{4}$ **12** $\dfrac{8}{15}$

13 $\dfrac{14}{15}$ **14** $1\dfrac{1}{5}$ **15** $2\dfrac{1}{12}$

16 $1\dfrac{31}{32}$ **17** $2\dfrac{2}{11}$ **18** $1\dfrac{19}{26}$

04쪽 | **04** | (자연수)÷(분수)

1 3, 8, 8	**2** 5, 6, 12	
3 2, 3, 9	**4** 3, 4, 12	
5 2, 5, 10	**6** 5, 9, 27	
7 4, 7, 14	**8** 3, 8, 32	
9 14	**10** 18	**11** 16
12 30	**13** 16	**14** 8
15 22	**16** 42	**17** 21

9 $6 \div \dfrac{3}{7} = (6 \div 3) \times 7 = 14$

05쪽 | **05** | (분수)÷(분수)를 (분수)×(분수)로 나타내기

1 $\dfrac{4}{3}, \dfrac{8}{15}$ **2** $\dfrac{5}{3}, \dfrac{20}{21}$

3 $\dfrac{5}{4}, \dfrac{15}{32}$ **4** $\dfrac{3}{2}, \dfrac{9}{10}$

5 $\dfrac{4}{3}, \dfrac{20}{21}$ **6** $\dfrac{3}{2}, \dfrac{15}{16}$

7 $\dfrac{5}{4}, \dfrac{15}{28}$ **8** $\dfrac{3}{2}, \dfrac{9}{14}$

9 $\dfrac{5}{7} \div \dfrac{7}{9} = \dfrac{5}{7} \times \dfrac{9}{7} = \dfrac{45}{49}$

10 $\dfrac{7}{9} \div \dfrac{3}{4} = \dfrac{7}{9} \times \dfrac{4}{3} = \dfrac{28}{27} = 1\dfrac{1}{27}$

11 $\dfrac{3}{10} \div \dfrac{2}{3} = \dfrac{3}{10} \times \dfrac{3}{2} = \dfrac{9}{20}$

12 $\dfrac{5}{12} \div \dfrac{4}{7} = \dfrac{5}{12} \times \dfrac{7}{4} = \dfrac{35}{48}$

13 $\dfrac{4}{5} \div \dfrac{3}{4} = \dfrac{4}{5} \times \dfrac{4}{3} = \dfrac{16}{15} = 1\dfrac{1}{15}$

14 $\dfrac{7}{8} \div \dfrac{1}{5} = \dfrac{7}{8} \times 5 = \dfrac{35}{8} = 4\dfrac{3}{8}$

15 $\dfrac{3}{5} \div \dfrac{7}{11} = \dfrac{3}{5} \times \dfrac{11}{7} = \dfrac{33}{35}$

16 $\dfrac{5}{6} \div \dfrac{3}{7} = \dfrac{5}{6} \times \dfrac{7}{3} = \dfrac{35}{18} = 1\dfrac{17}{18}$

17 $\dfrac{13}{14} \div \dfrac{5}{9} = \dfrac{13}{14} \times \dfrac{9}{5} = \dfrac{117}{70} = 1\dfrac{47}{70}$

06쪽 | 06 | (분수)÷(분수)를 계산하기

1 $2\frac{2}{9}$ **2** $3\frac{3}{20}$ **3** $2\frac{16}{27}$

4 $1\frac{25}{56}$ **5** $2\frac{16}{25}$ **6** $2\frac{5}{8}$

7 $1\frac{23}{25}$ **8** $2\frac{25}{28}$ **9** $1\frac{23}{32}$

10 $3\frac{3}{8}$ **11** $17\frac{1}{2}$ **12** $4\frac{1}{6}$

13 14 **14** $4\frac{2}{3}$ **15** $1\frac{27}{49}$

16 $3\frac{8}{9}$ **17** $8\frac{1}{10}$ **18** $5\frac{5}{8}$

2 소수의 나눗셈

07쪽 | 07 | 자연수의 나눗셈을 이용한 (소수)÷(소수)

1 10, 7, 10 / 3 **2** 10, 4, 10 / 7
3 10, 6, 10 / 7 **4** 10, 216, 10 / 27
5 10, 372, 10 / 62
6 100, 175, 100 / 35
7 100, 228, 100 / 57
8 100, 696, 100 / 87
9 100, 414, 100 / 69
10 100, 225, 100 / 75

08쪽 | 08 | 자릿수가 같은 (소수)÷(소수)

1 9 / 9, 5 **2** 4 / 4, 14
3 63 / 63, 3 **4** 48 / 48, 9
5 31 / 31, 23 **6** 684 / 684, 12
7 2 **8** 6 **9** 12
10 9 **11** 25 **12** 63

7
$$0.7\overline{)1.4}$$
$$\frac{1\ 4}{0}$$

8
$$1.2\overline{)7.2}$$
$$\frac{7\ 2}{0}$$

09쪽 | 09 | 자릿수가 다른 (소수)÷(소수)

1 8 / 8, 1.6 **2** 12 / 12, 2.1
3 34 / 34, 2.6 **4** 1161 / 1161, 4.3
5 1984 / 1984, 3.2 **6** 7812 / 7812, 8.4
7 7.3 **8** 3.2 **9** 3.5
10 8.7 **11** 8.6 **12** 6.1

10쪽 | 10 | (자연수)÷(소수)

1 8 / 8, 15 **2** 320 / 320, 5
3 540 / 540, 15 **4** 75 / 75, 16
5 168 / 168, 25 **6** 6800 / 6800, 25
7 15 **8** 22 **9** 30
10 36 **11** 25 **12** 40

9
$$2.4\overline{)7\,2.0}$$
$$\frac{7\ 2}{0}\quad 30$$

12
$$1.95\overline{)7\,8.00}$$
$$\frac{7\ 8\ 0}{0}\quad 40$$

11쪽 | 11 | 몫을 반올림하여 나타내기

1 0.4 **2** 0.5 **3** 0.4
4 1.8 **5** 0.83 **6** 0.47
7 3.44 **8** 3.66

1
$$7\overline{)3.00}\quad 0.42 \to 0.4$$
$$\frac{2\ 8}{2\ 0}$$
$$\frac{1\ 4}{6}$$

2
$$11\overline{)6.00}\quad 0.54 \to 0.5$$
$$\frac{5\ 5}{5\ 0}$$
$$\frac{4\ 4}{6}$$

5
$$6\overline{)5.000}\quad 0.833 \to 0.83$$
$$\frac{4\ 8}{2\ 0}$$
$$\frac{1\ 8}{2\ 0}$$
$$\frac{1\ 8}{2}$$

6
$$3\overline{)1.400}\quad 0.466 \to 0.47$$
$$\frac{1\ 2}{2\ 0}$$
$$\frac{1\ 8}{2\ 0}$$
$$\frac{1\ 8}{2}$$

12쪽 **12 | 나누어 주고 남는 양 알아보기**

1 8, 40, 3.1	**2** 4, 28, 1.5
3 9, 72, 0.4	**4** 9, 81, 4.3
5 3, 18, 4.6	**6** 7, 21, 2.8
7 7, 0.5	**8** 3, 1.9
9 8, 1.1	**10** 9, 0.8
11 12, 2.6	**12** 35, 2.2

5
```
        3
   6 ) 2 2.6
       1 8
         4.6
```

6
```
        7
   3 ) 2 3.8
       2 1
         2.8
```

3 공간과 입체

13쪽 **13 | 쌓은 모양을 보고 위, 앞, 옆에서 본 모양 그리기**

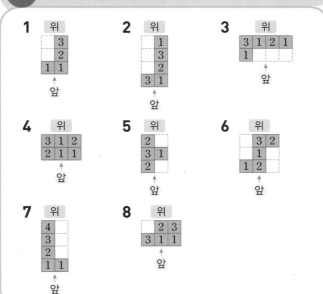

1 앞 옆   **2** 앞 옆

3 앞 옆   **4** 앞 옆

5 앞 옆   **6** 앞 옆

14쪽 **14 | 위, 앞, 옆에서 본 모양을 보고 쌓기나무의 개수 구하기**

1 8개	**2** 6개	**3** 6개
4 8개	**5** 9개	**6** 7개
7 9개	**8** 10개	

15쪽 **15 | 쌓은 모양을 보고 위에서 본 모양에 수를 써서 나타내기**

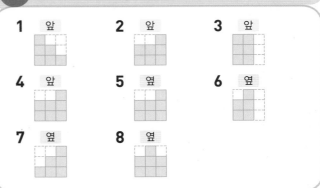

16쪽 **16 | 위에서 본 모양에 수를 쓴 것을 보고 쌓은 모양 알아보기**

1 앞   **2** 앞   **3** 앞

4 앞   **5** 옆   **6** 옆

7 옆   **8** 옆

17쪽 **17 | 쌓은 모양을 보고 층별로 나타낸 모양 그리기**

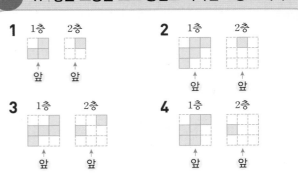

1 1층 2층   **2** 1층 2층

3 1층 2층   **4** 1층 2층

5
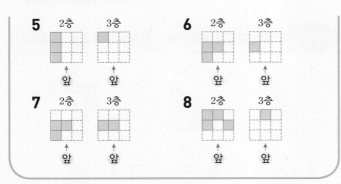

6 2층 3층

7 2층 3층

8 2층 3층

18쪽 | **18** 층별로 나타낸 모양을 보고 쌓기나무의 개수 알아보기

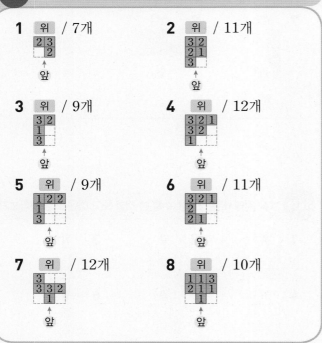

1 위 / 7개
2 3
　 2
앞

2 위 / 11개
3 2
2 1
3
앞

3 위 / 9개
3 2
1 3
3
앞

4 위 / 12개
3 2 1
3 2
1
앞

5 위 / 9개
1 2 2
1 3
3
앞

6 위 / 11개
3 2 1
3 2
2 1
앞

7 위 / 12개
3 3
3 3
1
앞

8 위 / 10개
1 1 3
2 1 1
1
앞

---

4 비례식과 비례배분

19쪽 | **19** 간단한 자연수의 비로 나타내기

1 예 20 : 9 　**2** 예 5 : 9 　**3** 예 1 : 20
4 예 3 : 10 　**5** 예 8 : 15 　**6** 예 15 : 4
7 예 3 : 7 　**8** 예 2 : 3 　**9** 예 3 : 2
10 예 8 : 15 　**11** 예 1 : 2 　**12** 예 8 : 3
13 예 4 : 5 　**14** 예 3 : 4 　**15** 예 7 : 2
16 예 27 : 25 　**17** 예 1 : 2 　**18** 예 10 : 7

20쪽 | **20** 외항과 내항 / 비례식으로 나타내기

1 ③ : ⑤ = ⑥ : ⑩ 　**2** ② : ⑦ = ⑧ : 28
3 ⑧ : ③ = 24 : ⑨ 　**4** ④ : ⑨ = ⑫ : 27
5 ② : ⑪ = ⑩ : 55 　**6** ① : ④ = ⑥ : 24
7 ④ : ⑤ = 24 : 30 　**8** ⑦ : ④ = 35 : 20
9 ⑤ : ⑥ = 40 : 48 　**10** 예 1 : 2 = 4 : 8
11 예 6 : 7 = 12 : 14 　**12** 예 5 : 8 = 15 : 24
13 예 2 : 9 = 4 : 18 　**14** 예 4 : 11 = 12 : 33
15 예 3 : 5 = 15 : 25

21쪽 | **21** 비례식을 이용하여 비의 성질 나타내기

1 2, 10 　**2** 3, 21 　**3** 4, 24
4 5, 35, 5 　**5** 4, 52, 4 　**6** 5, 55, 5
7 4, 3 　**8** 3, 16 　**9** 15, 1
10 6, 16, 6 　**11** 10, 7, 10 　**12** 11, 12, 11

22쪽 | **22** 비례식의 성질 이용하여 □ 안에 알맞은 수 써넣기

1 9 　**2** 20 　**3** 21
4 16 　**5** 20 　**6** 12
7 17 　**8** 34 　**9** 4
10 5 　**11** 12 　**12** 3
13 9 　**14** $\frac{2}{3}$ 　**15** $\frac{1}{2}$

23쪽 | **23** 비례배분

1 3, 3, 3, 6 　　**2** 3, 14, 3, 28
3 3, 25, 3, 50 　　**4** 3, 36, 3, 72
5 12, 8 　**6** 20, 15 　**7** 25, 20
8 24, 60 　**9** 66, 55 　**10** 144, 36
11 140, 60 　**12** 120, 200

5 원의 넓이

24쪽 **24** 원주 구하기

1 12.56 cm   **2** 15.7 cm   **3** 21.98 cm
4 28.26 cm   **5** 31.4 cm   **6** 40.82 cm
7 12.4 cm   **8** 18.6 cm   **9** 24.8 cm
10 31 cm   **11** 37.2 cm   **12** 43.4 cm

25쪽 **25** 원의 지름, 반지름 구하기

1 10 cm   **2** 12 cm   **3** 19 cm
4 23 cm   **5** 4 cm   **6** 7 cm
7 9 cm   **8** 10 cm

26쪽 **26** 원의 넓이 구하기

1 78.5 cm^2 **2** 113.04 cm^2
3 153.86 cm^2 **4** 200.96 cm^2
5 379.94 cm^2 **6** 530.66 cm^2
7 111.6 cm^2 **8** 198.4 cm^2
9 251.1 cm^2 **10** 310 cm^2
11 446.4 cm^2 **12** 607.6 cm^2

27쪽 **27** 여러 가지 원의 넓이 구하기

1 65.1 cm^2 **2** 8.1 cm^2 **3** 37.2 cm^2
4 14.4 cm^2 **5** 27.5 cm^2 **6** 62 cm^2
7 99.2 cm^2 **8** 22.5 cm^2 **9** 55.8 cm^2
10 62 cm^2 **11** 232.5 cm^2 **12** 198.4 cm^2

6 원기둥, 원뿔, 구

28쪽 **28** 원기둥

1 4 cm, 7 cm   **2** 3 cm, 8 cm
3 4 cm, 10 cm   **4** 5 cm, 15 cm
5 2 cm   **6** 1 cm
7 3 cm   **8** 4 cm

29쪽 **29** 원기둥의 전개도

1 ○   **2** ×   **3** ×
4 ×   **5** ○   **6** ×

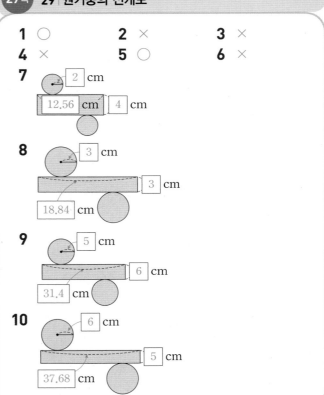

7 2 cm   12.56 cm   4 cm

8 3 cm   3 cm   18.84 cm

9 5 cm   6 cm   31.4 cm

10 6 cm   5 cm   37.68 cm

30쪽 **30** 원뿔

1 3 cm, 6 cm   **2** 5 cm, 7 cm
3 4 cm, 11 cm   **4** 6 cm, 8 cm
5 1 cm   **6** 2 cm
7 8 cm   **8** 6 cm

미리 보는 수학 익힘

1 분수의 나눗셈

31쪽 분모가 같은 (분수)÷(분수)(1)

1 3 **2** 4, 2 / 4, 2, 2

3 (1) 5 (2) 2 (3) 4 (4) 3

4 3 **5** $\frac{10}{11} \div \frac{2}{11} = 5$ / 5개

6 $\frac{8}{9} \div \frac{4}{9} = 2$ / 2

2 $\frac{4}{9}$는 $\frac{1}{9}$이 4개이고 $\frac{2}{9}$는 $\frac{1}{9}$이 2개입니다.

$\frac{4}{9} \div \frac{2}{9}$는 4÷2를 계산한 결과와 같습니다.

4 $\frac{9}{14} \div \frac{3}{14} = 9 \div 3 = 3$

5 (담을 수 있는 병의 수)
= (전체 녹차의 양)÷(한 병에 담는 녹차의 양)
= $\frac{10}{11} \div \frac{2}{11} = 10 \div 2 = 5$(개)

6 $\frac{8}{9} \div \frac{4}{9} = 8 \div 4 = 2$

32쪽 분모가 같은 (분수)÷(분수)(2)

1 5, 2, $2\frac{1}{2}$

2 $\frac{11}{15} \div \frac{8}{15} = 11 \div 8 = \frac{11}{8} = 1\frac{3}{8}$

3 (1)• • **4** =
(2)• ✕ •
(3)• •

5 $\frac{5}{8} \div \frac{3}{8} = 1\frac{2}{3}$ / $1\frac{2}{3}$배

6 $\frac{6}{7} \div \frac{5}{7}$

1 $\frac{5}{7}$에는 $\frac{2}{7}$가 2번 들어가고 $\frac{2}{7}$의 반이 남습니다.

$\frac{5}{7} \div \frac{2}{7} = 5 \div 2 = \frac{5}{2} = 2\frac{1}{2}$

3 (1) $\frac{3}{8} \div \frac{7}{8} = 3 \div 7 = \frac{3}{7}$

(2) $\frac{10}{13} \div \frac{7}{13} = 10 \div 7 = \frac{10}{7} = 1\frac{3}{7}$

(3) $\frac{9}{10} \div \frac{4}{10} = 9 \div 4 = \frac{9}{4} = 2\frac{1}{4}$

4 • $\frac{5}{9} \div \frac{4}{9} = 5 \div 4 = \frac{5}{4} = 1\frac{1}{4}$

• $\frac{5}{11} \div \frac{4}{11} = 5 \div 4 = \frac{5}{4} = 1\frac{1}{4}$

5 (민채가 마신 식혜의 양)÷(동혁이가 마신 식혜의 양)
= $\frac{5}{8} \div \frac{3}{8} = 5 \div 3 = \frac{5}{3} = 1\frac{2}{3}$(배)

6 • 두 분수의 분모가 같은 나눗셈식에 분자끼리 나눈 식이 6÷5이므로 $\frac{6}{\blacksquare} \div \frac{5}{\blacksquare}$로 나타낼 수 있습니다.

• 분모가 8보다 작은 진분수의 나눗셈이므로 ■의 값은 6보다 크고 8보다 작아야 합니다.
➡ $\frac{6}{7} \div \frac{5}{7}$

33쪽 분모가 다른 (분수)÷(분수)

1 4

2 10, 9 / 10, 9 / $\frac{10}{9}$, $1\frac{1}{9}$

3 (1) 3 (2) $2\frac{2}{9}$ (3) $5\frac{5}{6}$

4 $2\frac{1}{2}$, $1\frac{7}{20}$

5 4

6 $\frac{4}{9} \div \frac{1}{6} = 2\frac{2}{3}$ / $2\frac{2}{3}$배

1 $\frac{2}{5}$에는 $\frac{1}{10}$이 4번 들어갑니다. ➡ $\frac{2}{5} \div \frac{1}{10} = 4$

2 분모가 다른 분수의 나눗셈은 통분한 후 분자끼리 나누어 계산합니다.

3 (1) $\dfrac{2}{5} \div \dfrac{2}{15} = \dfrac{6}{15} \div \dfrac{2}{15} = 6 \div 2 = 3$

(2) $\dfrac{5}{6} \div \dfrac{3}{8} = \dfrac{20}{24} \div \dfrac{9}{24} = 20 \div 9 = \dfrac{20}{9} = 2\dfrac{2}{9}$

(3) $\dfrac{7}{8} \div \dfrac{3}{20} = \dfrac{35}{40} \div \dfrac{6}{40} = 35 \div 6 = \dfrac{35}{6} = 5\dfrac{5}{6}$

4 • $\dfrac{5}{8} \div \dfrac{1}{4} = \dfrac{5}{8} \div \dfrac{2}{8} = 5 \div 2 = \dfrac{5}{2} = 2\dfrac{1}{2}$

• $\dfrac{3}{4} \div \dfrac{5}{9} = \dfrac{27}{36} \div \dfrac{20}{36} = 27 \div 20 = \dfrac{27}{20} = 1\dfrac{7}{20}$

5 $\square = \dfrac{6}{7} \div \dfrac{3}{14} = \dfrac{12}{14} \div \dfrac{3}{14} = 12 \div 3 = 4$

6 (이수가 먹은 케이크의 양)÷(선경이가 먹은 케이크의 양)

$= \dfrac{4}{9} \div \dfrac{1}{6} = \dfrac{8}{18} \div \dfrac{3}{18}$

$= 8 \div 3 = \dfrac{8}{3} = 2\dfrac{2}{3}$(배)

34쪽 (자연수)÷(분수)

1 3 / 3 / 3, 9 / 3, 3, 9

2 2, 3, 9

3 (1) $4 \div \dfrac{4}{5} = (4 \div 4) \times 5 = 5$

(2) $12 \div \dfrac{6}{7} = (12 \div 6) \times 7 = 14$

4 ⓒ, ⓐ, ⓑ

5 $3 \div \dfrac{3}{4} = 4$ / 4번

6 $5 \div \dfrac{5}{6} = 6$ / 6개

---

1 쇠막대 $\dfrac{2}{3}$ m의 무게가 6 kg이므로 쇠막대 $\dfrac{1}{3}$ m의 무게는 $6 \div 2 = 3$ (kg)입니다. 쇠막대 1 m의 무게는 $(6 \div 2) \times 3 = 9$ (kg)입니다.

3 (자연수)÷(분수)의 계산은 자연수를 분자로 나눈 값에 분모를 곱하여 계산합니다.

4 ⓐ $8 \div \dfrac{2}{5} = (8 \div 2) \times 5 = 20$

ⓑ $9 \div \dfrac{3}{7} = (9 \div 3) \times 7 = 21$

ⓒ $14 \div \dfrac{7}{8} = (14 \div 7) \times 8 = 16$

---

5 $\dfrac{3}{4}$ L들이의 컵으로 부어야 하는 횟수는

$3 \div \dfrac{3}{4} = (3 \div 3) \times 4 = 4$(번)입니다.

6 (만들 수 있는 리본 수)

$= 5 \div \dfrac{5}{6} = (5 \div 5) \times 6 = 6$(개)

35쪽 (분수)÷(분수)를 (분수)×(분수)로 나타내기

1 $\dfrac{5}{14}$ / 2 /

$\dfrac{5}{14}$, $\dfrac{15}{14}\left(=1\dfrac{1}{14}\right)$ / 2, 3, $\dfrac{15}{14}$, $1\dfrac{1}{14}$

2 2, 3, $\dfrac{3}{2}$

3 (1) $\dfrac{5}{9} \div \dfrac{3}{4} = \dfrac{5}{9} \times \dfrac{4}{3} = \dfrac{20}{27}$

(2) $\dfrac{2}{3} \div \dfrac{5}{8} = \dfrac{2}{3} \times \dfrac{8}{5} = \dfrac{16}{15} = 1\dfrac{1}{15}$

4 $2\dfrac{2}{5}$

5 $1\dfrac{23}{40}$ m

6 $\dfrac{2}{9} \div \dfrac{7}{8} = \dfrac{16}{63}$ / $\dfrac{16}{63}$ kg

---

1 $\dfrac{2}{3}$시간 동안 $\dfrac{5}{7}$ km를 걸어가므로 $\dfrac{1}{3}$시간 동안 걸을 수 있는 거리는 $\dfrac{5}{7} \div 2 = \dfrac{5}{7} \times \dfrac{1}{2} = \dfrac{5}{14}$ (km)입니다.

1시간 동안 걸을 수 있는 거리는

$\dfrac{5}{7} \times \dfrac{1}{2} \times 3 = \dfrac{15}{14} = 1\dfrac{1}{14}$ (km)입니다.

3 분수의 나눗셈은 나누는 분수의 분모와 분자를 바꾼 다음 분수의 곱셈으로 나타내어 계산합니다.

4 $\dfrac{3}{5} \div \dfrac{1}{4} = \dfrac{3}{5} \times 4 = \dfrac{12}{5} = 2\dfrac{2}{5}$

5 (가로)=(직사각형의 넓이)÷(세로)

$= \dfrac{9}{10} \div \dfrac{4}{7} = \dfrac{9}{10} \times \dfrac{7}{4} = \dfrac{63}{40} = 1\dfrac{23}{40}$ (m)

6 (고무관 1 m의 무게)

$= \dfrac{2}{9} \div \dfrac{7}{8} = \dfrac{2}{9} \times \dfrac{8}{7} = \dfrac{16}{63}$ (kg)

36쪽 (분수)÷(분수)를 계산하기

1 방법1 5, 8, $\dfrac{5}{8}$ 방법2 $\dfrac{9}{8}$, $\dfrac{45}{72}\left(=\dfrac{5}{8}\right)$

2 방법1 예 $3\dfrac{1}{4}\div\dfrac{2}{3}=\dfrac{13}{4}\div\dfrac{2}{3}=\dfrac{39}{12}\div\dfrac{8}{12}$

$\qquad\qquad =\dfrac{39}{8}=4\dfrac{7}{8}$

$\quad$ 방법2 예 $3\dfrac{1}{4}\div\dfrac{2}{3}=\dfrac{13}{4}\div\dfrac{2}{3}=\dfrac{13}{4}\times\dfrac{3}{2}$

$\qquad\qquad =\dfrac{39}{8}=4\dfrac{7}{8}$

3 (1) •   •   **4** $6\dfrac{2}{3}\div\dfrac{4}{9}=15$ / 15개
$\quad$ (2) •   •

5 $7\dfrac{1}{2}\div\dfrac{3}{5}=12\dfrac{1}{2}$ / $12\dfrac{1}{2}$ km

6 $35000\div\dfrac{7}{4}=20000$ / 20000원

1 방법1 분자끼리 나누어 계산하는 방법입니다.
$\quad$ 방법2 분수의 곱셈으로 나타내어 계산하는 방법입니다.

2 방법1 두 분수를 통분한 후 분자끼리 나누어 계산하는 방법입니다.
$\quad$ 방법2 분수의 곱셈으로 나타내어 계산하는 방법입니다.

3 (1) $1\dfrac{2}{5}\div\dfrac{3}{4}=\dfrac{7}{5}\div\dfrac{3}{4}=\dfrac{7}{5}\times\dfrac{4}{3}=\dfrac{28}{15}=1\dfrac{13}{15}$

$\quad$ (2) $\dfrac{4}{3}\div\dfrac{5}{6}=\dfrac{4}{3}\times\dfrac{6}{5}=\dfrac{24}{15}=1\dfrac{9}{15}$

4 (전체 밀가루의 양)
$\quad$ ÷(도넛 한 개를 만드는 데 필요한 밀가루의 양)
$\quad =6\dfrac{2}{3}\div\dfrac{4}{9}=\dfrac{20}{3}\div\dfrac{4}{9}=\dfrac{60}{9}\div\dfrac{4}{9}$
$\quad =60\div4=15$(개)

5 (휘발유 1 L로 갈 수 있는 거리)
$\quad =7\dfrac{1}{2}\div\dfrac{3}{5}=\dfrac{15}{2}\div\dfrac{3}{5}=\dfrac{15}{2}\times\dfrac{\overset{5}{5}}{\underset{1}{3}}=\dfrac{25}{2}$
$\quad =12\dfrac{1}{2}$ (km)

6 (고춧가루 1 kg의 가격)
$\quad =35000\div\dfrac{7}{4}=35000\times\dfrac{\overset{5000}{4}}{\underset{1}{7}}=20000$(원)

2 소수의 나눗셈

37쪽 자연수의 나눗셈을 이용한 (소수)÷(소수)

1 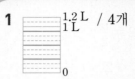 $\begin{array}{l}1.2\text{ L}\\1\text{ L}\end{array}$ / 4개

2 205 / 205, 205, 41, 41
3 624 / 624, 624, 104, 104
4 $\overbrace{40.8\div0.8}$
$\quad$ 10배 $\qquad\qquad$ 10배
$\quad$ $408\div8=51$ / 51
5 142개 $\qquad\qquad$ **6** $96.3\div0.3=321$

2 20.5 cm=205 mm, 0.5 cm=5 mm입니다.
$\quad \rightarrow 20.5\div0.5=205\div5=41$

4 $40.8\div0.8$을 자연수의 나눗셈으로 바꾸려면 나누는 수와 나누어지는 수에 똑같이 10을 곱하면 됩니다.

5 (자른 색 테이프의 조각 수)
$\quad =2.84\div0.02=284\div2=142$(개)

6 나누는 수와 나누어지는 수를 각각 10배 한 식이 $963\div3$이므로 963과 3을 각각 $\dfrac{1}{10}$배 한 식을 찾습니다.

38쪽 자릿수가 같은 (소수)÷(소수)

1 $5.7\div0.3=\dfrac{57}{10}\div\dfrac{3}{10}=57\div3=19$

2 (1) 27, 14 $\quad$ (2) 784, 16
3 (1) 9 $\quad$ (2) 12 $\quad$ (3) 7 $\quad$ (4) 13
4 18
5 $15.3\div0.9=17$ / 17개
6

$\qquad\quad 2\,7$ / '오른쪽'에 ◯표
$0.1\,4\overline{)3.7\,8}$
$\qquad\quad \underline{2\,8}$
$\qquad\qquad 9\,8$
$\qquad\qquad \underline{9\,8}$
$\qquad\qquad\quad 0$

1 소수 한 자리 수는 분모가 10인 분수로 바꾸어 계산합니다.

2 (1) 378은 3.78의 100배이고 27은 0.27의 100배입니다. 3.78÷0.27의 몫은 3.78과 0.27에 똑같이 100을 곱한 378÷27의 몫과 같습니다.

(2) 784는 7.84의 100배이고 49는 0.49의 100배입니다. 7.84÷0.49의 몫은 7.84와 0.49에 똑같이 100을 곱한 784÷49의 몫과 같습니다.

3 (1)
```
        9
0.5)4.5
      4 5
        0
```
(2)
```
      1 3
0.8)9.6
      8
      1 6
      1 6
        0
```

(3)
```
          7
0.18)1.26
      1 2 6
          0
```
(4)
```
        1 3
0.56)7.28
        5 6
      1 6 8
      1 6 8
          0
```

4 $2.34 \div 0.13 = \dfrac{234}{100} \div \dfrac{13}{100} = 234 \div 13 = 18$

5 (필요한 물통의 수)
= (전체 물의 양) ÷ (물통 한 개에 담는 물의 양)
= 15.3 ÷ 0.9 = 17(개)

---

1 10, 33, 2.4

2 (1) 3.6 (2) 2.4 (3) 2.3 (4) 2.1

3 4.32, 10.8   **4** <

5
```
          5.4
0.8)4.3.2
        4 0
          3 2
          3 2
            0
```

6 8.64 ÷ 3.6 = 2.4 / 2.4배

---

1 7.92와 3.3을 각각 10배씩 해서 79.2÷33으로 계산할 수 있습니다.

2 (1)
```
          3.6
1.2)4.3.2
        3 6
          7 2
          7 2
            0
```
(2)
```
          2.4
2.7)6.4.8
        5 4
        1 0 8
        1 0 8
            0
```
(3)
```
          2.3
3.9)8.9.7
        7 8
        1 1 7
        1 1 7
            0
```
(4)
```
          2.1
4.6)9.6.6
        9 2
          4 6
          4 6
            0
```

3 2.16 ÷ 0.5 = 21.6 ÷ 5 = 4.32
4.32 ÷ 0.4 = 43.2 ÷ 4 = 10.8

4 2.07 ÷ 0.9 = 2.3 , 6.45 ÷ 1.5 = 4.3

5 소수점을 옮겨서 계산하는 경우 몫의 소수점은 옮긴 위치에 찍어야 합니다.

6 (집에서 해수욕장까지의 거리)
÷ (집에서 놀이공원까지의 거리)
= 8.64 ÷ 3.6 = 2.4(배)

---

1 (1) $48 \div 0.6 = \dfrac{480}{10} \div \dfrac{6}{10} = 480 \div 6 = 80$

(2) $14 \div 0.35 = \dfrac{1400}{100} \div \dfrac{35}{100}$
$= 1400 \div 35 = 40$

2 (위에서부터) 10, 16, 10

3 (1) 5 (2) 14 (3) 25 (4) 16

4 34, 340, 3400   **5** 나연

6 방법1 예) $21 \div 3.5 = \dfrac{210}{10} \div \dfrac{35}{10}$
$= 210 \div 35 = 6$ / 6개

방법2 예)
```
          6   / 6개
3.5)2 1.0
      2 1 0
          0
```

3 (1)
```
         5
4.8)2 4 0.0
     2 4 0
         0
```
(2)
```
        1 4
6.5)9 1.0
     6 5
     2 6 0
     2 6 0
         0
```

(3)
```
           2 5
0.6 4)1 6 0.0
       1 2 8
         3 2 0
         3 2 0
             0
```
(4)
```
           1 6
1.2 5)2 0 0.0
       1 2 5
         7 5 0
         7 5 0
             0
```

4 나누는 수가 같을 때 나누어지는 수가 10배씩 커질수록 몫도 10배씩 커집니다.

5 $60 \div 0.75 = \dfrac{6000}{100} \div \dfrac{75}{100} = 6000 \div 75 = 80$

6 (만들 수 있는 빵의 수)
= (전체 소금의 양)
÷ (빵 1개를 만드는 데 필요한 소금의 양)
= 21 ÷ 3.5 = 6(개)

1
```
    2.4 2 8  / 2
7)1 7.0 0 0
  1 4
    3 0
    2 8
      2 0
      1 4
        6 0
        5 6
          4
```
2 (1) 2 (2) 1.67

3 (1) 0.4 (2) 7.5   **4** >

5 90 ÷ 21 = 4.28··· / 4.3분 뒤

6 예 20, 9 / 2.22

2 $15 \div 9 = 1.666\cdots$
(1) 몫의 소수 첫째 자리 숫자가 6이므로 반올림하여 자연수로 나타내면 2입니다.
(2) 몫의 소수 셋째 자리 숫자가 6이므로 반올림하여 소수 둘째 자리까지 나타내면 1.67입니다.

---

3 (1)
```
        0.3 7  → 0.4
9)3.4 0
  2 7
    7 0
    6 3
      7
```
(2)
```
          7.5 3  → 7.5
3)2 2.6 0
  2 1
    1 6
    1 5
      1 0
        9
        1
```

4 59 ÷ 6 = 9.8···이고, 몫의 소수 첫째 자리 숫자가 8이므로 반올림하여 자연수로 나타내면 10입니다.
→ 10 > 9.8···

5 90 ÷ 21 = 4.28···이고, 몫의 소수 둘째 자리 숫자가 8이므로 반올림하여 소수 첫째 자리까지 나타내면 4.3입니다. 따라서 번개가 친 지 4.3분 뒤에 천둥소리를 들을 수 있습니다.

6 몫이 나누어떨어지지 않아서 몫을 반올림하여 나타내야 하는 식을 찾습니다.
20 ÷ 9 = 2.222··· → 2.22

---

1 0.7   **2** 5봉지
3 0.7 kg   **4** 5, 0.7 / 5, 0.7
5
```
        6     / 6 / 1.2 / 자연수
3)1 9.2
  1 8
    1.2
```
6 3명 / 3.6 m

2 20.7에서 4를 5번 뺄 수 있습니다.
따라서 5봉지에 나누어 담을 수 있습니다.

3 20.7에서 4를 5번 빼면 0.7이 남습니다.
따라서 나누어 담고 남는 귤은 0.7 kg입니다.

5 사람 수는 소수가 아닌 자연수이므로 나눗셈을 계산할 때 몫을 자연수까지만 계산해야 합니다.

6
```
        3      따라서 끈을 3명에게 나누어 줄 수 있고
4)1 5.6      남는 끈의 길이는 3.6 m입니다.
  1 2
    3.6
```

3 공간과 입체

43쪽 어느 방향에서 보았는지 알아보기

1 ⑤, ③, ① **2** 다

3 라, 다, 가 **4** ①, ②, ⑤

1 • 첫 번째 사진은 집이 나무보다 뒤에 있는 것으로 보이므로 ⑤에서 찍은 사진입니다.
  • 두 번째 사진은 회색 건물이 가운데, 집이 왼쪽, 나무가 오른쪽에 있으므로 ③에서 찍은 사진입니다.
  • 세 번째 사진은 나무가 집보다 뒤에 있는 것으로 보이므로 ①에서 찍은 사진입니다.

2 다는 어느 방향에서도 볼 수 없는 사진입니다.

3 • 가 방향: 초록색 공은 보이지 않고 보라색 공이 가운데, 노란색 공이 오른쪽에 있습니다. ➜ 세 번째 사진
  • 다 방향: 보라색 공은 보이지 않고 노란색 공이 왼쪽, 초록색 공이 가운데에 있습니다. ➜ 두 번째 사진
  • 라 방향: 노란색 공은 보이지 않고 초록색 공이 왼쪽, 보라색 공이 오른쪽에 있습니다. ➜ 첫 번째 사진

4 • 첫 번째 사진은 손바닥이 나와야 하므로 ①번 카메라에서 촬영하고 있는 모습입니다.
  • 두 번째 사진은 정면 모습이므로 ②번 카메라에서 촬영하고 있는 모습입니다.
  • 세 번째 사진은 머리 위가 나와야 하므로 ⑤번 카메라에서 촬영하고 있는 모습입니다.

44쪽 쌓은 모양과 쌓기나무의 개수 알아보기(1)

1 ㉢ **2** (1) (2) (3) **3** 7개

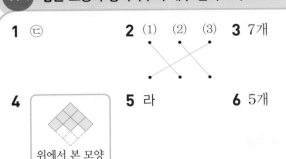

4 위에서 본 모양 **5** 라 **6** 5개

1 쌓기나무로 쌓은 모양을 위에서 본 모양은 1층에 쌓은 쌓기나무의 모양과 같습니다.

2 (1) 1층이 위에서부터 1개, 2개, 1개가 연결되어 있는 모양입니다.
  (2) 1층이 위에서부터 2개, 2개, 1개가 연결되어 있는 모양입니다.
  (3) 1층이 위에서부터 3개, 2개가 연결되어 있는 모양입니다.

3 1층: 4개, 2층: 2개, 3층: 1개 ➜ 4+2+1=7(개)

4 1층이 위에서부터 3개, 2개, 1개가 연결되어 있는 모양입니다.

5 오른쪽 모양을 위에서 내려다보면 삼각형 모양이므로 나와 다는 아닙니다. 삼각뿔 모양을 만들고 있는 초록색 빨대가 가운데에서 만나므로 라입니다.

6 1층: 4개, 2층: 1개 ➜ 4+1=5(개)

45쪽 쌓은 모양과 쌓기나무의 개수 알아보기(2)

1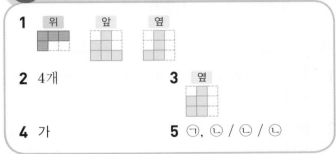

2 4개 **3** 옆

4 가 **5** ㉠, ㉡ / ㉡ / ㉡

1 위에서 본 모양을 통해 보이지 않는 쌓기나무가 없다는 것을 알 수 있습니다.

2 위에서 본 모양을 보면 1층의 쌓기나무는 3개입니다. 앞에서 본 모양을 보면 ○ 부분은 쌓기나무가 1개이고, 옆에서 본 모양을 보면 ◇ 부분은 쌓기나무가 1개입니다. 그리고 앞과 옆에서 본 모양을 보면 □ 부분은 쌓기나무가 2개입니다.
  ➜ (필요한 쌓기나무의 개수)=1+1+2=4(개)

3 앞에서 본 모양을 보면 □ 부분은 쌓기나무가 3개, ○ 부분은 각각 1개, ◇ 부분은 2개 쌓여 있습니다. 따라서 쌓기나무 7개로 쌓은 모양

을 옆에서 본 모양을 그립니다.

5 가는 상자 ㉠, ㉡에 모두 넣을 수 있습니다.
나, 다를 넣기 위해서는 'ㄴ' 모양의 구멍이 필요하므로 상자 ㉠에는 넣을 수 없습니다.

46쪽 **쌓은 모양과 쌓기나무의 개수 알아보기(3)**

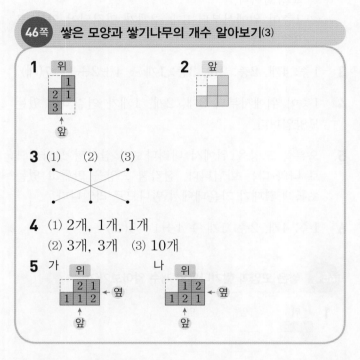

4 (1) 2개, 1개, 1개
(2) 3개, 3개 (3) 10개

---

1 1층이 위에서부터 1개, 2개, 1개가 연결되어 있는 모양입니다.

2 쌓기나무로 쌓은 모양은 오른쪽과 같습니다.

3 위에서 본 모양이 서로 같은 쌓기나무입니다.
위에서 본 모양의 각 자리에 쌓인 쌓기나무의 개수를 세어서 비교합니다.

4 (1) ㉡, ㉣, ㉤은 앞에서 본 모양을 보면 알 수 있습니다.
(2) ㉠, ㉢은 옆에서 본 모양을 보면 알 수 있습니다.
(3) ㉠+㉡+㉢+㉣+㉤
＝3+2+3+1+1=10(개)

5 쌓기나무 7개를 사용하므로 1층에는 5개, 2층 이상에는 2개를 쌓아야 합니다. 1층에 5개의 쌓기나무를 위에서 본 모양과 같이 놓고 나머지 2개의 위치를 이동하면서 위, 앞, 옆에서 본 모양이 서로 같은 두 모양을 만들어 봅니다.

47쪽 **쌓은 모양과 쌓기나무의 개수 알아보기(4)**

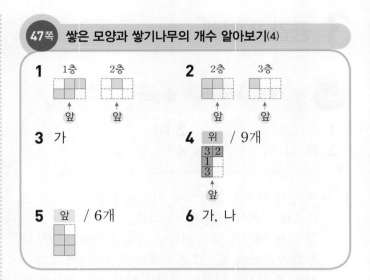

3 가 **4** 위 / 9개

5 앞 / 6개 **6** 가, 나

---

2 1층 모양을 보고 쌓기나무로 쌓은 모양의 뒤에 보이지 않는 쌓기나무가 없다는 것을 알 수 있습니다.
2층에는 쌓기나무 3개, 3층에는 쌓기나무 1개가 있습니다.

3 나는 3층 모양이 입니다.

4 (필요한 쌓기나무의 개수)＝3+2+1+3=9(개)

5 층별로 나타낸 모양을 보고 위에서 본 모양에 수를 쓰면 오른쪽과 같습니다. 쌓기나무를 쌓아 보고 앞에서 본 모양을 그립니다.
→ (필요한 쌓기나무의 개수)＝3+2+1=6(개)

6 • 2층으로 가능한 모양은 가, 나, 다입니다.
• 2층에 가를 놓으면 3층에 나를 놓을 수 있습니다.
• 2층에 나를 놓으면 3층에 놓을 수 있는 모양이 없습니다.
• 2층에 다를 놓아도 3층에 놓을 수 있는 모양이 없습니다.

48쪽 **여러 가지 모양 만들기**

1 가 **2** 나
3 가, 마 / 나, 라 / 다, 바
4 가, 다
5

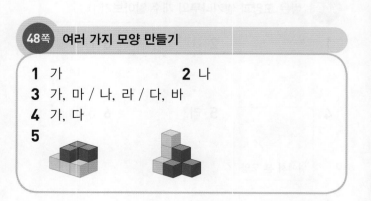

1 쌓은 모양을 돌려 보면 가는 2층에 놓인 쌓기나무의 위치가 다릅니다.

2 가 다 주어진 모양에 쌓기나무 1개를 붙여서 만들 수 있는 모양은 가와 다입니다.

4 가와 다를 다음과 같이 이어 붙여서 만든 모양입니다.

4 비례식과 비례배분

1

⎡ ④ : ⑤ ⎤ ⎡ ⑪ : ⑯ ⎤

⎡ ⑦ : ⑫ ⎤ ⎡ ⑩ : ③ ⎤

2 (1) •
(2) •
(3) •

3 ⟨예⟩ 4 : 3, 48 : 36

4 옳습니다. / 14, 16, 2   **5** 가, 다

1 비에서 기호 '∶' 앞에 있는 항을 전항, 뒤에 있는 항을 후항이라고 합니다.

2 (1) $5 : 7$ → $(5 \times 4) : (7 \times 4)$ → $20 : 28$
(2) $1 : 2$ → $(1 \times 6) : (2 \times 6)$ → $6 : 12$
(3) $24 : 16$ → $(24 \div 8) : (16 \div 8)$ → $3 : 2$

3 비의 전항과 후항에 0이 아닌 같은 수를 곱하거나 0이 아닌 같은 수로 나누어도 비율이 같습니다.
$24 : 18$ → $(24 \div 6) : (18 \div 6)$ → $4 : 3$
$24 : 18$ → $(24 \times 2) : (18 \times 2)$ → $48 : 36$

4 (가 건물의 높이) : (나 건물의 높이)
→ $14 : 16$ → $(14 \div 2) : (16 \div 2)$ → $7 : 8$

5 나 액자의 가로와 세로의 비 $24 : 15$의 전항과 후항을 각각 3으로 나누면 $8 : 5$가 되고, 라 액자의 가로와 세로의 비 $20 : 28$의 전항과 후항을 각각 4로 나누면 $5 : 7$이 되므로 $4 : 3$과 비율이 같지 않습니다.

1 (위에서부터) (1) 24, 8   (2) 7, 10

2 (1) ⟨예⟩ $8 : 15$ (2) ⟨예⟩ $5 : 6$
(3) ⟨예⟩ $9 : 4$ (4) ⟨예⟩ $27 : 50$

3 ⟨예⟩ $5 : 4$

4 ⟨방법 1⟩ ⟨예⟩ $1\frac{1}{2} : 1.4$ → $1.5 : 1.4$
→ $(1.5 \times 10) : (1.4 \times 10)$
→ $15 : 14$

⟨방법 2⟩ ⟨예⟩ $1\frac{1}{2} : 1.4$ → $\frac{3}{2} : \frac{14}{10}$
→ $\left(\frac{3}{2} \times 10\right) : \left(\frac{14}{10} \times 10\right)$
→ $15 : 14$

5 ⟨예⟩ $4 : 9$ / ⟨예⟩ $4 : 9$ / 비율

1 (1) 각 항에 두 분모의 최소공배수인 24를 곱합니다.
(2) 각 항에 10을 곱합니다.

2 (1) $0.8 : 1.5$ → $(0.8 \times 10) : (1.5 \times 10)$
→ $8 : 15$
(2) $45 : 54$ → $(45 \div 9) : (54 \div 9)$
→ $5 : 6$
(3) $\frac{3}{8} : \frac{1}{6}$ → $\left(\frac{3}{8} \times 24\right) : \left(\frac{1}{6} \times 24\right)$
→ $9 : 4$
(4) $0.3 : \frac{5}{9}$ → $\frac{3}{10} : \frac{5}{9}$ → $\left(\frac{3}{10} \times 90\right) : \left(\frac{5}{9} \times 90\right)$
→ $27 : 50$

3 (민채가 읽은 책의 양) : (예지가 읽은 책의 양)
→ $\frac{1}{4} : \frac{1}{5}$ → $\left(\frac{1}{4} \times 20\right) : \left(\frac{1}{5} \times 20\right)$ → $5 : 4$

4 • 전항 $1\frac{1}{2}$을 소수로 바꾸면 $1\frac{1}{2} = \frac{3}{2} = \frac{15}{10} = 1.5$ 입니다.

• 후항 1.4를 분수로 바꾸면 $1.4 = \frac{14}{10}$입니다.

5 • 동욱 → $0.4 : 0.9$ → $(0.4 \times 10) : (0.9 \times 10)$
→ $4 : 9$

• 수경 → $\frac{2}{5} : \frac{9}{10}$ → $\left(\frac{2}{5} \times 10\right) : \left(\frac{9}{10} \times 10\right)$
→ $4 : 9$

51쪽 비례식

1 비례식

2 (1) ④ : ③ = ⑧ : ⑥

(2) ② : ⑨ = ⑩ : ㊺

3 (예) 4 : 5 = 8 : 10

4
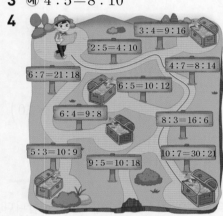

3 : 4 = 9 : 16
2 : 5 = 4 : 10
6 : 7 = 21 : 18
4 : 7 = 8 : 14
6 : 5 = 10 : 12
6 : 4 = 9 : 8
8 : 3 = 16 : 6
5 : 3 = 10 : 9
9 : 5 = 10 : 18
10 : 7 = 30 : 21

5 서현

3 $6:9 \rightarrow \dfrac{6}{9}\left(=\dfrac{2}{3}\right)$, $4:5 \rightarrow \dfrac{4}{5}$

$8:10 \rightarrow \dfrac{8}{10}\left(=\dfrac{4}{5}\right)$, $10:12 \rightarrow \dfrac{10}{12}\left(=\dfrac{5}{6}\right)$

비율이 같은 비를 찾으면 4 : 5와 8 : 10입니다.
따라서 비례식으로 나타내면 4 : 5 = 8 : 10 또는
8 : 10 = 4 : 5입니다.

4 '='의 양쪽에 있는 비의 비율이 같으면 비례식이 맞
습니다. 비례식이 맞는 것을 찾으면 2 : 5 = 4 : 10,
4 : 7 = 8 : 14, 8 : 3 = 16 : 6, 10 : 7 = 30 : 21입니다.

5 서현: 내항은 3과 21, 외항은 7과 9입니다.

52쪽 비례식의 성질

1 (1) 2, 36, 72 / 9, 8, 72
(2) 0.5, 42, 21 / 0.7, 30, 21

2 ㉡, ㉣   **3** (1) 4   (2) 21   (3) 15

4 (예) 3, 4, 9, 12   **5** 24

6 ×에 ○표, 같지 않기

2 ㉠ 3 : 1 = 6 : 3 → 3×3 = 9, 1×6 = 6 (×)

㉡ 15 : 2 = 150 : 20

→ 15×20 = 300, 2×150 = 300 (○)

㉢ $\dfrac{4}{11} : \dfrac{7}{11} = 5 : 4$

→ $\dfrac{4}{11}×4 = \dfrac{16}{11}$, $\dfrac{7}{11}×5 = \dfrac{35}{11}$ (×)

㉣ 0.2 : 1.6 = 1 : 8

→ 0.2×8 = 1.6, 1.6×1 = 1.6 (○)

3 (1) 2×18 = 9×□, 9×□ = 36, □ = 4

(2) 7×□ = 3×49, 7×□ = 147, □ = 21

(3) □×8 = 24×5, □×8 = 120, □ = 15

4 두 수의 곱이 같은 카드를 찾아서 외항과 내항에 놓
아 비례식을 만듭니다. 비율이 같은 비 두 개를 서로
같다고 놓고 비례식을 만들 수도 있습니다.

5 비례식에서 외항의 곱과 내항의 곱은 같습니다.

→ ㉠×㉡ = 4×6 = 24

53쪽 비례식 활용하기

1 (예) 설탕을 □컵이라 하고 비례식을 세우면

10 : 3 = 20 : □입니다.

→ 10×□ = 3×20, 10×□ = 60, □ = 6

/ 6컵

2 (예) 걸리는 시간을 □초라 하고 비례식을 세우면

5 : 4 = □ : 28입니다.

→ 5×28 = 4×□, 4×□ = 140, □ = 35

/ 35초

3 (예) 주스 6통의 가격을 □원이라 하고 비례식을
세우면 2 : 5100 = 6 : □입니다.

→ 2×□ = 5100×6, 2×□ = 30600,

□ = 15300 / 15300원

4 (1) 7 : 3   (2) 28 m

5 (1) 4 : 6000 = 8 : □ / 12000원

(2) (예) 배가 5개에 6000원일 때 배 15개는 얼마
인가요? /

(예) 배 15개의 가격을 □원이라 하고 비례식
을 세우면 5 : 6000 = 15 : □입니다.

→ 5×□ = 6000×15, 5×□ = 90000,

□ = 18000 / 18000원

4 (1) 텃밭의 가로와 세로를 자로 재어 보면
가로가 7 cm, 세로가 3 cm입니다.
→ (가로) : (세로)＝7 : 3

(2) 가로를 □m라 하고 비례식을 세우면
7 : 3＝□ : 12입니다.
→ 7×12＝3×□, 3×□＝84, □＝28

5 (1) 4 : 6000＝8 : □
→ 4×□＝6000×8, 4×□＝48000,
□＝12000

6 둘레가 36 cm이므로 (가로)＋(세로)＝18 (cm)입니다.
→ (가로)＝$18×\dfrac{5}{5+4}＝18×\dfrac{5}{9}＝10$ (cm)

---

5 원의 넓이

1  / 6, 4

○○○○○○   ○○○○

2 3, $\dfrac{1}{4}$, 2 / 3, $\dfrac{3}{4}$, 6

3 (1) 39, 65   (2) 88, 16

4 $\dfrac{4}{5}$, 4000 / $\dfrac{1}{5}$, 1000

5 $126×\dfrac{2}{7+2}＝126×\dfrac{2}{9}＝28$(명)

6 10 cm

---

3 (1) $104×\dfrac{3}{3+5}＝104×\dfrac{3}{8}＝39$

$104×\dfrac{5}{3+5}＝104×\dfrac{5}{8}＝65$

(2) $104×\dfrac{11}{11+2}＝104×\dfrac{11}{13}＝88$

$104×\dfrac{2}{11+2}＝104×\dfrac{2}{13}＝16$

4 민호: $5000×\dfrac{4}{4+1}＝5000×\dfrac{4}{5}＝4000$(원)

은혜: $5000×\dfrac{1}{4+1}＝5000×\dfrac{1}{5}＝1000$(원)

5 126을 7＋2＝9로 나눈 것 중에 여학생은 2만큼에
해당하므로 $126×\dfrac{2}{7+2}＝126×\dfrac{2}{9}＝28$(명)입니다.

1 원주

2 예

원주
원의 지름

3 (1) ×   (2) ×   (3) ○   **4** 3, 6 / 4, 8

5 3, 4   **6** ㉢

2 지름은 원 위의 두 점을 지나면서 원의 중심을 지나
는 선분을 그립니다.
원주는 원의 둘레이므로 원의 둘레를 따라 그립니다.

3 (1) 원의 중심을 지나는 선분 ㄱㄴ은 원의 지름입니다.
(2) 원의 지름이 커지면 원주도 커집니다.

4 (정육각형의 한 변)＝(원의 반지름)＝1 cm
(정육각형의 둘레)＝(원의 반지름)×6
＝(원의 지름)×3
＝2×3＝6 (cm)
(정사각형의 한 변)＝(원의 지름)＝2 cm
(정사각형의 둘레)＝(원의 지름)×4
＝2×4＝8 (cm)

5 원주는 정육각형의 둘레보다 길고, 정사각형의 둘레
보다 짧으므로 지름의 3배보다 길고, 지름의 4배보
다 짧습니다.

6 지름이 2 cm인 원의 원주는 지름의 3배인 6 cm보
다 길고, 지름의 4배인 8 cm보다 짧으므로 원주와
가장 비슷한 것은 ㉢입니다.

56쪽 원주율

1 원주율
2 수아
3 <예>

4 3.1, 3.14
5 3.14, 3.14
6 3.14, 원주율

2 수아: (원주율)=(원주)÷(지름)입니다.

3 원주는 지름의 약 3.14배이므로 지름이 4 cm인 원의 원주의 길이는 4×3.14=12.56 (cm)입니다. 따라서 자의 12.56 cm 위치와 가까운 곳에 표시하면 됩니다.

4 47.12÷15=3.141…
소수 둘째 자리 숫자가 4이므로 반올림하여 소수 첫째 자리까지 나타내면 3.1입니다.
소수 셋째 자리 숫자가 1이므로 반올림하여 소수 둘째 자리까지 나타내면 3.14입니다.

5 (탬버린의 원주율)=50.24÷16=3.14
(징의 원주율)=125.6÷40=3.14
탬버린과 징의 원주율은 모두 3.14로 같습니다.

57쪽 원주와 지름 구하기

1 25.12 cm
2 28.26 cm
3 8 cm
4 30 cm
5 15700 cm
6 다예

1 (원주)=(지름)×(원주율)
=8×3.14=25.12 (cm)

2 (원주)=(지름)×(원주율)
=(반지름)×2×(원주율)
=4.5×2×3.14
=28.26 (cm)

3 (반지름)=(원주)÷(원주율)÷2
=49.6÷3.1÷2
=8 (cm)

4 (지름)=(원주)÷(원주율)
=93÷3.1=30 (cm)

5 지름이 50 cm인 바퀴 자의 바퀴가 한 바퀴 돈 거리는 50×3.14=157 (cm)입니다.
따라서 바퀴가 100바퀴 돈 거리는
157×100=15700 (cm)입니다.

6 (민아의 훌라후프의 원주)=60×3.1=186 (cm)
186<217이므로 다예의 훌라후프가 더 큽니다.

58쪽 원의 넓이 어림하기

1 <, <
2 30, 30, 450 / 30, 30, 900
3 450, 900
4 60, 88
5 (1) 240 cm^2 (2) 180 cm^2 (3) <예> 210 cm^2

1 원 안에 있는 정사각형의 넓이보다 원의 넓이가 더 큽니다.
원 밖에 있는 정사각형의 넓이보다 원의 넓이가 더 작습니다.

2 • 원 안의 정사각형은 대각선의 길이가 30 cm인 마름모와 같습니다. → 30×30÷2=450 (cm^2)
• 원 밖의 정사각형은 한 변의 길이가 30 cm입니다.
→ 30×30=900 (cm^2)

3 • 원의 넓이는 원 안의 정사각형의 넓이 450 cm^{2}보다 크므로 450 cm^2<(원의 넓이)입니다.
• 원의 넓이는 원 밖의 정사각형의 넓이 900 cm^{2}보다 작으므로 (원의 넓이)<900 cm^{2}입니다.

4 원 안에 색칠한 초록색 모눈의 수를 세면 60개이고, 원 밖에 있는 빨간색 선 안쪽 모눈의 수를 세면 88개입니다.
원의 넓이는 초록색 모눈의 넓이인 60 cm^{2}보다 크고, 빨간색 선 안쪽 모눈의 넓이인 88 cm^2 보다 작습니다.

5 (1) 40×6=240 (cm^2)
(2) 30×6=180 (cm^2)
(3) 180 cm^2<(원의 넓이)<240 cm^{2}이므로 원의 넓이는 210 cm^{2}라고 어림할 수 있습니다.

1 (위에서부터) 원주, 반지름
2 원주, 반지름 / 지름, 반지름 / 반지름, 반지름
3 $4 \times 4 \times 3.14$, $2 \times 2 \times 3.14$ / 50.24, 12.56
4 446.4 cm^2 **5** ㉡, ㉢, ㉣, ㉠
6 867 cm^2

1 원을 잘게 잘라 이어 붙이면 점점 직사각형에 가까워지는 도형이 됩니다. 이때 이 도형의 가로는 (원주)$\times \dfrac{1}{2}$과 같고, 세로는 원의 반지름과 같습니다.

3 반지름은 지름의 반이고, 원의 넓이를 구하는 식은 (반지름)$\times$(반지름)$\times$(원주율)입니다.

4 $12 \times 12 \times 3.1 = 446.4 \ (\text{cm}^2)$

5 반지름이 길수록 원의 넓이가 넓으므로 반지름을 비교합니다.
　㉠ 4 cm
　㉡ $14 \div 2 = 7 \ (\text{cm})$
　㉢ $30 \div 3 \div 2 = 5 \ (\text{cm})$
　㉣ $108 \div 3 = 36$이고, $6 \times 6 = 36$이므로 반지름은 6 cm입니다.
　→ ㉡ > ㉣ > ㉢ > ㉠

6 만들 수 있는 가장 큰 원의 지름은 34 cm입니다.
　→ $17 \times 17 \times 3 = 867 \ (\text{cm}^2)$

1 78.5 cm^2 **2** 186 cm^2
3 36 cm^2 **4** 588 cm^2
5 324 cm^2
6 108 cm^2 / 324 cm^2 / 540 cm^2 / 756 cm^2

1 색칠한 부분의 넓이는 지름이 10 cm인 원 1개의 넓이와 같습니다. → $5 \times 5 \times 3.14 = 78.5 \ (\text{cm}^2)$

2 (색칠한 부분의 넓이)
　= (지름이 16 cm인 원의 넓이)
　　− (지름이 4 cm인 원의 넓이)
　= $(8 \times 8 \times 3.1) - (2 \times 2 \times 3.1)$
　= $198.4 - 12.4 = 186 \ (\text{cm}^2)$

3 (색칠한 부분의 넓이)
　= (정사각형의 넓이) − (원의 넓이)$\times \dfrac{1}{4}$
　= $(12 \times 12) - (12 \times 12 \times 3) \times \dfrac{1}{4}$
　= $144 - 108 = 36 \ (\text{cm}^2)$

4 $14 \times 14 \times 3 = 588 \ (\text{cm}^2)$

5 나는 반지름이 12 cm인 원의 넓이의 $\dfrac{3}{4}$입니다.
　→ $(12 \times 12 \times 3) \times \dfrac{3}{4} = 432 \times \dfrac{3}{4} = 324 \ (\text{cm}^2)$

6 노란색 넓이: $6 \times 6 \times 3 = 108 \ (\text{cm}^2)$
　빨간색 넓이: $(12 \times 12 \times 3) - (6 \times 6 \times 3)$
　　　　　　　 $= 432 - 108 = 324 \ (\text{cm}^2)$
　파란색 넓이: $(18 \times 18 \times 3) - (12 \times 12 \times 3)$
　　　　　　　 $= 972 - 432 = 540 \ (\text{cm}^2)$
　흰색 넓이: $(24 \times 24 \times 3) - (18 \times 18 \times 3)$
　　　　　　 $= 1728 - 972 = 756 \ (\text{cm}^2)$

6 원기둥, 원뿔, 구

1
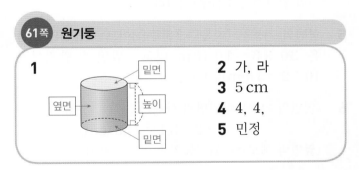

2 가, 라
3 5 cm
4 4, 4,
5 민정

2 위와 아래에 있는 면이 서로 평행하고 합동인 원으로 이루어진 입체도형은 가, 라입니다.

3 만든 입체도형은 원기둥입니다.
원기둥의 높이는 직사각형의 가로(돌릴 때 기준이 된 변)의 길이와 같으므로 5 cm입니다.

4 밑면의 지름은 $2 \times 2 = 4 \ (\text{cm})$이고, 앞에서 본 모양은 정사각형이므로 높이는 밑면의 지름과 같은 길이인 4 cm입니다.

62쪽 원기둥의 전개도

1 (1) 선분 ㄱㄹ, 선분 ㄴㄷ
(2) 선분 ㄱㄴ, 선분 ㄹㄷ

2 ( ) (○)　　**3** 직사각형

4
6 cm
37.68 cm　12 cm

5 5 cm　　　　　　**6** 24.8 cm / 9 cm

1 (1) 밑면의 둘레와 길이가 같은 선분은 옆면의 가로입니다.
(2) 원기둥의 높이와 길이가 같은 선분은 옆면의 세로입니다.

2 왼쪽 전개도는 접었을 때 두 밑면이 겹쳐지므로 원기둥을 만들 수 없습니다.

3 원기둥의 전개도는 접었을 때 겹쳐지거나 비는 부분이 없어야 합니다.

4 원기둥의 밑면인 원의 반지름은 6 cm입니다.
옆면의 가로는 밑면의 둘레와 같으므로
$6 \times 2 \times 3.14 = 37.68$ (cm)이고, 옆면의 세로는 높이와 같으므로 12 cm입니다.

5 옆면의 가로는 (지름)×(원주율)이므로 밑면의 지름은 $30 \div 3 = 10$ (cm)이고, 밑면의 반지름은 $10 \div 2 = 5$ (cm)입니다.

6 (옆면의 가로)=(밑면의 둘레)
$= 4 \times 2 \times 3.1 = 24.8$ (cm)
(옆면의 세로)=(원기둥의 높이)=9 cm

63쪽 원뿔

1 나, 라

2
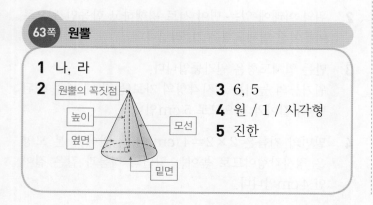
원뿔의 꼭짓점
높이
옆면
모선
밑면

3 6, 5
4 원 / 1 / 사각형
5 진한

1 가와 다는 평평한 면이 원이고 옆을 둘러싼 면이 굽은 면이지만 뿔 모양이 아닙니다.

2 • 밑면: 원뿔에서 평평한 면
• 옆면: 옆을 둘러싼 굽은 면
• 원뿔의 꼭짓점: 원뿔에서 뾰족한 부분의 점
• 모선: 원뿔의 꼭짓점과 밑면인 원의 둘레의 한 점을 이은 선분
• 높이: 꼭짓점에서 밑면에 수직인 선분의 길이

3 만든 입체도형은 원뿔입니다.
원뿔의 밑면의 지름은 직각삼각형의 밑변의 길이의 2배이므로 $3 \times 2 = 6$ (cm)입니다.
원뿔의 높이는 5 cm입니다.

5 가: 원뿔의 밑면의 반지름을 재는 방법 → 4 cm
나: 원뿔의 높이를 재는 방법 → 3 cm
다: 원뿔의 모선의 길이를 재는 방법 → 5 cm

64쪽 구

1 나　　　　　　　　**2** 8 cm

3
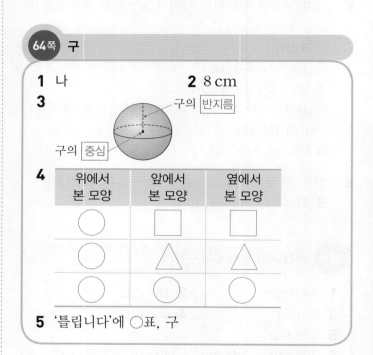
구의 반지름
구의 중심

4
위에서 본 모양	앞에서 본 모양	옆에서 본 모양
○	□	□
○	△	△
○	○	○

5 '틀립니다'에 ○표, 구

1
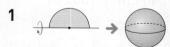

2 반원 모양의 종이를 지름을 기준으로 한 바퀴 돌리면 구가 만들어집니다.
→ (반원의 지름)=(구의 지름)=8 cm

3 • 구의 중심: 구에서 가장 안쪽에 있는 점
• 구의 반지름: 구의 중심에서 구의 표면의 한 점을 이은 선분

내신과 수능의 빠른시작!

중학 국어 빠작 시리즈

최신개정판

비문학 독해 0~3단계

독해력과 어휘력을
함께 키우는
독해 기본서

최신개정판

문학 독해 1~3단계

필수 작품을 통해
문학 독해력을 기르는
독해 기본서

빠작 ON⁺와 함께
독해력 플러스!

문학×비문학 독해 1~3단계

문학 독해력과
비문학 독해력을 함께 키우는
독해 기본서

고전 문학 독해

필수 작품을 통해
고전 문학 독해력을 기르는
독해 기본서

어휘 1~3단계

내신과 수능의
기초를 마련하는
중학 어휘 기본서

한자 어휘

중학 국어 필수 어휘를
배우는 한자 어휘 기본서

서술형 쓰기

유형으로 익히는
실전 TIP 중심의
서술형 실전서

첫 문법

중학 국어 문법을
쉽게 익히는 문법 입문서

문법

풍부한 문제로 문법 개념을
정리하는 문법서

큐브
수학
개념

개념부터 응용문제 학습까지 딱 1권으로 완료!

개념만 하기에는 너무 쉽거나 부족할 것 같은데 그렇다고 심화를 하기엔 두 권을 풀어내는 게 역부족이다 싶을 때 정말 딱 괜찮은 책! 개념부터 약간의 응용까지 건드려줘서 아이도 한 권이라 부담이 덜하고 엄마 입장에서도 너무 어렵지 않은 문제를 고루 만날 수 있다는 게 가장 큰 장점이에요. 개념부터 응용까지 폭넓게 다루는 교재는 큐브수학 개념응용밖에 없어요.

닉네임
종***

다양한 난이도 문제로 수학 자신감 UP!

세분화된 개념으로 개념을 꽉 잡을 수 있고, 문제는 간단한 기본문제부터 응용문제까지 난이도와 유형이 다양하게 구성되어 있어 단조롭지 않더라고요. 서술형 문제도 꼼꼼히 살펴보았는데 역시 짧은 서술형 문제부터 좀 더 사고를 요하는 긴 문장의 문제까지 갖춰져 있어서 지루하지 않았어요. **제대로 개념을 이해하면서, 시간이 걸리더라도 다양한 문제를 마주하고 익힐 수 있는 책이에요.**

닉네임
유*

개념응용

서술형 문제 집중 훈련이 필요할 땐! 큐브수학 실력

서술형 코너는 연습→단계→실전의 3단계 학습으로 구성되어 있어요. 저는 이 부분이 가장 좋았어요. '연습'은 풀이 과정을 자연스럽게 익히면서 스스로 풀 수 있을만큼 쉽게 느껴졌고, '단계'는 연습의 복습, '실전'은 혼자 푸는 건데도 두 번의 연습으로 완벽하게 풀 수 있어 **서술형 문제를 내 것으로 만든다는 느낌이 강하게 들었습니다. 답안 쓰기 훈련을 완벽하게 할 수 있어요.**

닉네임
삼**

반복 학습으로 모든 유형을 제대로 익히기!

다양한 유형 문제가 있고, **문제마다 유형-확인-강화 순으로 반복 학습이 가능해요. 유사 유형의 문제를 반복적으로 풀어 볼 수 있으니 실력 향상에 도움이 많이 됩니다.** 또 서술형도 3단계 학습으로 답안 쓰기 훈련이 정말 잘 됩니다. 그리고 해설지도 문제에 따라 약점 포인트, 정답률까지 나와 있어서 참고하기 너무 편하게 되어 있더라고요.

닉네임
슈****

실력

상위권 도전 첫 교재로 강력 추천!

개념과 유형 문제집까지 다 끝냈는데 심화를 안 풀고 넘어갈 수는 없잖아요? 심화 문제집도 아이에게 맞는 난이도를 선택하는 것이 무엇보다 중요한데요. **군더더기 없고 깔끔한 문제 구성과 적절하게 나누어진 난이도 덕분에 심화 시작 교재로 강력 추천합니다.**

닉네임
블***

심화